Marek
Krajewski

Śmierć
w Breslau

WYDAWNICTWO
DOLNOŚLĄSKIE

Śmierć
slau

Czas wszechwidny, ten odsłoni
Winy twojej brud.
Ślub nieślubny zemsta goni
Płodzących i płód.

Sofokles, *Król Edyp* (przełożył Kazimierz Morawski)

I

DREZNO, PONIEDZIAŁEK 17 LIPCA 1950 ROKU.
GODZINA PIĄTA PO POŁUDNIU

Lipcowy upał był nie do zniesienia. Ordynator szpitala psychiatrycznego Ernst Bennert przesunął dłonią po wielkiej łysej czaszce. Spojrzał na mokrą dłoń uważnie – jak chiromanta. Wzgórek Wenery lepił się od potu, w linii życia lśniły małe jego krople. Dwie muchy kurczowo wpijały się w ślad, który na ceracie zostawiła szklanka słodkiej herbaty. Okno gabinetu zlane było światłem bezlitosnego zachodzącego słońca.

Upał zdawał się nie przeszkadzać drugiemu siedzącemu w gabinecie mężczyźnie z czarną lśniącą czupryną. Z lubością wystawiał na słońce pyzatą, ozdobioną wąsami twarz z kiełkującym zarostem. Potarł policzek dłonią, na której wierzchu prężył się wytatuowany skorpion. Mężczyzna spojrzał na Bennerta. Jego przygaszone od blasku słońca oczy nagle stały się uważne.

– Obaj wiemy, doktorze – rzekł z wyraźnym obcym akcentem – że nie może pan odmówić instytucji, którą reprezentuję.

Bennert wiedział. Spojrzał przez okno i zamiast niegdyś okazałej, dziś – zrujnowanej, kamienicy na rogu zobaczył skutą lodem panoramę Syberii, zamarznięte rzeki, zwały śniegu z wystającymi spod niego ludzkimi kończynami. Zobaczył szopę, w której szkielety w podartych mundurach walczyły o dostęp do żelaznego piecyka, gdzie tlił się ogień. Jeden z nich przypominał Bennertowi poprzedniego dyrektora kliniki, doktora Steinbrunna, który pół roku temu nie wyraził zgody na przesłuchanie przez Stasi pewnego pacjenta.

Przetarł oczy, wstał i przechylił się przez parapet – znajomy widok: młoda matka karci nieposłuszne dziecko, warczy ciężarówka wioząca cegły.

Tak jest, majorze Mahmadow. Osobiście wpuszczę pana na oddział i przesłucha pan tego pacjenta. Nikt pana nie będzie widział.

– O to mi chodzi. Zatem do zobaczenia o północy – Mahmadow strącił z wąsów resztki tytoniu. Wstał i przygładził spodnie na udach. Kiedy naciskał klamkę, usłyszał głośny huk. Odwrócił się gwałtownie. Bennert uśmiechał się głupkowato. Trzymał w ręku gazetę „Neues Deutschland" zwiniętą w rulon. Dwie martwe muchy leżały rozpłaszczone na ceracie.

DREZNO, TEGOŻ 17 LIPCA 1950 ROKU.
PÓŁNOC

Dzięki swej wyobraźni pacjent Herbert Anwaldt przetrwał w „domu tortur", jak nazywał drezdeńską klinikę psychiatryczną przy Marien-Allee, już pięć lat. To wyobraźnia była filtrem cudownych transformacyj; jej zawdzięczał, że kuksańce i razy pielęgniarzy zamieniały się w łagodną pieszczotę, smród fekaliów w zapach wiosennego ogrodu, ryki chorych w barokowe kantaty, a odrapane lamperie we freski Giotta. Imaginacja była mu posłuszna: po latach ćwiczeń udało mu się ją poskromić do tego stopnia, że na przykład wytłumił w sobie całkowicie coś, co nie pozwoliłoby mu przetrwać w zamknięciu: pożądanie kobiecego ciała. Nie musiał jak starotestamentowy mędrzec „tłumić ognia w łonie swoim" – ten płomień już dawno zgasł.

Wyobraźnia zawodziła go jednak, gdy widział biegające po sali małe, ruchliwe owady. Ich brunatno-żółte odwłoki migające w szparach pomiędzy deskami parkietu, ruchliwe czułki wystające zza umywalki, pojedyncze okazy wpełzające na kołdrę: a to ciężarna samica ciągnąca blady kokon, a to dorodny samiec wysoko unoszący swe ciało na chwytliwych odnóżach, a to bezradne młode kręcące dookoła cienkimi czułkami – wszystko to sprawiało, że mózg Anwaldta był wstrząsany elektrycznymi wyładowaniami neuronów. Zwijał się cały boleśnie, w skórę wwiercały się ruchliwe czułki, a w wyobraźni łaskotały go tysiące odnóży. Wpadał wówczas w furię i bywał niebezpieczny dla innych pacjentów, zwłaszcza od czasu, kiedy zauważył, że niektórzy z nich łapią owady do pudełek po zapałkach i podrzucają do jego łóżka. Dopiero zapach środków owadobójczych uspokajał rozedrgane nerwy. Sprawę załatwiłoby przeniesienie chorego do innego, mniej zakaraluszonego szpitala w innym mieście, lecz występowały tu nieprzewidziane, biurokratyczne przeszkody i kolejni dyrektorzy rezygnowali z tego pomysłu. Dr Bennert ograniczył się do przeniesienia Anwaldta do pojedynczej salki, w której trochę częściej przeprowadzano dezynsekcję. W okresach poprzedzających wyroje karaluchów pacjent Anwaldt był spokojny i zajmował się głównie studiowaniem języków semickich.

Przy tym zajęciu zastał go podczas obchodu pielęgniarz Jürgen Kopp. Mimo że dyrektor Bennert nieoczekiwanie zwolnił go z dzisiejszego dyżuru, Kopp nie miał zamiaru opuszczać szpitala. Zamknął drzwi od pokoju Anwaldta i udał się na oddział w sąsiednim budynku. Tam usiadł przy stoliku z dwoma kolegami Frankem i Voglem i zaczął rozdawać karty. Skat był namiętnością, której oddawał się cały niższy personel szpitalny. Kopp zalicytował wino i wyszedł dupkiem żołędnym, aby ściągnąć tromfy. Nie zdążył jednak zabrać sztychu, gdy usłyszeli nieludzki ryk dobiegający przez ciemny dziedziniec.

– Ciekawe, który to drze ryja? – zamyślił się Vogel.

– To Anwaldt. Właśnie przed chwilą zapaliło się u niego światło – roześmiał się Kopp. – Pewnie znów zobaczył karalucha.

Kopp miał rację, ale tylko częściową. To rzeczywiście krzyczał Anwaldt, lecz nie z powodu karalucha: po podłodze jego salki, śmiesznie podrygując długimi odwłokami, spacerowały cztery dorodne, czarne, pustynne skorpiony.

WROCŁAW, SOBOTA 13 MAJA 1933 ROKU.
GODZINA PIERWSZA W NOCY

Madame le Goef, Węgierka o pseudofrancuskim nazwisku, wiedziała, jak zabiegać o wrocławskich klientów. Nie wydała ani feniga na prasowy anons czy reklamę, lecz przystąpiła do działań bezpośrednich. Ufając swej niezawodnej intuicji, wynotowała z książki telefonicznej oraz z księgi adresowej miasta Wrocławia około stu nazwisk. Następnie pewna szeroko ustosunkowana, luksusowa prostytutka zweryfikowała listę i okazało się, że przeważnie są to nazwiska bogatych mężczyzn. Oprócz tego madame sporządziła spis wrocławskich lekarzy oraz wykładowców uniwersytetu i politechniki. Wysłała im wszystkim dyskretne liściki w nie wzbudzających podejrzeń kopertach, informujące o powstaniu nowego klubu, w którym najbardziej wymagający panowie mogą spełnić swe pragnienia. Druga fala reklamy rozlewała się po męskich klubach, łaźniach parowych, cukierniach i teatrzykach variété. Sowicie nagradzani szatniarze i portierzy, w tajemnicy przed alfonsami, którzy ich opłacali za stręczenie swych dziewczyn, wsuwali gościom do rąk i kieszeni płaszczy pachnące kartoniki ozdobione rysunkiem apetycznej Wenus w czarnych pończochach i cylindrze.

.Mimo świętego oburzenia prasy i dwóch spraw sądowych klub madame le Goef stał się sławny. Klientom służyło swymi wdziękami, na różne sposoby, trzydzieści dziewcząt i dwóch młodzieńców.

W salonie nie brakło też występów artystycznych. „Artystki" rekrutowały się z personelu salonu albo – co było częstsze – tutaj dawały gościnne, hojnie opłacane występy, tancerki zatrudnione na stałe w kabarecie „Imperial" lub w jakimś teatrzyku rewiowym. Dwa wieczory w tygodniu utrzymane były w stylu orientalnym (taniec nie tylko brzucha kilku Egipcjanek", które na co dzień występowały w kabarecie), dwa w klasycznym (bachanalia), jeden w rubasznie niemieckim (Heidi w koronkowych majtasach), jeden zaś zarezerwowany był dla specjalnych gości, którzy na ogół wynajmowali cały klub na dyskretne spotkania. W poniedziałki zakład był nieczynny. Niebawem wprowadzono telefoniczną rezerwację, a pruski pałacyk zwany „Nadślężańskim zameczkiem" w podwrocławskim Oporowie stał się sławny w całym mieście. Nakłady zwróciły się szybko, tym bardziej że madame nie była jedynym inwestorem. Lwią część wydatków poniosło wrocławskie Prezydium Policji. Tej instytucji koszty zwracały się nie tylko materialnie. Wszyscy więc byli zadowoleni, a najbardziej – okazjonalni i stali klienci. Tych ostatnich wciąż przybywało. Bo gdzież by indziej profesor orientalistyki Otto Andreae mógł gonić – uzbrojony w kindżał i w turbanie na głowie – bezbronną hurysę, aby ją posiąść wśród szkarłatnych poduszek, gdzież indziej dyrektor teatru miejskiego Fritz Rheinfelder mógł wystawiać swój tłusty grzbiet

10

na słodkie ciosy butów do konnej jazdy, zadawane przez smukłą amazonkę?

Madame dobrze rozumiała mężczyzn i była szczęśliwa, jeśli mogła zaspokoić ich wymagania. Taką chwilę radości przeżyła niedawno, gdy znalazła dla zastępcy szefa Wydziału Kryminalnego Prezydium Policji, radcy Eberharda Mocka dwie dziewczyny grające w szachy. Madame darzyła tego krępego bruneta o gęstych falujących włosach szczególną sympatią. Radca nie zapominał nigdy o kwiatach dla madame i o drobnych upominkach dla dziewcząt, które go chętnie obsługiwały. Był opanowany i milczący, uwielbiał szarady, brydża, szachy i okrągłe blondynki. Swoje namiętności mógł zaspokajać u madame le Goef bez żadnych zahamowań. Przychodził regularnie w piątki o północy, wchodził bocznymi drzwiami i nie oglądając występów artystycznych, udawał się do swego ulubionego pokoju, gdzie czekały na niego dwie odaliski. Przebierały go w jedwabny szlafrok, karmiły kawiorem i poiły czerwonym reńskim winem. Mock siedział nieruchomo, jedynie jego ręce krążyły po alabastrowej skórze niewolnic. Po kolacji zasiadał z jedną z nich do szachów. Druga w tym czasie wchodziła pod stół i czyniła coś, o czym miały pojęcie już ludy prehistoryczne. Grająca z Mockiem w szachy była poinstruowana, że każdemu udanemu ruchowi przypisana była konkretna konfiguracja erotyczna. Toteż po strąceniu pionka lub figury Mock wstawał od stołu i lądował ze swoją partnerką na sofie, gdzie przez kilka minut ową konfigurację realizowali.

Zgodnie z zasadami wyznaczonymi sobie samemu, Mockowi nie wolno było zaspokoić żądzy, gdy któraś z przeciwniczek dała mu szacha mata. To mu się już raz zdarzyło – wstał wtedy od stołu, dał dziewczętom po kwiatku i wyszedł, ukrywając gniew i frustrację pod błazeńskim uśmiechem. Potem już nigdy nie pozwalał sobie na brak koncentracji nad szachownicą.

Po jednej takiej długiej partii Mock odpoczywał na sofie czytając dziewczętom swoje refleksje na temat ludzkich charakterów. Była to jego trzecia pasja, z którą ujawniał się jedynie w swoim ulubionym klubie. Radca kryminalny, miłośnik literatury starożytnej, zaskakujący swoich podwładnych długimi łacińskimi cytatami, pozazdrościł

Neposowi i Teofrastowi, konstruując, nie bez literackich pretensji, charakterystyki osób, z którymi się stykał. Za podstawę służyły mu własne obserwacje i policyjne akta. Średnio raz w miesiącu tworzył opis jednego człowieka, a już istniejące uzupełniał nowymi faktami. Owe dopiski i nowo powstające charakterystyki powodowały wielki zamęt w zmęczonych główkach dziewczyn. Nie zważając na to siedziały u stóp Mocka, patrzyły w jego okrągłe oczy i czuły wzbierającą w kliencie falę szczęścia.

Istotnie, radca kryminalny Mock był szczęśliwy i wychodząc zwykle około trzeciej w nocy dawał małe prezenty dziewczynom, a sennemu portierowi – napiwek. Szczęście Mocka odczuwał nawet fiakier wiozący go spokojną o tej porze Gräbschener Strasse do okazałej kamienicy na Rehdigerplatz, gdzie radca zasypiał u boku żony, słuchając tykania zegara i pokrzykiwań furmanów i mleczarzy.

Niestety, w nocy z 12 na 13 maja 1933 roku radca Eberhard Mock nie zaznał szczęścia w ramionach dziewcząt madame le Goef. Właśnie rozgrywał interesującą obronę sycylijską, gdy madame dyskretnie zapukała do drzwi.

Po chwili zastukała powtórnie. Mock odsapnął, zapiął szlafrok, wstał i otworzył drzwi. Jego twarz była bez wyrazu, ale madame wiedziała, co czuje ten mężczyzna, kiedy mu ktoś przerywa wyszukany, erotyczno-szachowy kontredans.

Drogi panie radco – właścicielka klubu darowała sobie bezskuteczne, jak wiedziała, przeprosiny. – Na dole jest pański asystent.

Mock grzecznie podziękował, szybko się ubrał, w czym pomagały mu usłużne gejsze (jedna wiązała krawat, druga zapinała spodnie i koszulę), wyjął z teczki dwie małe bombonierki i pożegnał niepocieszone szachistki. Rzucił „dobranoc" madame i zbiegł po schodach, wpadając z impetem na swojego asystenta Maxa Forstnera, opartego o kryształowy klosz stojącej w hallu lampy. Kryształki zabrzęczały ostrzegawczo.

– Baronówna Marietta von der Malten została zgwałcona i zamordowana – wysapał Forstner.

Mock zbiegł po schodach na podjazd, wsiadł do czarnego adlera, trzasnął drzwiami trochę za mocno i zapalił papierosa. Forstner skwapliwie usiadł za kierownicą i zapuścił silnik. Ruszyli w milczeniu. Przejechali przez most na Ślęzie, kiedy w końcu Mock zebrał myśli.

– Jak mnie tu znaleźliście? – zapytał radca, uważnie obserwując przesuwający się po prawej stronie mur Cmentarza Komunalnego. Na tle nieba odcinał się wyraźnie trójkątny dach krematorium.

– Miejsce pobytu pana radcy zasugerował mi pan dyrektor kryminalny, doktor Mühlhaus. – Forstner wzruszył ramionami, jakby chciał powiedzieć: „Wszyscy wiedzą, gdzie w piątki bywa Mock".

– Nie pozwalajcie sobie na takie gesty, Forstner – Mock spojrzał na niego uważnie – jesteście jeszcze wciąż tylko moim asystentem.

Zabrzmiało to groźnie, ale nie zrobiło na Forstnerze najmniejszego wrażenia. Mock nie spuszczał wzroku z jego szerokiej twarzy (*„mała, tłusta, ruda kanalia"*) i po raz nie wiadomo który postanowił, wbrew rozsądkowi, zniszczyć bezczelnego podwładnego. Nie było to łatwe, gdyż Forstner został przyjęty do Wydziału Kryminalnego wraz z nastaniem rządów nowego prezydenta policji, fanatycznego nazisty Obergruppenführera SA Edmunda Heinesa. Mock dowiedział się, że jego asystent jest protegowanym nie tylko Heinesa, ale chełpi się dobrymi stosunkami z samym nowym nadprezydentem Śląska, Helmuthem Brücknerem, którego narzucili naziści krótko po wygranych wyborach do Reichstagu. Ale radca pracował w policji prawie ćwierćwiecze i wiedział, że zniszczyć można każdego. Dopóki miał władzę, dopóki szefem Wydziału Kryminalnego był stary mason i liberał Heinrich Mühlhaus, mógł nie dopuszczać Forstnera do poważnych spraw i oddelegować go na przykład do spisywania prostytutek pod hotelem „Savoy" przy Tauentzienplatz albo do legitymowania homoseksualistów pod pomnikiem cesarzowej Augusty na promenadzie pod Szkołą Sztuk Pięknych. Najbardziej irytował Mocka fakt, że nie zna żadnych słabostek Forstnera – jego akta były czyste, codzienna obserwacja podpowiadała jedno tylko, zwięzłe określenie: „tępy służbista". Co prawda bliskie stosunki z Heinesem, o którym powszechnie wiedziano, że jest pederastą, podsuwały Mockowi niejasne podejrzenia, ale było to zbyt mało, aby podporządkować sobie tę „wtyczkę" – agenta gestapo Forstnera.

13

Dojeżdżali do Sonnenplatz. Miasto tętniło podskórnym życiem. Zazgrzytał na zakręcie tramwaj wiozący robotników drugiej zmiany z fabryki Linkego, Hofmanna i Lauchhammera, migały gazowe latarnie. Skręcili w prawo, w Gartenstrasse: pod halą targową tłoczyły się furmanki dowożące ziemniaki i kapustę, stróż secesyjnej kamienicy na rogu Theaterstrasse złorzecząc naprawiał lampę przy bramie, dwóch pijanych burszów zaczepiało prostytutki dumnie spacerujące z parasolkami pod Domem Koncertowym. Minęli salon samochodowy Kotschenreuthera i Waldschmidta, budynek śląskiego Landtagu i kilka hoteli. Nocne niebo rozpylało mglisty deszczyk.

Adler zatrzymał się z drugiej strony Dworca Głównego, przy Teichäckerstrasse, naprzeciw łaźni natryskowych. Wysiedli. Ich płaszcze i kapelusze pokryły się wodnym pyłkiem, mżawka osiadała na ciemnej szczecinie Mocka i na gładko ogolonych policzkach Forstnera. Potykając się o szyny przeszli na boczny tor. Dookoła stali umundurowani policjanci i kolejarze rozmawiający podniesionymi głosami. Właśnie nadchodził z charakterystycznym kuśtykaniem policyjny fotograf Helmut Ehlers.

Do Mocka podszedł stary policjant z lampą naftową, którego wysyłano do najbardziej makabrycznych zbrodni.

– Kriminalwachtmeister Emil Koblischke melduje się – przedstawił się, jak zwykle, choć było to niepotrzebne; radca dobrze znał swych podwładnych. Koblischke osłonił dłonią papierosa i przyjrzal się uważnie Mockowi.

– Gdzie jest pan radca i ja, tam musi być źle – pokazał wzrokiem wagon-salonkę, na której przymocowana była tablica „Berlin–Breslau" – tu jest bardzo źle.

Na korytarzu salonki wszyscy trzej ostrożnie przestąpili ciało leżącego kolejarza. Nalana twarz zastygła w maskę bólu. Nie było śladów krwi. Koblischke chwycił zwłoki za kołnierz i posadził, głowa kolejarza przykrzywiła się na bok, a kiedy policjant odchylił kołnierz munduru, Mock i Forstner schylili się nad plecami.

– Daj, Emil, bliżej tę lampę. Nic nie widać – rzucił Mock.

Koblischke przystawił lampę i przewrócił zwłoki na brzuch. Uwolnił jedną rękę od rękawa munduru i koszuli, po czym szarpnął mocno i obnażył plecy i bark zmarłego. Przysunął naftówkę. Policjanci dostrzegli na karku i łopatce kilka czerwonych plamek z siną opuchlizną. Między łopatkami kolejarza leżały trzy rozpłaszczone martwe skorpiony.

– Takie trzy owady potrafią zabić człowieka? – Forstner po raz pierwszy zdradził się z własną ignorancją.

– To nie są owady, Forstner, lecz pajęczaki. – Mock nawet nie tłumił pogardy w głosie. – Poza tym sekcja jeszcze przed nami.

O ile w wypadku kolejarza policjanci mogli mieć jakieś wątpliwości, o tyle przyczyna zgonu dwóch kobiet w salonce była aż nadto oczywista.

Mock łapał się często na tym, że tragiczna wieść wywoływała u niego przewrotne myśli, a wstrząsający widok – rozbawienie. Kiedy zmarła w Wałbrzychu jego matka, pierwsza myśl, jaka przysza mu do głowy, to kwestia natury porządkowej: co zrobić ze starym, ogromnym tapczanem, którego nie można było wytaszczyć ani przez okno, ani przez drzwi. Na widok chudych, bladych łydek obłąkanego żebraka katującego szczeniaka koło dawnego Prezydium Policji przy Schuhbrücke 49, ogarnął go głupi śmiech. Teraz także, kiedy Forstner pośliznął się na kałuży krwi pokrywającej podłogę salonki, Mock parsknął śmiechem. Koblischke nie spodziewał się po radcy takiej reakcji. Sam wiele widział w życiu, ale widok w salonce wprawił go po raz drugi w nerwowe drżenie. Forstner wyszedł z pomieszczenia, Mock rozpoczął oględziny.

Siedemnastoletnia Marietta von der Malten leżała na podłodze obnażona od pasa w dół. Gęste, popielate, rozpuszczone włosy nasiąkły krwią jak gąbka. Twarz wykrzywiona była jakby gwałtownym atakiem paraliżu. Girlandy jelit walały się po bokach rozciętego ciała. Rozdarty żołądek pokazywał nieprzetrawione resztki jedzenia. Mockowi zdawało się, że coś dostrzega w jamie brzusznej. Pokonując wstręt, pochylił się nad ciałem dziewczyny. Fetor był nie do zniesienia. Mock przełknął ślinę. Wśród krwi i śluzu poruszał się mały, ruchliwy skorpion.

Forstner wymiotował gwałtownie w ubikacji. Koblischke podskoczył śmiesznie, bo coś trzasnęło mu pod butem.

– *Scheisse*, jest tu tego więcej – krzyknął.

Rozejrzeli się dokładnie po kątach salonki i zabili jeszcze trzy skorpiony. – Dobrze, że żaden z nich nas nie ukąsił – sapał ciężko Koblischke – bo leżelibyśmy teraz jak ten na korytarzu.

Kiedy upewnili się, że w wagonie nie ma więcej groźnych stworzeń, podeszli do drugiej ofiary, panny Françoise Debroux – guwernantki baronówny. Czterdziestoparoletnia kobieta leżała przerzucona przez oparcie kanapy. Podarte pończochy, żylaki na łydkach, podwinięta aż po pachy skromna sukienka z białym kołnierzykiem, rzadkie włosy uwolnione od staropanieńskiego koczka. Zagryzała zębami napuchnięty język. Na szyi zaciśnięty był sznur od zasłon. Mock obejrzał ze wstrętem trupa i z ulgą nie zauważył nigdzie skorpiona.

– Najdziwniejsze jest to – Koblischke wskazał na ścianę salonki obitą granatowym materiałem w błękitne paski. Między oknami wagonu widniał napis. Dwie linie dziwnych znaków. Radca kryminalny zbliżył ku nim twarz. Jeszcze raz przełknął ślinę.

– Tak, tak... – Koblischke zrozumiał go w lot. – Ktoś to napisał krwią...

Mock powiedział usłużnemu Forstnerowi, że nie życzy sobie być odwiezionym do domu. Szedł powoli w rozpiętym płaszczu. Czuł ciężar swoich pięćdziesięciu lat. Po dwóch kwadransach znalazł się wśród znanych domów. Przystanął w bramie jednej z kamienic na Opitzstrasse i spojrzał na zegarek. Czwarta. Zwykle o tej porze wracał z piątkowych „szachów". Jednak nigdy owe rozkoszne „partyjki" nie zmęczyły go tak bardzo jak dzisiejsze przeżycia.

Kładąc się spać obok żony, nasłuchiwał tykania zegara. Przed snem przypomniał sobie pewną scenę z młodości. Jako dwudziestoletni student przebywał w majątku dalekich krewnych pod Trzebnicą i flirtował z żoną zarządcy folwarku. W końcu po wielu nieudanych próbach umówił się z nią na schadzkę. Siedział na brzegu rzeki pod starym dębem, pewny, że dziś wreszcie nasyci się jej ponętnym ciałem. Paląc papierosa, przysłuchiwał się kłótni kilku wiejskich dziewczynek bawiących się po drugiej stronie rzeki. Okrutne istoty podniesionymi głosikami odpędzały kulawą dziewczynkę, nazywając ją kuternogą. Dziecko stało nad wodą i patrzyło w stronę Mocka. W wyprostowanej ręce trzymało starą lalkę, pocerowana sukienka falowała na wietrze, glina powalała świeżo wypastowane buciki. Mock uświadomił sobie, że przypomina mu ptaka z przetrąconym skrzydłem. Patrzył na dziewczynkę i nieoczekiwanie się rozpłakał.

Nie mógł stłumić płaczu i teraz. Żona mruknęła coś przez sen. Mock otworzył okno i wystawił na deszcz rozpaloną twarz. Marietta von der Malten była też kulawa i znał ją od dziecka.

WROCŁAW, TEGOŻ 13 MAJA 1933 ROKU.
GODZINA ÓSMA RANO

W soboty Mock przychodził do Prezydium Policji o dziewiątej rano. Portierzy, gońcy i wywiadowcy znacząco spoglądali po sobie, kiedy lekko uśmiechnięty, niewyspany radca uprzejmie odpowiadał na pozdrowienia ciągnąc za sobą smugę zapachu drogiej wody kolońskiej od Welzla. Ale w dzisiejszą sobotę nikomu nie przypominał owego zadowolonego z siebie policjanta, zwierzchnika łagodnego i wyrozumiałego. Już o ósmej wszedł do gmachu, trzaskając drzwiami. Wyprostował kilkakrotnie skrzydła parasola, rozsiewając wokół kropelki wody. Nie odpowiadając na „dzień dobry panu radcy" portiera i zaspanego gońca, wbiegł szybko po schodach. Noskiem buta zawadził o najwyższy stopień i omal się nie przewrócił. Portier Handke nie wierzył własnym uszom – po raz pierwszy usłyszał soczyste przekleństwo z ust Mocka.

– Oj, pan radca dzisiaj niełaskaw – uśmiechnął się do gońca Bendera.

Mock tymczasem wszedł do swego gabinetu, usiadł za biurkiem i zapalił cygaro. Niewidzący wzrok utkwił w ścianie z glazurowanych cegieł. Zdawał sobie sprawę, że siedzi w płaszczu i w kapeluszu, lecz nie ruszał się z miejsca. Po kilku minutach rozległo się pukanie do drzwi i wszedł Forstner.

– Za godzinę mają tu być wszyscy.

– Już są.

Radca po raz pierwszy spojrzał na swojego asystenta z chłodną życzliwością.

17

– Forstner, proszę umówić mnie na rozmowę telefoniczną z profesorem Andreae z uniwersytetu. Proszę też zadzwonić do rezydencji barona Oliviera von der Maltena i zapytać, o której pan baron byłby skłonny mnie przyjąć. Za pięć minut odprawa u mnie.

Mockowi wydawało się, że Forstner wychodząc trzasnął obcasami. Wywiadowcy i inspektorzy, noszący tytuły asystentów, sekretarzy i wachmistrzów kryminalnych, bez zdziwienia patrzyli na nieogolonego szefa i bladego Forstnera. Wiedzieli, że dzisiejsze problemy żołądkowe tego ostatniego nie wynikają bynajmniej z przejedzenia się ulubioną kaszanką z cebulą.

– Moi panowie, zostawiacie na boku wszystkie aktualnie prowadzone sprawy. – Mock mówił głośno i dobitnie. – Użyjemy wszelkich prawnych i bezprawnych metod, aby znaleźć mordercę lub morderców. Możecie bić i szantażować. Postaram się, aby wszystkie tajne akta stały przed wami otworem. Nie żałujcie pieniędzy informatorom. A teraz konkrety. Hanslik i Burck, przesłuchacie wszystkich handlarzy zwierzętami, począwszy od zaopatrzeniowców ogrodu zoologicznego, a skończywszy na sprzedawcach papug i złotych rybek. Raportu oczekuję rano we wtorek. Smolorz, sporządzi pan spis wszelkich prywatnych menażerii we Wrocławiu i w okolicach, a także listę ekscentryków sypiających z anakondą. Następnie wszystkich pan przesłucha. Pomoże panu Forstner. Raport we wtorek. Helm i Friedrich, przejrzyjcie akta wszystkich zboczeńców i gwałcicieli od końca wojny. Zwracajcie baczną uwagę na miłośników zwierząt i na tych, którzy choć trochę liznęli wschodnie języki. Raport w poniedziałek wieczorem. Reinert, dobierze pan dwudziestu ludzi, odwiedzi wszystkie burdele i przesłucha pan tyle dziwek, ile pan zdoła. Ma pan pytać o klientów-sadystów i tych, którzy podczas orgazmu cytują Kamasutrę. Raport we wtorek. Kleinfeld i Krank – wam przypada niełatwe zadanie. Musicie ustalić, kto ostatni widział te nieszczęsne ofiary. Codziennie o trzeciej częściowe raporty. Moi panowie, jutrzejsza niedziela nie jest dniem wolnym od pracy.

Profesor Andreae był uparty. Kategorycznie twierdził, że odszyfrować może jedynie oryginalny tekst wypisany na tapecie; nie chciał słyszeć o żadnych fotografiach ani o najdoskonalszych nawet odręcznych kopiach. Mock, który z racji swych, co prawda nie ukończonych, studiów filologicznych żywił wielki szacunek do rękopisów, ustąpił. Odłożył słuchawkę i polecił Forstnerowi przynieść z magazynu dowodów rulon materiału z tajemniczymi wersetami. Sam zaś udał się do szefa Wydziału Kryminalnego, doktora Heinricha Mühlhausa i przedstawił mu plan działań. Dyrektor kryminalny nie komentował, nie chwalił, nie ganił, niczego nie sugerował. Sprawiał wrażenie dziadka, który z pobłażliwym uśmiechem słucha fantastycznych rojeń wnuka. Gładził swą długą, szpakowatą brodą, poprawiał binokle, pykał fajkę i co chwilę przymykał oczy. Mock starał się wówczas zatrzymać pod powiekami ów interesujący portret zwierzchnika.

– Proszę nie spać, młody człowieku – zaskrzeczał Mühlhaus. – Wiem, że jest pan zmęczony.

Zabębnił żółtymi palcami o blat biurka: dziadek udzielił wnukowi napomnienia.

– Pan musi znaleźć mordercę, Eberhardzie. Wie pan, co będzie, jeśli go pan nie znajdzie? Ja za miesiąc idę na emeryturę. A pan? Zamiast przyjść na moje miejsce, co jest wcale prawdopodobne, zostanie pan na przykład komendantem Bahnschutzu w Obornikach Śląskich albo będzie pan pilnował stawów rybnych koło Lubina jako komendant tamtejszej Fischereipolizei[1]. Dobrze pan zna von der Maltena. Jeśli nie znajdzie pan mordercy, on się na panu zemści. A jest ciągle bardzo wpływowy. Ach, zapomniałbym... Niech pan uważa na Maxa Forstnera. Dzięki niemu gestapo wie o każdym naszym kroku.

Mock podziękował za wskazówki i poszedł do swojego gabinetu. Spojrzał przez okno na fosę miejską obrzeżoną starymi kasztanowcami i na zalany słońcem Schlossplatz, po którym maszerowała orkie-

---

[1] Straż pilnująca stawów rybnych (niem.).

stra wojskowa, ćwicząc przed jutrzejszym Festynem Wiosny. Słoneczne światło otoczyło głowę Mocka bursztynową aureolą. Zamknął oczy i znów zobaczył odtrąconą kaleką dziewczynkę znad rzeki. Widział także zbliżającą się z daleka żonę zarządcy – obiekt swych młodzieńczych pożądań.

Dzwonek telefonu przeniósł go z powrotem do Prezydium Policji. Przeczesał palcami lekko przetłuszczone włosy i podniósł słuchawkę. Telefonował Kleinfeld.

– Panie radco, ostatnim człowiekiem, który widział denatki żywe, jest kelner Moses Hirschberg. Przesłuchaliśmy go. O północy podawał paniom kawę w salonce.

– Gdzie wtedy był pociąg?

– Między Legnicą a Wrocławiem, za Malczycami.

– Czy między Malczycami a Wrocławiem pociąg miał jakiś przystanek?

– Nie. Mógł jedynie czekać na zielone światło we Wrocławiu, przed samym dworcem.

– Dziękuję, Kleinfeld. Sprawdźcie dokładnie tego Hirschberga – czy nie mamy czegoś na niego.

– Tak jest.

Telefon zadzwonił po raz drugi.

– Panie radco – odezwał się baryton Forstnera. – Profesor Andreae rozpoznał alfabet jako starosyryjski. We wtorek dostaniemy przekład.

Telefon zadzwonił po raz trzeci.

– Tu rezydencja barona von der Maltena. Pan baron oczekuje pana radcę tak szybko, jak to możliwe.

Mock odrzucił pierwszą myśl, aby zwymyślać zuchwałego majordomusa i zapewnił, że za chwilę przyjedzie. Kazał Forstnerowi, który dopiero co przyjechał z uniwersytetu, zawieźć się na Eichen-Allee13, gdzie mieszkał baron. Rezydencję oblegali żurnaliści, którzy – zobaczywszy parkującego adlera – podbiegli do policjantów. Ci minęli ich bez słowa i weszli na teren posiadłości von der Maltenów, wpuszczeni przez strażnika. W hallu powitał ich kamerdyner Matthias.

– Pan baron życzy sobie widzieć jedynie pana radcę.

Forstner nie mógł ukryć zawodu, Mock uśmiechnął się w duchu.

Gabinet barona ozdabiały sztychy pełne okultystycznej symboliki. Wiedzy tajemnej dotyczyły także niezliczone woluminy jednakowo oprawione w wiśniową skórę. Słońce przebijało się z trudem przez ciężkie, zielone zasłony oświetlając cztery porcelanowe słonie unoszące glob ziemski na swych grzbietach. W półmroku błyszczał srebrny model sfer niebieskich z Ziemią pośrodku. Głos Oliviera von der Maltena, dobiegający z bawialni sąsiadującej z biblioteką, odwrócił uwagę Mocka od geocentrycznych kwestii.

– Nie masz dzieci, Eberhardzie, daruj więc sobie kondolencje. Wybacz tę formę rozmowy – przez drzwi. Nie życzę sobie, abyś mnie oglądał. Znałeś Mariettę od dziecka...

Przerwał, a Mockowi zdawało się, że słyszy stłumione łkanie. Za chwilę znów rozległ się nieco zmieniony głos barona:

– Zapal sobie cygaro i posłuchaj mnie uważnie. Przede wszystkim usuń spod mojego domu tych pismaków. Po drugie, sprowadź z Królewca doktora Georga Maassa. Jest to równie znakomity znawca dziejów okultyzmu, jak i języków Wschodu. On pomoże ci znaleźć sprawców tego rytualnego mordu... Tak, rytualnego. Nie przesłyszałeś się Eberhardzie. Po trzecie, jeżeli już znajdziesz mordercę, oddaj go mnie. Takie są moje rady, prośby, czy, jak wolisz, warunki. To wszystko. Wypal spokojnie cygaro. Do widzenia.

Radca nie odezwał się ani słowem. Znał von der Maltena z czasów studenckich i wiedział, że wszelka dyskusja z nim nie ma sensu. On słuchał tylko samego siebie, a innym wydawał dyspozycje. Radca Eberhard Mock już dawno odwykł od słuchania rozkazów, bo przecież trudno za takie byłoby uznać dobrotliwe zrzędzenie jego szefa Mühlhausa. Poza tym Mock nie mógł odmówić – gdyby nie baron Olivier von der Malten, nie przysługiwałby mu tytuł Kriminalrata.

Mock wydał Forstnerowi polecenia w sprawie dziennikarzy i doktora Maassa, sam zaś wezwał do siebie Kleinfelda.

– Mamy coś na tego Hirschberga?

– Nic.

– Przyprowadźcie go do mnie na przesłuchanie. O drugiej.

Czuł, że powoli traci opanowanie, z którego słynął. Zdawało mu się, że ma piasek pod powiekami; spuchnięty język, pokryty był kwaśną warstewką nikotyny; dyszał głośno, a koszula lepiła się na nim od potu. Wezwał dorożkę i kazał się wieźć na uniwersytet.

Profesor Andreae akurat skończył wykład z historii Bliskiego Wschodu. Mock podszedł do niego i przedstawił się. Profesor spojrzał nieufnie na nieogolonego policjanta i poprosił go do swojego gabinetu.

– Panie profesorze, wykłada pan na naszym uniwersytecie już trzydzieści lat. Sam miałem przyjemność słuchać pana, kiedy przed laty studiowałem filologię klasyczną... Ale byli wśród pańskich studentów i tacy, którzy poświęcili się całkowicie orientalistyce. Czy może przypomina sobie pan profesor któregoś z nich zachowującego się nienormalnie, wykazującego jakieś odchylenia, zboczenia...?

Andreae był niskim, zasuszonym starcem o krótkich nogach i długim tułowiu. Siedział teraz w swym wielkim fotelu i poruszał w powietrzu stopami w sznurowanych bucikach. Mock zmrużył oczy i uśmiechnął się w duchu – już widział łatwą karykaturę profesora: dwie kreski pionowe – nos i kozia bródka, trzy kreski poziome – oczy i usta.

– Życie płciowe studentów orientalistyki – kreska ust Andreae zrobiła się jeszcze cieńsza – bo, jak pan trafnie zauważył, „byli i tacy", równie mało mnie interesuje, co pańskie...

Radcy kryminalnemu zdawało się, że dzwon wozu strażackiego, który przejeżdżał właśnie Ursulinenstrasse, rozkołysał się w jego piersi. Wstał i podszedł do biurka profesora. Przycisnął mocno przeguby jego dłoni do oparć fotela i przysunął swoją twarz do koziej bródki.

– Słuchaj no, stary capie, może to ty zabiłeś siedemnastoletnią dziewczynę. Goniłeś ją, groteskowy karle, tak jak lubisz, w turbanie? Rozciąłeś kindżałem jej aksamitny brzuch? – Odsunął się od profesora i usiadł ponownie na krześle. Rozczesał palacami zwilgotniałe włosy.

– Żałuję panie profesorze, ale ten tekst oddam do ekspertyzy komuś innemu. Poza tym, co pan robił w piątek w nocy między jedenastą a pierwszą? Proszę nie odpowiadać. Ja wiem. A czy chce pan, aby dowiedział się o tym dziekan Wydziału Filozoficznego albo pańscy studenci? Są przecież i tacy.

Andreae uśmiechnął się.

– Na szczęście są. Panie radco, postaram się przełożyć ten tekst tak dobrze, jak tylko potrafię. Poza tym przypomniałem sobie właśnie pewnego studenta wykazującego – jak pan to określił – pewne odchylenia. To baron Wilhelm von Köpperlingk.

– Nie dziękuję panu – Mock włożył kapelusz.

WROCŁAW, TEGOŻ 13 MAJA 1933 ROKU.
GODZINA DRUGA PO POŁUDNIU

W Prezydium Policji czekał na niego Kleinfeld z Mosesem Hirschbergiem. Był to niewysoki, przygarbiony brunet około czterdziestki. Powtórzył to, co radca znał już z raportu Kleinfelda.

– Powiedzcie mi, Hirschberg, w jakich pracowaliście wcześniej lokalach?

Kelner przeszedł w dzieciństwie jakieś stany zapalne, po których pozostał mu pewien tik: gdy mówił, prawy róg ust unosił się nieco, co przypominało głupkowaty, szyderczy uśmiech. Wymieniwszy z tuzin podłych knajp, Hirschberg nie przestawał się „uśmiechać". Dzwon znów rozkołysał się w piersi Mocka. Podszedł do przesłuchiwanego i uderzył go w twarz otwartą dłonią.

– Tak ci wesoło, Żydzie? Może to ty napisałeś te brednie w swoim plugawym języku?!

Hirschberg schował twarz w dłoniach. Sekretarz kryminalny Heinz Kleinfeld, jeden z najlepszych policjantów w Wydziale Kryminalnym, miał ojca rabina. Teraz stał i patrzył w podłogę. Mock przełknął ślinę

23

i wykonał dłonią gest „wyprowadzić go". Bolała go ręka. Uderzył trochę za mocno.

Zastał swoich ludzi w sali odpraw. Spojrzał na nich i wiedział, że nie usłyszy żadnych rewelacji. Hanslik i Burck przesłuchali dwunastu handlarzy zwierzętami i żaden z nich nic nie słyszał o sprowadzaniu skorpionów. Smolorz nie natrafił na najmniejszy ślad prywatnej menażerii, ale zdobył ciekawą informację. Pewien właściciel sklepu z gryzoniami i wężami wyznał, że częstym jego klientem jest pewien tęgi, brodaty pan, który kupuje jadowite gady i jaszczurki. Niestety sklepikarz nie potrafił niczego więcej o tym człowieku powiedzieć. Reinhardt i jego ludzie przesłuchali pięćdziesiąt pensjonariuszek domów publicznych. Jedna z nich zeznała, że zna pewnego profesora, który lubi udawać, że ćwiartuje ją mieczem i wykrzykuje coś przy tym w jakimś obcym języku. Policjanci zdziwili się, że ta wiadomość nie wywarła ną szefie żadnego wrażenia. Dzięki zeznaniom prostytutek wywiadowcy Reinhardta sporządzili listę piętnastu sadystów i fetyszystów, którzy byli na tyle nieostrożni, że zapraszali „dziewczynki" do własnych mieszkań. Siedmiu z nich nie zastano w domu, ośmiu zaś miało żelazne alibi: oburzone małżonki zgodnie potwierdziły, że ich brzydsze połowy spędziły wczorajszą noc w małżeńskiej alkowie.

Mock podziękował swoim ludziom i wyznaczył im podobne zadania na jutro. Kiedy go pożegnali, niezbyt ucieszeni perspektywą roboczej niedzieli, powiedział do Forstnera:

– Proszę przyjechać do mnie o dziesiątej. Odwiedzimy pewną znaną osobę. Potem pójdzie pan do archiwum uniwersyteckiego. Niech pan się nie dziwi – będzie otwarte. Jeden z bibliotekarzy jutro sprawuje nadzwyczajny dyżur. Zrobi pan spis wszystkich, którzy otarli się o studia orientalistyczne: od studentów jednosemestralnych po doktorów iranistyki czy sanskrytologii. *À propos*, wie pan, co to jest sanskryt?

Nie czekając na odpowiedź, Mock wyszedł ze swojego biura. Poszedł Schweidnitzer Stadtgraben w stronę domu towarowego Wertheima[2]. Skręcił w lewo w Schweidnitzer Strasse, minął okazały pomnik

---

[2] Dom Towarowy „Renoma"

Wihelma I strzeżony przez dwie alegoryczne figury Państwa i Wojny, przeżegnał się przy kościele Bożego Ciała i skręcił w Zwingerplatz. Przeszedł obok gimnazjum realnego i wstąpił do palarni kawy Ottona Stieblera. W zatłoczonej sali, ciemnej od tytoniowego dymu i wypełnionej mocnym aromatem, tłoczyło się sporo miłośników czarnego napoju. Mock wszedł do kantoru. Buchalter natychmiast przerwał rachunki, ukłonił się radcy i wyszedł, aby umożliwić mu swobodną rozmowę telefoniczną. Mock nie ufał policyjnym telefonistkom i często rozmowy wymagające dyskrecji przeprowadzał z tego aparatu. Wykręcił domowy numer Mühlhausa. Przedstawił się i wysłuchał potrzebnych mu informacji. Następnie zadzwonił do żony i usprawiedliwił swoją nieobecność na obiedzie nawałem pracy.

WROCŁAW, SOBOTA 13 MAJA 1933 ROKU.
GODZINA WPÓŁ DO CZWARTEJ PO POŁUDNIU

„Piwnica Biskupia" przy Helmuth-Brückner-Strasse, dawnej, przednazistowskiej Bischofstrasse, w budynku Dworu Śląskiego znana była z wyśmienitych zup, pieczeni i golonki. Ściany lokalu ozdabiały olejne obrazki bawarskiego malarza Eduarda von Grütznera, przedstawiające scenki z mało ascetycznego życia mnichów. Mock najbardziej lubił boczną salkę, którą oświetlało przebijające przez umieszczony pod sufitem witraż zielone, zamglone światło. Kiedyś Mock zachodził tu bardzo często. Oddawał się marzeniom wśród falujących cieni, ukołysany podziemną ciszą, cichym oddechem piwnicy. Ale rosnąca popularność restauracji zniszczyła uwielbianą przez radcę senną atmosferę. Cienie falowały i teraz, ale mlaskanie sklepikarzy i właścicieli składów oraz wrzaski esesmanów, którzy ostatnio tłumnie tu przychodzili, sprawiało, że wyimaginowane fale oceanu zamiast ukojenia napełniały wyobraźnię Mocka mułem i szorstkimi wodorostami.

Radca kryminalny był w trudnej sytuacji. Od kilku miesięcy dostrzegał niepokojące zmiany w policji. Wiedział, że jednego z najlepszych policjantów, Żyda Heinza Kleinfelda, wielu traktuje z pogardą; pewien policjant, nowo przyjęty do Wydziału Kryminalnego, od-

25

mówił wręcz współpracy z Kleinfeldem. Skutek był taki, że z dnia na dzień przestał pracować w policji. Ale to było na początku stycznia.Teraz Mock wcale nie był pewien, że wyrzuciłby z pracy tego nazistę. Od tego czasu wiele się zmieniło. 31 stycznia ministrem spraw wewnętrznych i przełożonym całej pruskiej policji został Hermann Göring, miesiąc później do okazałego gmachu Rejencji Wrocławskiej na Lessingplatz wprowadził się nowy brunatny nadprezydent Śląska, Helmuth Brückner, a niespełna dwa miesiące potem do wrocławskiego Prezydium Policji wkroczył nowy prezydent – owiany złą sławą Edmund Heines. Nastały nowe porządki. Stary obóz dla jeńców francuskich na Strehlener Chaussee na Tarnogaju został zamieniony na obóz koncentracyjny, do którego jako pierwsi trafili bliscy znajomi Mocka: były prezydent policji Fritz Voigt i były burmistrz Karl Mach. Nagle na ulicach pojawiły się watahy wyrostków upojonych wiarą we własną bezkarność i najpodlejszym piwem od Haasego. Niosąc pochodnie, otaczali zwartym kordonem transporty aresztowanych Żydów i antynazistów obwieszonych drewnianymi tablicami z wypisanymi nań „zbrodniami" przeciwko narodowi niemieckiemu. Z dnia na dzień nadano ulicom nowych brunatnych patronów. W Prezydium Policji uaktywnili się nagle członkowie NSDAP, w zachodnim skrzydle pięknego gmachu rozparło się gestapo, do którego nagle zaczęli się przenosić najlepsi ludzie z innych wydziałów. W Wydziale Kryminalnym Heines – wbrew protestom Mühlhausa – usadowił swojego pupila Forstnera, a osobisty wróg Mocka, niejaki radca Eile, został kierownikiem nowo powstałego referatu żydowskiego. Nie, dziś – w maju '33 – Mock nie zdobyłby się na tak zdecydowaną reakcję. Był w trudnej sytuacji: musiał być lojalny wobec von der Maltena i loży masońskiej, która ułatwiła mu błyskotliwą karierę, lecz jednocześnie nie mógł zrażać do siebie nazistów. Najbardziej irytowało go, że nie miał wpływu na sytuację, a jego przyszłość zależała od tego, kim jest morderca baronówny. Gdyby okazał się nim członek jakiejś sekty – co było wielce prawdopodobne – propaganda hitlerowska znalazłaby wygodny pretekst do zniszczenia wrocławskich wolnomularzy i ludzi z nimi związanych, a więc także Mühlhausa i Mocka. Owego sekciarza taki brukowiec, jak na przykład „Stürmer", z wielką radością przemalowałby na masona, a okrutną zbrodnię przedstawiłby jako rytualny mord – wynik porachunków trzech wrocławskich lóż.

Gdyby mordercą okazał się psychicznie chory zboczeniec, Heines *et consortes* na pewno zmusiliby Mocka, aby dopisał mordercy „antyniemiecki" – żydowski lub masoński życiorys. I w jednym, i w drugim wypadku radca stanąłby wobec swych protektorów-wolnomularzy w dwuznacznym świetle jako instrument w ręku propagandzistów. Nic dziwnego, że von der Malten kazał oddać mordercę sobie – wywrze na sprawcy krwawą zemstę, a przy tym zdusi w zarodku intrygi przeciw loży. A zatem i oddanie, i nieoddanie mordercy w ręce barona oznaczało dla Mocka pracę w Fischereipolizei w Lubinie. W pierwszym wypadku brunatne gazety, zainspirowane przez Forstnera, rozpisałyby się o wymierzaniu przez masonów sprawiedliwości na własną rękę, w drugim odpowiednio zareagowałby Mühlhaus i jego ludzie z loży. Owszem, radca mógł zerwać z lożą i stać się hitlerowcem, ale przeciwko temu protestowały resztki „dobrego smaku", jakich nie wyrugowała dwudziestoczteroletnia służba w policji, a także świadomość końca dalszej kariery – loża mogła w prosty sposób zemścić się na nim: poinformować, kogo trzeba, o jego wolnomularskiej przeszłości.

Nikotyna zawsze rozjaśniała umysł Mocka. Tak było i teraz: przyszła mu do głowy genialna myśl – samobójstwo zbrodniarza w celi i jego przyśpieszony pogrzeb. (Naziści nie będą wówczas mogli wymóc na mnie spreparowania antyniemieckiego życiorysu zbrodniarza; powiem im, że już nie żyje i nie mam czasu, aby bawić się w biurokrację i wymyślanie protokołów przesłuchań. Wobec loży będę usprawiedliwiony, bo nawet jeśli gazety hitlerowskie dopiszą mu odpowiednie *curriculum vitae*, powiem zgodnie z prawdą, że nie maczałem w tym palców). To by go uratowało.

Po chwili jednak zasępił się; nie wziął pod uwagę jeszcze jednej, przykrej ewentualności: co będzie, jeśli, po prostu, nie znajdzie mordercy?

Kelner postawił przed nim litrowy kamionkowy kufel piwa od Kipkego. Chciał zapytać, czy aby panu radcy jeszcze czegoś nie trzeba, kiedy ten spojrzał na niego niewidzącym wzrokiem i dobitnie powiedział: „Jeżeli nie znajdę tego bydlaka, to sam go stworzę!". Nie zwracając uwagi na zdziwionego kelnera Mock zamyślił się: przed jego oczami zaczęły się przewijać twarze kandydatów na morderców. Zanotował gorączkowo kilka nazwisk na serwetce.

Czynność tę przerwał mu człowiek, z którym był umówiony. SA-
-Hauptsturmführer Walter Piontek z gestapo wyglądał jak dobroduszny oberżysta. Uścisnął wielką, mięsistą łapą małą dłoń Mocka i usadowił się wygodnie za stołem. Zamówił to samo, co Mock – sandacza z pikantną surówką z rzepy. Zanim radca przeszedł do rzeczy, komponował w myśli charakterystykę swego rozmówcy: otyły brandenburczyk, goła piegowata czaszka, oblepiona kępkami rudych włosów, zielone oczy i mięsiste policzki; miłośnik Schuberta i nieletnich dziewczynek.

– Wie pan o wszystkim – powiedział bez wstępów.

– O wszystkim? Nie... Wiem niewiele więcej niż ten pan... –
Piontek wskazał na mężczyznę czytającego gazetę. Na pierwszej stronie „Schlesische Tageszeitung" widniał ogromny tytuł: *Śmierć baronówny w pociągu Wrocław–Berlin. Radca Mock prowadzi śledztwo.*

– Sądzę, że znacznie więcej – Mock zagarnął widelcem ostatnie dzwonko chrupiącego sandacza i wypił resztę piwa. – Nieoficjalnie proszę pana o pomoc, panie Hauptsturmführer. Nie ma we Wrocławiu, a może i w całych Niemczech, lepszego niż pan znawcy religijnych sekt i organizacji tajemnych. Ich symbolika jest dla pana przejrzysta. Proszę pana o znalezienie organizacji posługującej się symbolem skorpiona. Mile widziane, a w przyszłości z pewnością odwzajemnione, będą wszelkie pańskie uwagi i wskazówki. Wszak Wydział Kryminalny i ja osobiście także dysponujemy informacjami, które mogą pana zainteresować.

– Czy ja muszę ulegać prośbom wyższych funcjonariuszy kripo?
– Piontek uśmiechał się szeroko i zmrużył oczy. – Dlaczego miałbym panu pomóc? Czy dlatego, że mój szef jest z pana szefem na „ty" i grają co sobotę w skata?

– Pan mnie nie słucha uważnie, panie Hauptsturmführer. – Mock nie miał zamiaru tracić już dzisiaj nerwów. – Proponuję panu coś korzystnego: wymianę informacji.

– Panie radco – Piontek pochłonął z apetytem sandacza. – Mój szef kazał mi przyjść. Jestem. Zjadłem smaczną rybę i wypełniłem polecenie szefa. Wszystko jest w porządku. Mnie ta sprawa nic nie obchodzi. O, widzi pan – pokazał grubym paluchem na stronę tytułową rozłożonej gazety: Radca Mock prowadzi śledztwo.

Mock po raz kolejny chylił w myślach czoło przed swoim starym szefem. Dyrektor kryminalny Mühlhaus miał słuszność – Piontek był człowiekiem, którego trzeba walnąć obuchem w łeb i pozbawić tchu. Mock wiedział, że atak przeciwko Piontkowi wiąże się z wielkim ryzykiem, dlatego jeszcze przez chwilę zwlekał.

– Czy pański szef nie prosił o udzielenie nam pomocy?

– Nawet nie zasugerował – Piontek rozciągał usta w uśmiechu.

Wówczas radca zaczerpnął kilkakrotnie powietrza i poczuł, jak wzbiera w nim słodkie poczucie władzy.

– Pomoże nam pan, Piontek, ze wszystkich swoich sił. Uruchomi pan wszystkie swoje szare komórki. Jak trzeba będzie, to posiedzi pan w bibliotece... A wie pan, dlaczego? Bo o to wcale nie prosi pański szef ani Kriminaldirektor Mühlhaus, ani nawet ja... O to błaga pana rozkoszna jedenastoletnia świntuszka Ilsa Doblin, którą zgwałcił pan w swoim samochodzie, zapłaciwszy hojnie jej pijanej matce; prosi pana o to Agnes Härting, ta szczebiotka z mysimi ogonkami, którą przycisnął pan w buduarach madame le Goef. Na zdjęciu wyszedł pan wtedy nawet ładnie.

Piontek nadal szeroko się uśmiechał.

– Proszę o kilka dni.

– Oczywiście. Proszę kontaktować się wyłącznie ze mną. To w końcu „radca Mock prowadzi śledztwo".

II

Baron Wilhelm von Köpperlingk zajmował dwa najwyższe piętra pięknej, secesyjnej, narożnej kamienicy przy Uferzeile 9, niedaleko politechniki. W drzwiach stał młody kamerdyner o smutnych, łagodnych oczach i wystudiowanych gestach.

– Pan baron oczekuje panów w bawialni. Proszę za mną.

Mock przedstawił siebie i swojego asystenta. Baron był smukłym i bardzo wysokim mężczyzną około czterdziestki o szczupłych, długich palcach pianisty. Właśnie wyszli od niego fryzjer i manikiurzystka. Baron starał się zwrócić uwagę radcy na efekty ich pracy: wykonywał dłońmi mnóstwo ruchów, ale było to bezskuteczne. Mock patrzył bowiem nie na ręce barona, lecz rozglądał się z zainteresowaniem po wielkim pokoju. Jego uwagę przyciągały rozmaite szczegóły wystroju wnętrza, wśród których nie mógł dostrzec żadnego sensu, żadnej myśli przewodniej, żadnej dominanty, nie mówiąc o stylu. Prawie każdy stojący tu sprzęt zaprzeczał celowości swego istnienia: kiwające się złote krzesło, fotel z którego wyrastała wielka stalowa pięść, stół z tłoczonymi arabskimi ornamentami, które uniemożliwiały postawienie choćby szklanki. Radca nie znał się na sztuce, lecz był pewien, że ogromne obrazy przedstawiające jednocześnie Mękę Pańską, *danse macabre* i orgiastyczne pląsy, nie wyszły spod ręki człowieka w pełni władz umysłowych.

Natomiast uwagę Forstnera przyciągały trzy terraria napełnione pająkami i wijami. Stały one pod oknem balkonowym na wysokich na metr stojakach. Czwarte terrarium koło błękitnego kaflowego pieca było puste. Zwykle spoczywał w nim mały pyton.

Baronowi udało się w końcu zwrócić uwagę policjantów na swoje wypielęgnowane dłonie. Ze zdumieniem spostrzegli, że pieszczotliwie gładził nimi właśnie owego pytona owiniętego wokół ramienia. Pięknooki służący rozstawił herbatę i kruche ciasteczka na secesyjnym talerzu, którego podpórka miała kształt koźlich racic. Von

Köpperlingk wskazał policjantom miękkie, rozrzucone po podłodze mauretańskie poduszki. Usiedli na nich po turecku. Forstner i służący wymienili szybkie spojrzenia. Nie uszło to uwagi ani Mocka, ani barona.

– Ma pan, drogi baronie, interesującą kolekcję w terrariach – Mock sapiąc wstał z podłogi i oglądał okazy. – Nigdy nie sądziłem, że wije mogą być tak wielkie.

– To *Scolopendra Gigantea* – rzekł baron z uśmiechem. – Moja Sara ma trzydzieści centymetrów długości i pochodzi z Jamajki.

– Pierwszy raz widzę skolopendrę – Mock z lubością zaciągnął się egipskim papierosem podanym przez kamerdynera. – Jak pan baron sprowadził ten okaz?

– Jest we Wrocławiu pośrednik, który sprowadza na zamówienie różne, wszelkie...

– Robactwo – wszedł mu w słowo Mock. – Kto to taki?

Von Köpperlingk napisał na kartce z bloku listowego ozdobionej herbem nazwisko i adres: Isidor Friedländer, Wallstrasse 27.

– Czy pan baron hoduje również skorpiony? – Mock nie przestawał oglądać skolopendry, która harmonijnie poruszała segmentami swego tułowia.

– Kiedyś miałem kilka.

– Kto je panu sprowadził?

– Właśnie Friedländer.

– Czemu już pan ich nie ma?

– Pozdychały z tęsknoty za pustynią Negew.

Mock nagle przetarł oczy ze zdziwienia. Oto zauważył przytwierdzony do ściany porcelanowy pisuar, w którym leżał lśniący metalowy rozbijak do lodu w kształcie zaostrzonej, wąskiej piramidy.

– Proszę się nie obawiać, panie radco. Ten sprzęt to tylko ozdoba w duchu Duchampa; nikt go nie używa. Rozbijaka również – baron pogładził aksamitny kołnierz bonżurki.

Mock usiadł ciężko na poduszkach i – nie patrząc na gospodarza – zapytał:

– Co skłoniło pana do studiowania orientalistyki?

– Chyba melancholia...

– A co pan baron robił pomiędzy jedenastą a pierwszą w nocy przedwczoraj, w piątek 12 maja? – drugie pytanie zadał tym samym tonem.

– Czy jestem podejrzany? – baron von Köpperlingk zmrużył oczy i wstał z poduszek.

– Proszę odpowiedzieć na pytanie!

– Panie radco, zechce się pan skontaktować z moim adwokatem, doktorem Lachmannem – baron włożył pytona do terrarium i wyciągnął w stronę Mocka dwa długie palce, między którymi tkwiła biała wizytówka. – Na wszystkie pytania będę odpowiadał w jego obecności.

– Zapewniam pana barona, że to pytanie zadam panu niezależnie od tego, czy będzie pan w towarzystwie doktora Lachmanna, czy też kanclerza von Hindenburga. Jeżeli będzie miał pan alibi, zaoszczędzimy fatygi doktorowi Lachmannowi.

Baron namyślał się przez kilkanaście sekund: – Mam alibi. Byłem w domu. Potwierdzi to mój służący Hans.

– Proszę wybaczyć, ale nie jest to żadne alibi. Nie wierzę pańskiemu służącemu, jak zresztą żadnemu służącemu.

– A wierzy pan swojemu asystentowi?

Zanim radca zrozumiał, chciał machinalnie odpowiedzieć „również nie". Spojrzał na płonące policzki Forstnera i pokręcił głową: – Nie rozumiem. Co ma z panem wspólnego mój asystent?

– Och, znamy się od dawna...

– Ciekawe... Ale dzisiaj dziwnym trafem ukrywali panowie swoją znajomość. Nawet panów przedstawiłem. Dlaczego nie chcieli się panowie ujawniać ze swoją przyjaźnią?

– To nie jest przyjaźń, po prostu znamy się...

Mock odwrócił się do Forstnera i patrzył na niego wyczekująco. Forstner uważnie obserwował deseń dywanu.

– Co mi pan chce wmówić, baronie? – Mock triumfował, widząc zakłopotanie obu mężczyzn. – Że to zwykła znajomość pozwala Forstnerowi przebywać u pana od jedenastej do pierwszej w nocy? Ach, na pewno zaraz pan mi powie: „graliśmy w karty" albo: „oglądaliśmy albumy"...

– Nie, pan Forstner był u mnie na przyjęciu...

– Ale musiało to być jakieś szczególne przyjęcie, co Forstner? Wszak panowie jakby wstydzili się swojej znajomości... A może na tym przyjęciu zdarzyło się coś wstydliwego?

Mock przestał się znęcać nad Forstnerem. Już wiedział to, co dotychczas tylko podejrzewał. Gratulował sobie, że zapytał barona o alibi. Wcale nie musiał tego robić. Marietta von der Malten i Françoise Debroux zostały zgwałcone, a baron Wilhelm von Köpperlingk był zdeklarowanym homoseksualistą.

Pięknooki Hans zamykał już za nimi drzwi, kiedy Mock o czymś sobie przypomniał. Zapowiedziany powtórnie przez kamerdynera znalazł się znów przed nieco zdenerwowanym obliczem barona.

– Czy kupuje pan swe okazy sam, czy też robi to służba?

– Opieram się w tym względzie na guście mojego szofera.

– Jak on wygląda?

– Dobrze zbudowany brodacz ze śmiesznie cofniętą szczęką.

Mock był najwyraźniej zadowolony z tej odpowiedzi.

WROCŁAW, TEGOŻ 14 MAJA 1933 ROKU.
POŁUDNIE

Forstner nie chciał być podwieziony do archiwum uniwersyteckiego. Stwierdził, że chętnie się przespaceruje promenadą wzdłuż Odry. Mock nie namawiał go i, podśpiewując pod nosem jakiś operetkowy kuplet, zjechał z Mostu Cesarskiego, minął miejską salę gimnastyczną, park, w którym stał postument z popiersiem założyciela Ogrodu Botanicznego Heinricha Göpperta, po prawej stronie zostawił kościół dominikanów, po lewej Pocztę Główną i wjechał w piękną Albrechtstrasse zaczynającą się potężną bryłą pałacu Hatzfeldtów. Dojechał do Rynku i skręcił w lewo w Schweidnitzer Strasse. Minął Dresdner Bank, sklep Speiera, gdzie zaopatrywał się w obuwie, biurowiec Woolwortha, wjechał w Karlstrasse, kątem oka zerknął na Teatr Ludowy, sklep galanteryjny Dünowa i skręcił w Graupnerstrasse. Nad miastem zalegał prawie letni upał, toteż nie zdziwił go widok długiej kolejki ustawionej pod sklepem z lodami włoskimi. Po kilkudziesięciu metrach skręcił w Wallstrasse i zajechał przed dość zaniedbaną kamienicę oznaczoną numerem 27. Sklep zoologiczny Friedländera był w niedziele nieczynny. Zaraz znalazł się ciekawski stróż, który wyjaśnił Mockowi, że mieszkanie Friedländerów sąsiaduje ze sklepem. Drzwi otworzyła szczupła, ciemnowłosa dziewczyna, Lea Friedländer, córka Isidora. Zrobiła na radcy duże wrażenie. Nie patrząc nawet na jego legitymację, poprosiła go do skromnie urządzonego mieszkania.

– Ojciec zaraz przyjdzie. Proszę zaczekać – dukała wyraźnie skrępowana spojrzeniami Mocka. Radca nie zdążył odwrócić wzroku od jej krągłych bioder i piersi, kiedy wszedł Isidor Friedländer, niski, otyły mężczyzna. Usiadł na krześle naprzeciw Mocka, założył nogę na nogę i uderzył kilka razy wierzchem dłoni w kolano, co spowodowało mimowolne podrygiwanie kończyny. Mock przyglądał mu się przez chwilę, po czym rozpoczął zadawanie szybkich pytań:

– Nazwisko?
– Friedländer.
– Imię?
– Isidor.
– Wiek?
– 60 lat.
– Miejsce urodzenia?
– Złotoryja.
– Wykształcenie?
– Ukończona jeszywa w Lublinie.
– Jakie zna pan języki?
– Oprócz niemieckiego i hebrajskiego trochę jidysz i trochę polski.
– Ile lat ma pańska córka?

Friedländer nagle przerwał eksperymenty z własnym kolanem i spojrzał na Mocka oczami prawie bez źrenic. Ciężko zasapał, wstał i jednym susem, błyskawicznie podskoczył do radcy, który nie zdążył wstać. Nagle znalazł się na podłodze przygnieciony całym ciężarem Friedländera. Usiłował wyciągnąć z kieszeni rewolwer, lecz jego pra-

34

wa ręka była unieruchomiona przez ramię przeciwnika. Nagle ucisk zelżał – szorstka broda kłuła Mocka w szyję, ciało Friedländera sztywniało i podrygiwało rytmicznie.

Lea ściągnęła ojca z Mocka. – Niech mi pan pomoże, musimy położyć go na łóżku.

– Proszę się odsunąć, sam go położę.

Radca poczuł się jak nastolatek, który chce się popisać swą siłą. Z najwyższym trudem wtaszczył dziewięćdziesiąt kilogramów na sofę. Lea tymczasem sporządziła jakąś miksturę i wlewała ją ostrożnie w ojcowskie usta. Friedländer zakrztusił się i przełknął płyn. Po chwili rozległo się miarowe pochrapywanie.

– Mam lat dwadzieścia – Lea nadal unikała wzroku Mocka – a mój ojciec jest chory na epilepsję. Zapomniał dzisiaj zażyć lekarstwa. Dawka, którą mu zaaplikowałam, pozwoli mu przez dwa dni funkcjonować normalnie.

Mock otrzepał ubranie.

– Gdzie jest pani matka?

– Nie żyje od czterech lat.

– Ma pani rodzeństwo?

– Nie.

– Pani ojciec dostał ataku po tym, jak zapytałem go o pani wiek. Czy to przypadek?

– Właściwie już udzieliłam panu odpowiedzi. Jestem dla ojca wszystkim. Kiedy interesuje się mną jakiś mężczyzna, ojciec zaczyna się denerwować. Jeżeli zapomni zażyć lekarstwo, dostaje ataku.

Lea podniosła głowę i po raz pierwszy spojrzała w oczy Mockowi, który mimowolnie rozpoczął godowy taniec: ściśle obliczone ruchy, powłóczyste spojrzenia, głęboki *timbre* głosu.

– Myślę, że ojciec specjalnie wywołuje te ataki – dziewczyna nie potrafiłaby wyjaśnić, czemu zaufała akurat temu mężczyźnie. (Być może z powodu sporego brzucha).

Ale radca opacznie zrozumiał ten mały dowód zaufania. Już cisnęły mu się na usta pytania o ewentualnego narzeczonego, zaproszenia na obiad lub kolację, kiedy dostrzegł ciemną plamę rozlewającą się na spodniach Friedländera.

– Tak się często dzieje podczas lub po ataku – Lea szybko wsunęła ceratę pod uda i pośladki ojca. Beżowa sukienka napięła się na biodrach, smukłe łydki były fascynującą zapowiedzią dalszej części. Mock spojrzał jeszcze raz na śpiącego handlarza i przypomniał sobie, po co tutaj przyszedł.

– Kiedy pani ojciec dojdzie do siebie? Chciałbym go przesłuchać.

– Za godzinę.

– A może pani potrafi mi pomóc – od stróża dowiedziałem się, że pracuje pani w sklepie ojca. Czy można u was kupić skorpiona?

– Ojciec dawno sprowadził kilka skorpionów za pośrednictwem pewnej greckiej firmy z Berlina.

– Co to znaczy dawno?

– Trzy, cztery lata temu.

– Kto je zamówił?

– Nie pamiętam. Trzeba sprawdzić w fakturach.

– Pamięta pani nazwę tej firmy?

– Nie... Wiem, że jest to firma berlińska.

Mock wszedł za nią do kantoru. Kiedy Lea przeglądała potężne, granatowe segregatory, zadał jej jeszcze jedno pytanie:

– Czy u państwa nie było w ostatnich dniach żadnego innego policjanta oprócz mnie?

– Stróż Kempsky mówił, że był wczoraj ktoś z policji. Nie było nas w domu przed południem. Zaprowadziłam ojca na badania kontrolne do Szpitala Żydowskiego na Menzelstrasse.

– Jak się nazywa lekarz ojca?

– Doktor Hermann Weinsberg. O, mam tę fakturę. Trzy skorpiony dla barona von Köpperlingka sprowadziła we wrześniu trzydziestego roku berlińska firma Kekridis i Synowie. Bardzo pana proszę – spojrzała błagalnie na Mocka. – Niech pan przyjdzie za godzinę. Wtedy ojciec dojdzie do siebie...

Mock był wyrozumiały dla pięknych kobiet. Wstał i włożył kapelusz.

– Dziękuję, panno Friedländer. Żałuję, że poznaliśmy się w dość smutnych okolicznościach, choć właściwie żadne okoliczności nie są niewłaściwe, gdy poznaje się tak piękną dziewczynę.

Dworne pożegnanie Mocka nie zrobiło na Lei najmniejszego wrażenia. Usiadła ciężko na tapczanie. Mijały minuty, głośno tykał zegar. Usłyszała szmer dobiegający z sąsiedniego pokoju, gdzie leżał ojciec. Weszła tam ze sztucznym uśmiechem.

– Och, jak szybko papa się przebudził. To bardzo dobrze. Mogę pójść do Reginy Weiss?

Isidor Friedländer wylęknionym wzrokiem spojrzał na córkę: – Proszę cię, nie chodź... Nie zostawiaj mnie samego...

Lea myślała o chorym ojcu, o Reginie Weiss, z którą miała iść do kina „Deli" na nowy film z Clarkiem Gable'em, o wszystkich mężczyznach, którzy rozbierali ją wzrokiem, o beznadziejnie zakochanym w niej doktorze Weinsbergu i o piskach świnek morskich w ciemnym, wilgotnym sklepie.

Ktoś walił mocno w drzwi. Friedländer zasłaniając połami chałata plamę na spodniach wyszedł do drugiego pokoju. Drżał i zataczał się. Lea objęła go ramieniem.

– Niech się papa nie boi, to na pewno dozorca Kempsky.

Isidor Friedländer spojrzał na nią niespokojnie: – Kempsky jest ostatnim chamem, ale nigdy nie wali w drzwi tak mocno.

Miał rację. To nie był dozorca.

WROCŁAW, PONIEDZIAŁEK 15 MAJA 1933 ROKU.
GODZINA DZIEWIĄTA RANO

Eberhard Mock był w poniedziałkowy ranek równie wściekły, jak w sobotni. Przeklinał swoją głupotę i inklinację do zmysłowych Żydówek. Gdyby postępował rutynowo, powinien wezwać kogoś z Prezydium Policji, zabrać Friedländera do aresztu śledczego na Neue Graupnerstrasse i dokładnie go przesłuchać. Nie postąpił tak jednak. Uprzejmie zgodził się na prośbę Lei Friedländer o godzinną zwłokę i zamiast działać jak rasowy policjant, przez godzinę przeglądał gazety w gospodzie „Pod Zielonym Polakiem" na Reuschestrasse 64, pił piwo i zajadał specjalność zakładu – wojskowy chleb z pikantnym, siekanym mięsem. Kiedy wrócił po godzinie, zastał wyważone drzwi mieszkania, potworny bałagan i ani śladu lokatorów. Dozorcy nigdzie nie było.

Mock zapalił już dwunastego owego dnia papierosa. Przeczytał jeszcze raz wyniki sekcji zwłok i raport Koblischkego. Nie dowiedział się niczego więcej ponad to, co widział na własne oczy. Nagle przeklął swoje roztargnienie. Przeoczył ważną informację starego wachmistrza kryminalnego: na miejscu zbrodni brakowało bielizny baronówny. Mock podskoczył i wpadł do pokoju wywiadowców. Siedział tam jedynie Smolorz.

– Kurt! – krzyknął. – Proszę sprawdzić alibi wszystkich notowanych fetyszystów.

Zadzwonił telefon: – Dzień dobry – zahuczał tubalny głos Piontka. – Chciałbym się panu zrewanżować i zaprosić pana na obiad do baru Fischera. O drugiej. Mam nowe, ciekawe informacje w sprawie Marietty von der Malten.

– Dobrze – Mock bez słowa kurtuazji odłożył słuchawkę.

WROCŁAW, TEGOŻ 15 MAJA 1933 ROKU.
GODZINA DRUGA PO POŁUDNIU

U Fischera panował tłok – jak zwykle w porze obiadowej. Klientelę stanowili głównie policjanci i mundurowi naziści, którzy z upodobaniem uczęszczali do ulubionego lokalu ich idola – Heinesa. Piontek siedział rozwalony przy stole w małej salce. Słońce załamujące swoje promienie w akwarium pod oknem muskało świetlnymi refleksami jego gołą czaszkę. Między pulchnymi jak serdelki palcami tkwił dymiący papieros. Obserwował pływającego w akwarium tuńczyka-miniaturkę i wydawał dziwne odgłosy. Ustami wykonywał przy tym identyczne ruchy jak ryba. Bawił się wybornie i co chwilę stukał w szybę akwarium.

Na widok Mocka, który przyszedł pięć minut wcześniej, zmieszał się nieznacznie. Szybko się opanował, wstał i przywitał się wylewnie. Radca okazywał znacznie mniej radości z tego spotkania. Piontek otworzył srebrną papierośnicę z napisem „Kochanemu Mężowi i Tatusiowi z okazji pięćdziesiątych urodzin – żona i córki”. Zagrała pozytywka, zapachniały aromatyczne papierosy w błękitnej bibułce. Starszy kelner przyjął zamówienie i oddalił się bezgłośnie.

– Nie będę ukrywał panie radco – Piontek przerwał napięte milczenie – że w gestapo wszyscy bylibyśmy szczęśliwi, gdyby zechciał z nami współpracować ktoś taki jak pan. Nikt nie wie tyle, co Eberhard Mock o mniej lub bardziej ważnych osobistościach tego miasta. Żadne tajne archiwum nie może równać się z tym, które pan ma w głowie.

– Och, przecenia mnie pan, Hauptsturmführer... – Mock urwał. Kelner postawił przed nimi talerze z węgorzem oblanym sosem koperkowym i obsypanym podsmażaną cebulką.

– Nie proponuję panu przeniesienia do gestapo – Piontek nie był zrażony obojętnością Mocka. – To, co wiem o panu, pozwala mi sądzić, że nie przyjąłby pan takiej propozycji. (*No jasne, a od kogo ten grubas może coś wiedzieć? Forstner, zniszczę cię, ty kundlu*). Ale z drugiej strony jest pan człowiekiem rozsądnym. Niech pan spojrzy przytomnie w przyszłość i niech pan zapamięta: przyszłość będzie należeć do mnie i do moich ludzi!

Mock jadł z wielkim apetytem. Owinął wokół widelca ostatni kawałek ryby, zanurzył go w sosie i pochłonął szybko. Przez kilka sekund nie odrywał od warg kufla korzennego świdnickiego piwa. Wytarł usta serwetą i przyglądał się czerwonemu miniaturowemu tuńczykowi.

– Zdaje się, że pan miał mi coś do powiedzenia w sprawie zabójstwa Marietty von der Malten...

Piontek nie tracił nigdy panowania nad sobą. Wyjął z kieszeni marynarki płaskie, blaszane pudełko, otworzył je i podsunął Mockowi, któremu przyszło do głowy dziwne podejrzenie: czy przyjęcie cygara równałoby się akceptowaniu propozycji przeniesienia do gestapo? W nagłym odruchu cofnął wyciągniętą już dłoń. Piontkowi ręka lekko zadrżała.

– No, niechże pan zapali, panie radco, są naprawdę dobre. Jednomarkowe.

Mock zaciągnął się tak mocno, że zakłuło go w płucach.

– Nie chce pan rozmawiać o gestapo. Porozmawiajmy zatem o kripo – Piontek roześmiał się jowialnie. – Czy pan wie, że Mühlhaus zdecydował się pójść wcześniej na emeryturę? Najdalej za miesiąc. Taką decyzję podjął dzisiaj. Powiedział o tym Obergrup-penführerowi Heinesowi, który wyraził zgodę. Czyli pod koniec czerwca będzie wakat na stanowisku szefa Wydziału Kryminalnego. Słyszałem, że Heines ma jakiegoś berlińskiego kandydata podsunię-tego mu przez Nebego. Artur Nebe to znakomity policjant, ale co on wie o Wrocławiu... Ja osobiście sądzę, że lepszym kandydatem jest ktoś znający warunki wrocławskie... Na przykład pan.

– Pańska opinia to z pewnością najlepsza rekomendacja dla pru-skiego ministra spraw wewnętrznych Göringa i szefa pruskiej policji Nebego – Mock starał się za wszelką cenę ukryć pod gryzącą ironią rozmarzenie, w jakie wprawiły go słowa gestapowca.

– Panie radco – Piontek otoczył się dymem cygara. – Ci dwaj wy-mienieni panowie nie mają tak wiele czasu, żeby go trwonić na pro-wincjonalne przepychanki kadrowe. Mogą po prostu zatwierdzić pro-pozycję personalną nadprezydenta Śląska Brücknera. A Brückner za-proponuje tego, kogo poprze Heines. Natomiast Heines we wszyst-kich sprawach personalnych kontaktuje się z moim szefem. Jasno się wysłowiłem?

Mock miał duże doświadczenie w rozmowach z takimi ludźmi jak Piontek. Nerwowo rozpiął kołnierzyk koszuli i otarł czoło kraciastą chustką: – Jakoś gorąco mi po tym obiedzie, może przespacerujemy się po promenadzie nad fosą...

Piontek spojrzał szybko na akwarium z tuńczykiem. (*Czyżby do-strzegł mikrofon?*). – Nie mam czasu na spacery – powiedział dobrot-liwie. – Poza tym jeszcze nie przekazałem panu informacji w sprawie panny von der Malten.

Mock wstał, włożył płaszcz i kapelusz: – Panie Haupt-sturmführer, dziękuję za wyśmienity obiad. Jeśli pan chce poznać moją decyzję, a już ją podjąłem, czekam na zewnątrz.

Jakieś młode matki spacerujące z wózkami koło pomnika Amora na Pegazie na promenadzie wymieniały uwagi na temat dwóch ele-gancko ubranych mężczyzn idących przed nimi. Wyższy był potężnie zbudowany. Jasny trencz ciasno opinał jego barki. Niższy postukiwał laseczką i uważnie przyglądał się swoim lakierkom.

– Popatrz no, Marie – odezwała się cicho szczupła blondynka. – Ci to muszą być wielkie pany.

– Ani chybi – mruknęła tęga Marie w chustce na głowie. – Mogą to być artysty, bo czemu nie w pracy? Wszystko jeszcze pracuje o tej porze, a nie miele ozorami w parku.

Spostrzeżenia Marie były częściowo trafne. O ile Piontek i Mock uprawiali w tej chwili sztukę, to była to sztuka subtelnego szantażu, zawoalowanych gróźb i misternych prowokacji.

– Panie radco, wiem od szefa, że Nebe potrafi być uparty i zechcieć osadzić na czele wrocławskiego kripo swojego człowieka, nawet wbrew Heinesowi czy Brücknerowi. Ale pan może swoją pozycję poważnie umocnić i stać się kandydatem jedynym, bezkonkurencyjnym...

– W jaki sposób?

– Och, to takie proste... – Piontek ujął Mocka pod ramię. – Jakiś sukces, głośny i spektakularny, wyniesie pana na to stanowisko. Oczywiście: sukces plus poparcie Heinesa i Brücknera. I wtedy ulegnie nawet szef pruskiej policji – bezkompromisowy Nebe...

Mock zatrzymał się, zdjął kapelusz i wachlował się nim przez chwilę. Słońce lśniło na dachach domów po drugiej stronie fosy. Piontek objął radcę wpół i wyszeptał mu do ucha:

– Tak, drogi panie, sukces... Obaj nie mamy wątpliwości, że największym pana sukcesem byłoby w tej chwili ujęcie mordercy baronówny von der Malten.

– Panie Hauptsturmführer, pan zakłada, że ja niczego więcej nie pragnę niż stanowiska Mühlhausa... A może tak nie jest... Może mam inne plany... Poza tym nie wiadomo, czy znajdę mordercę przed odejściem Mühlhausa – Mock wiedział, że brzmi to nieszczerze i nie oszuka Piontka. Ten znów nachylił się do ucha Mocka, gorsząc dwie mijające ich kobiety:

– Pan już znalazł mordercę. Jest nim Isidor Friedländer. Wczoraj wieczorem przyznał się do winy. To było u nas, w „Brunatnym Domu" na Neudorfstrasse. Ale o tym wiemy tylko ja i Schmidt, mój podwładny. Jeśli pan radca zechce, obaj przysięgniemy, że to pan zmusił Friedländera do przyznania się do winy w Prezydium Policji –

Piontek ujął drobną dłoń Mocka i zwinął ją w pięść. – O, właśnie trzyma pan w garści własną karierę.

WROCŁAW, WTOREK 16 MAJA 1933 ROKU.
GODZINA DRUGA W NOCY

Mock obudził się ze zduszonym krzykiem. Pierzyna uciskała mu pierś stukilowym ciężarem. Mokra od potu koszula nocna okręciła się wokół kończyn. Odrzucił gwałtownie pierzynę, wstał, wszedł do swojego gabinetu, zapalił lampę z zielonym kloszem stojącą na biurku i rozstawił szachy. Na darmo chciał odegnać zmorę wyrzutów sumienia. Przed oczami pojawił się sen sprzed chwili: Kulawa dziewczynka patrzyła mu prosto w twarz. Mimo oddzielającej ich rzeki wyraźnie widział jej oczy pełne pasji i nienawiści. Zobaczył też idącą ku niemu żonę zarządcy folwarku. Podeszła rozkołysanym krokiem. Ze zdziwieniem spojrzał na jej twarz pokrytą wysypką. Usiadła, podciągnęła wysoko sukienkę i rozsunęła nogi. Z jej ud i podbrzusza wyrastały syfilityczne kalafiory.

Radca otworzył szeroko okno i wrócił do bezpiecznego kręgu zielonego światła. Wiedział, że nie zaśnie do rana. Obie bohaterki snu miały świetnie znane mu twarze: dziewczynka – Marietty von der Malten, syfilityczna Fedra – Françoise Debroux.

***

„Schlesische Tageszeitung" z 19 maja 1933 roku:
Strona 1.: „*Radca Eberhard Mock z wrocławskiej policji kryminalnej ujął po kilkudniowym śledztwie zbrodniarza, który zabił baronównę Mariettę von der Malten, jej guwernantkę Françoise Debroux oraz konduktora salonki Franza Repella. Okazał się nim 60-letni chory umysłowo handlarz Isidor F. Więcej szczegółów na str. 3".*
Strona 3.: „*Isidor F. w wyjątowo okrutny sposób zamordował 17--letnią baronównę oraz jej opiekunkę, 42-letnią Françoise Debroux. Obie kobiety zgwałcił, a następnie poćwiartował. Wcześniej uśmiercił konduktora wagonu – ogłuszywszy ofiarę, włożył mu za koszulę dwa skorpiony, które śmiertelnie pokąsały nieszczęśnika. Wagon ozdobił*

napisem w języku koptyjskim: «I dla biednego, i dla bogatego – śmierć i robactwo».

Epileptyk Isidor F. leczył się od dłuższego czasu u doktora Hermanna Weinsberga ze Szpitala Żydowskiego. Oto opinia lekarza: «Po atakach epilepsji chory przez dłuższy czas pozostawał w stanie utraty świadomości, choć sprawiał wrażenie zupełnie przytomnego. Odżywała po atakach padaczkowych dręcząca go od wczesnej młodości schizofrenia. Był wtedy nieobliczalny, wykrzykiwał coś w wielu nieznanych językach, miewał przerażające, apokaliptyczne wizje. W tym stanie mógł zrobić wszystko».

Oskarżony przebywa obecne w miejscu znanym tylko policji. Proces odbędzie się za kilka dni".

„Völkischer Beobachter" z 20 maja 1933 roku:
Strona 1.: *„Przebrzydły Żyd splugawił i poćwiartował dwie niemieckie kobiety. Wcześniej w perfidny sposób zabił niemieckiego kolejarza. Ta krew woła, domaga się pomsty!".*

„Berliner Morgenpost" z 21 maja 1933 roku:
Strona 2.: *„Dziś w nocy popełnił w swej celi samobójstwo wrocławski wampir – Isidor Friedländer. Siebie zabił w sposób równie makabryczny jak swe ofiary: przegryzł sobie żyły..."*

„Breslauer Zeitung" z 2 lipca 1933 roku:
Fragment wywiadu z dyrektorem kryminalnym Eberhardem Mockiem, nowym szefem Kriminalpolizeileitstelle we wrocławskim Prezydium Policji; strona 3.:
„– Skąd Friedländer znał koptyjski?

– Uczył się języków semickich w wyższej szkole talmudycznej w Lublinie.

– Morderca ujął tekst koptyjski w alfabecie starosyryjskim. Jest to zadanie trudne nawet dla wybitnego semitologa, dla przeciętnego zaś absolwenta wyższej szkoły żydowskiej – niewykonalne...

– Oskarżony po atakach padaczki miewał apokaliptyczne wizje, mówił różnymi nie znanymi sobie językami, wpadał w trans. Ujawnia-

la się wówczas groźna schizofrenia, na którą cierpiał od dzieciństwa. Wykazywał zdolności ponadnaturalne, umiejętności rozwiązywania zadań właśnie niewykonalnych.

– Ostatnie pytanie. Czy wrocławianie mogą spać spokojnie?

– Mieszkańcy tak dużego miasta jak Wrocław spotykają się z rozmaitymi niebezpieczeństwami częściej niż ludzie z prowincji. Będziemy tym groźbom przeciwdziałać. Gdyby – nie daj Boże – pojawili się inni zbrodniarze, ujmę ich z pewnością".

III

BERLIN, ŚRODA 4 LIPCA 1934 ROKU.
GODZINA WPÓŁ DO SZÓSTEJ RANO

Herbert Anwaldt otworzył oczy i natychmiast je zamknął. Miał płonną nadzieję, że – kiedy znów je otworzy – okaże się, że wszystko dookoła jest ponurą fatamorganą. Nadzieja była daremna: pijacka melina, w której się znajdował, to niezachwiana pewność, czysty realizm. W głowie Anwaldta mały patefon grał na okrągło refren słyszanej wczoraj piosenki Marleny Dietrich: „Ich bin vom Kopf bis Fuss auf Liebe eingestellt...".

Poruszył kilka razy głową. Przytłumiony ból rozlał się powoli pod sklepieniem czaszki, papierosowy czad wypełnił oczodoły. Anwaldt zacisnął powieki. Ból stał się intensywny i nieubłagany. W gardle tkwiła gruba, piekąca klucha o smaku wymiocin i słodkiego wina. Przełknął ją – przez suchą rurę przełyku przecisnął się rozżarzony pocisk. Nie chciało mu się pić, chciało mu się umierać.

Otworzył oczy i usiadł na łóżku. Kruche kości skroni chrupnęły jak ściśnięte w imadle. Rozejrzał się dookoła i stwierdził, że widzi to wnętrze po raz pierwszy. Obok niego leżała pijana kobieta w brudnej, śliskiej halce. Przy stole spał mężczyzna w podkoszulku. Wielka dłoń z wytatuowaną kotwicą pieszczotliwie przygniatała przewróconą butelkę do mokrej ceraty. Na oknie dogasała lampa naftowa. Świt wlewał się do pokoju jasną smugą.

Anwaldt spojrzał na przegub dłoni, gdzie zwykle nosił zegarek. Teraz go nie było. Ach tak, wczoraj podarował go w płomiennym rozczuleniu jakiemuś żebrakowi. Kłuła go uporczywa myśl: wyjść stąd. Nie było to łatwe, gdyż nie mógł dostrzec swojego ubrania. Choć nie brakło mu ekstrawaganckich pomysłów, nie wychodził na ulicę w samych kalesonach. Z ulgą stwierdził, że starym zwyczajem z sierocińca buty ma związane sznurówkami wokół szyi.

Wstał z łóżka i omal się nie przewrócił. Nogi rozjechały się po mokrej podłodze, ręce rozwachlowały się gwałtownie i znalazły oparcie: lewa na metalowym pustym łóżeczku dziecinnym, prawa na taborecie, na który ktoś wysypał zawartość popielniczki.

W głowie nadal waliły młoty, płuca pracowały szybko, charkot dobywał się z gardła. Anwaldt walczył przez chwilę ze sobą – chciał zalec koło pijanej nimfy, jednak kiedy spojrzał na nią i poczuł odór zepsutych zębów i przegniłych dziąseł, zdecydowanie tę myśl odrzucił. W kącie dostrzegł swój wymięty garnitur. Tak szybko, jak tylko mógł, ubrał się w ciemnościach klatki schodowej, zwlókł na ulicę i zapamiętał jej nazwę Weserstrasse. Nie wiedział, jak się tu znalazł. Zagwizdał na przejeżdżającą dorożkę. Asystent kryminalny Herbert Anwaldt pił już piąty dzień bez przerwy. Z niewielkimi przerwami pił już od sześciu miesięcy.

BERLIN, CZWARTEK 5 LIPCA 1934 ROKU.
GODZINA ÓSMA RANO

Komisarz kryminalny Heinrich von Grappersdorff pękał z wściekłości. Walił pięścią w stół i ryczał na całe gardło. Anwaldtowi wydawało się, że śnieżnobiały, okrągły kołnierzyk koszuli jego szefa trzaśnie rozsadzony przez napęczniały, byczy kark. Nie przejmował się zbytnio tym wrzaskiem. Po pierwsze dlatego, że wszelkie refleksje przenikające do jego umysłu tłumione były przez gruby filtr kaca, po drugie, wiedział, że „stary szczeciński wół" tak naprawdę nie wpadł jeszcze w furię.

– Zobacz no siebie, Anwaldt – von Grappersdorff chwycił asystenta pod pachy i postawił go przed lustrem w rzeźbionej ramie. Ten gest

45

sprawił Anwaldtowi wielką przyjemność, jakby to była szorstka męska pieszczota. Zobaczył w lustrze szczupłą, nieogoloną twarz szatyna, zdradzającą wyraźnie pięciodniowe picie. Podpłynięte krwią białka ginęły w spuchniętych oczodołach, z suchych warg sterczały ostre skórki, włosy kleiły się do rozoranego głębokimi bruzdami czoła.

Von Grappersdorff oderwał ręce od Anwaldta i wytarł je ze wstrętem. Stanął za biurkiem i znów przyjął pozę Gromowładnego.

– Macie lat trzydzieści, a wyglądacie na czterdzieści. Staczacie się na dno jak ostatnia dziwka! I to z powodu jakiejś szmaty z twarzyczką niewiniątka. Niedługo każdy berliński bandyta kupi was za kufel piwa! A ja nie chcę u siebie sprzedajnych dziwek! – Nabrał powietrza i huknął: – Wywalam was, Schnapswald[3], z pracy na zbity pysk! Powód: pięciodniowa nieusprawiedliwiona absencja.

Komisarz usiadł za biurkiem i zapalił cygaro. Puszczając kłęby dymu, nie spuszczał oczu ze swego najlepszego niegdyś pracownika. Filtr kaca przestał działać. Anwaldt zrozumiał, że niedługo zostanie bez pensji i będzie mógł jedynie pomarzyć o jakimkolwiek alkoholu. Ta myśl podziałała. Spojrzał błagalnie na szefa, który nagle zaczął czytać jakiś wczorajszy raport. Po dłuższej chwili powiedział surowo:

– Zwalniam was z policji berlińskiej. Od jutra zaczynacie pracę we wrocławskim Prezydium Policji. Pewna bardzo ważna tamtejsza osobistość chce wam powierzyć dość trudną misję. A zatem? Przyjmujecie moją propozycję czy idziecie żebrać na Kurfürstendamm? Jeżeli was dopuszczą do żłobu tamtejsze chłopaki...

Anwaldt starał się nie rozpłakać. Nie myślał o propozycji komisarza, ale o powstrzymaniu płaczu. Tym razem furia von Grappersdorffa była autentyczna:

– Jedziesz do Wrocławia czy nie, ty penerze[4]?!

Anwaldt skinął głową. Komisarz natychmiast się uspokoił.

– Spotkamy się na Dworcu Fryderycjańskim o ósmej wieczór, na peronie trzecim. Wtedy podam ci kilka istotnych szczegółów. Teraz

---

[3] Gra słów; Schnaps – wódka (niem).
[4] Obelżywie: bezdomny alkoholiku (z niem. Penner – włóczęga).

masz pięćdziesiąt marek i doprowadź się do porządku. Oddasz mi, jak się urządzisz we Wrocławiu.

BERLIN, TEGOŻ 5 LIPCA 1934 ROKU.
GODZINA ÓSMA WIECZÓR

Anwaldt przyszedł punktualnie. Był czysty, ogolony i – co najważniejsze – trzeźwy. Ubrany był w nowy, lekki, jasnobeżowy garnitur i odpowiednio dobrany krawat. W ręku trzymał podniszczoną teczkę i parasol. Przekrzywiony nieco kapelusz czynił go podobnym do pewnego amerykańskiego aktora o nieznanym von Grappersdorffowi nazwisku.

– No. Wyglądacie teraz odpowiednio – komisarz podszedł do swego byłego pracownika i pociągnął nosem. – Chuchnijcie no!
Anwaldt uczynił, co mu kazano.
– Ani jednego piwa? – von Grappersdorff nie wierzył.
– Ani piwa.
Komisarz ujął go pod rękę i rozpoczęli spacer po peronie. Lokomotywa wypuszczała kłęby pary.
– Posłuchajcie mnie uważnie. Nie wiem, co macie zrobić we Wrocławiu, ale jest to zadanie bardzo trudne i niebezpieczne. Gratyfikacja, jaką otrzymacie, pozwoli wam nie pracować do końca życia. Wtedy będziecie mogli zapić się na śmierć, ale podczas pobytu we Wrocławiu ani kropli... Rozumiecie? – von Grappersdorff szczerze się roześmiał. – Przyznaję, odradzałem was Mühlhausowi, mojemu staremu przyjacielowi z Wrocławia. Ale uparł się. Nie wiem, dlaczego. Może skądś słyszał, że kiedyś byliście dobrzy... No, ale do rzeczy. Macie dla siebie cały przedział. Spędźcie przyjemnie czas. A oto prezent pożegnalny od kolegów. Przyda wam się na kaca.
Kiwnął palcem. Podeszła do nich zgrabna brunetka w filuternym kapelusiku. Podała Anwaldtowi kartkę papieru: „Jestem prezentem od kolegów. Bądź zdrów i wpadnij jeszcze kiedyś do Berlina".
Anwaldt rozejrzał się i za peronowym kioskiem z lodami i lemoniadą zobaczył roześmiane twarze kolegów strojących głupie miny

i wykonujących nieprzyzwoite gesty. Był zakłopotany. Dziewczyna – bynajmniej.

WROCŁAW, PIĄTEK 6 LIPCA 1934 ROKU.
GODZINA WPÓŁ DO SZÓSTEJ PO POŁUDNIU

Dyrektor kryminalny Eberhard Mock przygotowywał się do wyjazdu do Sopotu, gdzie zamierzał spędzić dwutygodniowy urlop. Pociąg odjeżdżał za dwie godziny, nic dziwnego zatem, że w mieszkaniu panował nieopisany bałagan. Żona Mocka czuła się w nim jak ryba w wodzie. Niska i korpulentna blondynka donośnym głosem wydawała służbie krótkie polecenia. Mock siedział znudzony w fotelu i słuchał radia. Właśnie szukał innej fali, gdy zadzwonił telefon.

– Tu rezydencja barona von der Maltena – usłyszał głos kamerdynera Matthiasa. – Pan baron oczekuje pana, Herr Kriminaldirektor, tak szybko, tylko jak jest to możliwe.

Nie przestając szukać radiowej fali, dyrektor kryminalny powiedział spokojnym głosem:

– Słuchaj no, famulusie, jeśli pan baron chce się ze mną widzieć, to niech sam się pofatyguje „tak szybko, jak tylko jest to możliwe", bo zaraz wyjeżdżam na urlop.

– Spodziewałem się takiej reakcji, Eberhardzie – Mock usłyszał w słuchawce głęboki i zimny głos barona. – Przewidziałem ją, a ponieważ szanuję czas, położyłem obok aparatu pewną wizytówkę z numerem telefonicznym. Wiele trudu kosztowało mnie jej zdobycie. Jeśli natychmiast do mnie nie przyjedziesz, wykręcę ten numer. Chcesz wiedzieć, z kim się połączę?

Mocka przestała nagle interesować muzyka marszowa emitowana w radiu. Przesunął palcem po wierzchu odbiornika i mruknął: – Zaraz będę.

Po kwadransie zajechał na Eichen-Allee. Bez słowa powitania minął stojącego w drzwiach starego, wyprostowanego jak struna kamerdynera Matthiasa i warknął: – Wiem, jak trafić do gabinetu barona!

Gospodarz stał w otwartych drzwiach. Ubrany był w długi, pikowany szlafrok i w skórzane pantofle z jasnej skóry. Rozpięty kołnierzyk

48

koszuli odsłaniał jedwabny fular. Uśmiechał się, lecz jego oczy spoglądały nadzwyczaj ponuro. Szczupła, pobrużdżona twarz płonęła.

– Wielki to dla nas zaszczyt, że ekscelencja raczył się do nas pofatygować – krzywił twarz w błazeńskim uśmiechu. Nagle spoważniał. – Wejdź do środka, usiądź, zapal i nie zadawaj żadnych pytań!

– Zadam jedno – Mock był wyraźnie rozzłoszczony. – Do kogo chciałeś zatelefonować?

– Od tego zacznę. Gdybyś nie przyszedł, zadzwoniłbym do Udo von Woyrscha, szefa SS we Wrocławiu. To szlachcic ze znakomitej rodziny, nawet jakoś skoligacony z von der Maltenami. On z pewnością pomógłby mi dotrzeć do nowego szefa gestapo Ericha Krausa. Wiesz... od tygodnia von Woyrsch jest w znakomitym humorze. Podczas „nocy długich noży" on także wyciągnął swój nóż i zniszczył znienawidzonych wrogów: Helmutha Brücknera, Hansa Paula von Heydenbrecka i innych esamanów. Ojej, a co strasznego stało się z naszym drogim birbantem i pogromcą chłopięcych serc, Edmundem Heinesem! Esesmani zabili go w pięknym bawarskim Bad Wiessee. Wyciągnęli go z łóżka nie byle kogo, wszak samego szefa SA Ernsta Röhma, który chwilę później podzielił los swego ukochanego... A cóż to spotkało naszego kochanego, rubasznego Piontka, że powiesił się w swoim ogrodzie? Podobno pokazano jego umiłowanej żonie kilka fotografii, na których stary Walter ubrany w kugelhaubę uprawia z pewną dziewięciolatką coś, co starożytni nazywali miłością lesbijską. Gdyby się nie zabił, zajęłyby się nim nasze brunatne zuchy z Neudorfstrasse.

Baron, oddany miłośnik Homera, uwielbiał retardacje. Tym razem retardacja był to właściwie wstęp.

– Zadam ci krótkie i treściwe pytanie: czy chcesz, aby Kraus poznał przechowywane przeze mnie dokumenty, które niezbicie dowodzą, że szef Wydziału Kryminalnego był masonem? Odpowiedz „tak" lub „nie". Wiesz, że ledwie kilkudniowy szef gestapo gorączkowo chce się zasłużyć, aby pokazać swym mocodawcom z Berlina, że ich decyzja personalna była słuszna. Oto mamy w tej chwili w gestapo człowieka, który jest bardziej hitlerowski niż sam Hitler. Czy chcesz, żeby wrocławski Hitler dowiedział się całej prawdy o twojej karierze?

Mock zaczął wiercić się na krześle. Wyborne cygaro nagle nabrało kwaśnego posmaku. Wiedział nieco wcześniej o planowanym ataku na Röhma i jego śląskich adherentów, ale z dziką satysfakcją zakazał swoim ludziom jakichkolwiek interwencji. „Niech się pozabijają te świnie", powiedział jedynemu człowiekowi z policji, któremu ufał. Sam zaś z radością dostarczył SS kilka kompromitujących fotografii. Upadek Piontka, Heinesa i Brücknera chciał przywitać szampanem. Ale w chwili wznoszenia w samotności toastu nagle zesztywniała mu ręka. Zrozumiał, że bandyci dokonali czystki między sobą, ale dalej rządzą. I po kilku złych mogą przyjść jeszcze gorsi. Przewidział słusznie: Erich Kraus był najgorszy ze wszystkich znanych mu hitlerowców.

– Nie odpowiadaj, szewczyku z Wałbrzycha, mały karierowiczu, miernoto! Nawet w twoich interpretacjach Horacego była finezja szewskiego kopyta. *Ne ultra crepidam*[5]. Nie posłuchałeś tej przestrogi i skamlałeś u naszych drzwi. Dla kariery. Wystąpiłeś z loży. Po cichu służyłeś gestapo. Nie pytaj, skąd o tym wiem... Oczywiście to także uczyniłeś dla kariery. Najbardziej jednak przysłużyła się twojej karierze moja córka. Ta sama – pamiętasz? – która kuśtykając biegła ci naprzeciw. Pamiętasz, jak cię lubiła? Witając cię, wołała „drogi panie Ebi"...

Mock gwałtownie wstał.

O co ci chodzi? Przecież oddałem ci mordercę. Mów, jak obiecałeś, „krótko i treściwie" i daruj sobie te Cycerońskie popisy!

Von der Malten nie odezwał się, lecz podszedł do biurka i wyjął z szuflady blaszane pudełko po czekoladkach Wienera. Otworzył je i podsunął Mockowi pod nos. Do czerwonego aksamitu przyszpilony był skorpion. Obok leżał niebieski kartonik, na którym wypisane były znane im koptyjskie wersety o śmierci. Pod spodem dopisano po niemiecku: „Twój ból jest jeszcze za mały". – Znalazłem to w moim gabinecie.

Mock spojrzał na geocentryczny model Ziemi i rzekł znacznie już spokojniej:

---

[5] Pilnuj szewcze kopyta (z łac.).

– Psychopatów nie brakuje. Także w naszym mieście. A na pewno wśród twojej służby – kto mógł się dostać do tak strzeżonej rezydencji?

Baron bawił się nożykiem do przecinania gazet. Nagle odwrócił wzrok do okna. – Chcesz zobaczyć, aby uwierzyć? Naprawdę chcesz ujrzeć *dessous* mojej córki? Schowałem je. Było w tym pudełku obok skorpiona i tego listu.

Istotnie, Mock przypomniał sobie, że na miejscu zbrodni brakowało bielizny Marietty. Nawet jednemu ze swych ludzi kazał – w związku z tym – sprawdzić wszystkich fetyszystów.

Von der Malten odłożył nożyk i rzekł drżącym z wściekłości głosem:

– Posłuchaj, Mock. Zakatowałem w piwnicy tego dostarczonego mi przez ciebie „mordercę"... Starego, obłąkanego Żyda... Tylko jednego człowieka nienawidzę bardziej od ciebie – prawdziwego mordercy. Mock, uruchomisz wszystkie swoje możliwości i znajdziesz mordercę. Nie... nie... ty sam. Ktoś inny poprowadzi ponowne śledztwo. Ktoś z zewnątrz, kogo nie oplata żadna wrocławska sitwa. Poza tym ty już złapałeś mordercę... Jakże to? Miałbyś znowu go szukać? Straciłbyś jeszcze stanowisko i medal...

Baron przechylił się przez biurko i obie twarze znalazły się w odległości centymetra. Mocka owionął nieświeży oddech.

– Pomożesz mi, czy mam złamać twoją karierę? Zrobisz wszystko, co ci każę, czy mam dzwonić do von Woyrscha i Krausa?

– Pomogę ci, tylko nie wiem, jak. Co mam zrobić? – odparł bez wahania.

– Pierwsze mądre pytanie – w głosie barona drżała jeszcze wściekłość. – Chodź do salonu. Kogoś ci przedstawię.

Kiedy baron otworzył drzwi salonu, dwaj mężczyźni siedzący przy stoliku gwałtownie powstali z miejsc. Niewysoki, kędzierzawy brunet sprawiał wrażenie nastolatka, który został przyłapany przez rodziców na oglądaniu pornograficznych ilustracji. Młodszy, szczupły szatyn, miał w oczach ten sam wyraz znużenia i zadowolenia, jaki dostrzegał u siebie Mock w sobotnie poranki.

– Herr Kriminaldirektor – zwrócił się baron do Mocka. – Przedstawiam panu doktora Georga Maassa z Królewca oraz asystenta kryminalnego policji berlińskiej pana Herberta Anwaldta. Doktor Maass jest prywatnym docentem uniwersytetu królewieckiego, wybitnym semitologiem i historykiem, asystent Anwaldt – specjalistą od przestępstw na tle seksualnym. Drodzy panowie, oto szef Wydziału Kryminalnego Prezydium Policji we Wrocławiu, dyrektor kryminalny Eberhard Mock.

Mężczyźni skinęli sobie głowami, po czym – idąc za przykładem barona – usiedli. Gospodarz ciągnął dalej ceremonialnie:

– Zgodnie ze swym uprzejmym zapewnieniem pan dyrektor kryminalny udzieli panom wszelkiej pomocy. Akta i biblioteki stoją przed panami otworem. Pan dyrektor kryminalny łaskawie zgodził się zatrudnić od jutra asystenta Anwaldta w podległej mu placówce na stanowisku referenta do specjalnych poruczeń. Czy dobrze powiedziałem, Herr Kriminaldirektor? (Mock zdumiony własną „uprzejmością" skinął głową). Pan asystent Anwaldt mając dostęp do wszelkich akt i informacji rozpocznie ściśle tajne śledztwo w sprawie zabójstwa mojej córki. Czy coś pominąłem, Herr Kriminaldirektor?

– Nie, niczego pan baron nie pominął – potwierdził Mock, zastanawiając się, za pomocą jakich środków uśmierzyć gniew żony, gdy dowie się, że pierwsze dni urlopu spędzi samotnie.

WROCŁAW, SOBOTA 7 LIPCA 1934 ROKU.
GODZINA ÓSMA RANO

We Wrocławiu niepodzielnie zapanował upał. Niecka, w której leży miasto, prażyła się w strugach rozpalonego powietrza. Sprzedawcy lemoniady siedzieli pod parasolami na rogach ulic, w sklepach i w innych wynajętych w tym celu lokalach. Nie musieli reklamować swojego towaru. Wszyscy zatrudniali pomocników, którzy dostarczali im ze składów wiadra lodu. Wachlujący się nieustannie, spocony tłum wypełniał kawiarnie i cukiernie przy reprezentacyjnej Gartenstrasse. Zlani potem muzykanci wygrywali w niedziele marsze i walce na Liebichshöhe, gdzie pod rozłożystymi kasztanowcami i platanami oddychało suchym kurzem zmęczone mieszczaństwo. Skwery i parki zaludniali staruszkowie grający w skata i rozłoszczone bony usiłujące uspokoić zgrzane dzieci. Gimnazjaliści, którzy nie wyjechali na wakacje, dawno zapomnieli o sinusach czy o Hermannie i Dorothei i urządzali pływackie zawody na Kępie Mieszczańskiej. Lumpenproletariat z biednych, brudnych uliczek wokół Rynku i Blücherplatz wypijał cysterny piwa i zalegał nad ranem pod bramami i w rynsztokach. Młodzież urządzała polowania na szczury, które nadzwyczaj rojnie buszowały po śmietnikach. W oknach smętnie zwieszały się namoczone prześcieradła. Wrocław ciężko dyszał. Zacierali ręce wytwórcy i sprzedawcy lodów i lemoniady. Browary pracowały pełną parą. Herbert Anwaldt rozpoczynał swe śledztwo.

Policjanci siedzieli w sali odpraw bez marynarek i z poluzowanymi krawatami. Wyjątek stanowił zastępca Mocka Max Forstner, który – mimo że pocił się w przyciasnym garniturze i w zaciśniętym krawacie – nie pozwalał sobie nawet na pozór niedbalstwa. Był niezbyt lubiany. Powodem tej antypatii było zarozumialstwo i złośliwość, które aplikował swym podwładnym w małych, lecz jadowitych dawkach. A to krytykował czyjś krój kapelusza jako niemodny, a to czepiał się czyjegoś źle ogolonego zarostu lub poplamionego krawata, a to spierał się o jakieś inne drobiazgi, które – według niego – źle świadczyły o wizerunku policjanta. Ale tego ranka upał odebrał mu wszystkie argumenty w ewentualnym sporze o stan garderoby podwładnych.

Drzwi otworzyły się i wszedł Mock w towarzystwie szczupłego szatyna około trzydziestki. Nowy policjant wyglądał na człowieka, który nie może się wyspać. Połykał ziewnięcia, lecz oczy zdradzały go łzawieniem. Forstner skrzywił się na widok jasnobeżowego garnituru.

Mock, jak zwykle, rozpoczął od zapalenia papierosa, którą to czynność powtórzyli za swoim szefem prawie wszyscy policjanci.

– Dzień dobry panom. Oto nasz nowy kolega – Kriminalassistent Herbert Anwaldt do niedawna pracujący w policji berlińskiej. Asystent Anwaldt, który zostaje od dzisiaj zatrudniony na stanowisku referenta do specjalnych poruczeń w naszym Wydziale Kryminalnym, prowadzi śledztwo, z którego przebiegu i rezultatów odpowiada wyłącznie przede mną. Jego prośby proszę spełniać sumiennie. Na czas prowadzenia tej sprawy, pan asystent kryminalny Anwaldt jest, zgodnie z moim postanowieniem, jakby przełożonym panów. Oczywiście nie dotyczy to Forstnera. – Mock zgasił papierosa i zamilkł na chwilę, jego ludzie wiedzieli, że teraz nastąpi najważniejszy punkt odprawy. – Moi panowie, gdyby polecenia asystenta Anwaldta musiały was na chwilę oderwać od aktualnych spraw, to zostawcie je na boku. Sprawa naszego nowego kolegi jest w tej chwili najważniejsza. To wszystko, proszę wracać do swoich obowiązków.

Anwaldt rozglądał się ciekawie po gabinecie Mocka. Mimo najszczerszych chęci nie można było dopatrzeć się w tym pokoju niczego, co byłoby w nim indywidualne, co nosiłoby piętno tego, kto w nim zasiada. Wszystko miało swoje miejsce i było sterylnie czyste. Dyrektor nagle zachwiał tą harmonią stojących na baczność sprzętów – zdjął marynarkę i rzucił ją na oparcie krzesła. Między błękitnymi szelkami o osobliwym wzorze (nagie, splecione w uścisku kobiece ciała) dumnie wypinał się dość wydatny brzuch. Anwaldt, zadowolony, że dostrzegł w końcu człowieka z krwi i kości, uśmiechnął się. Mock nie zauważył tego; właśnie poprosił przez telefon o dwie filiżanki mocnej herbaty.

– Ponoć świetnie gasi pragnienie w upały. Zobaczymy...

Podsunął Anwaldtowi pudełko z cygarami. Powoli i metodycznie obciął szczypczykami koniec jednego. Asystent Mocka, Dietmar Krank, postawił przed nimi dzbanek i filiżanki.

– Od czego pan chce zacząć, Anwaldt?

– Herr Kriminaldirektor, mam pewną sugestię...

– Pomińmy tytuły. Nie jestem tak ceremonialny jak baron.

– Oczywiście, jak pan sobie życzy. Dzisiejszą noc spędziłem na czytaniu akt sprawy. Chciałbym wiedzieć, co pan sądzi o takim rozumowaniu: ktoś zrobił z Friedländera kozła ofiarnego, *ergo* ktoś chce ukryć prawdziwego przestępcę. Może właśnie ten „ktoś" jest mordercą. Muszę znaleźć tego lub tych, którzy wrobili Friedländera, czyli – inaczej mówiąc – podrzucili go panu na pożarcie. Zacznę zatem od barona von Köpperlingka, bo to on wskazał panu Friedländera – Anwaldt uśmiechnął się ukradkiem. – A tak nawiasem mówiąc, jak mógł pan uwierzyć, że sześćdziesięcioletni człowiek w ciągu pół godziny zabija kolejarza, po czym odbywa dwa stosunki płciowe, podczas których – jak łatwo się domyślić – ofiary nie ułatwiały mu zadania. Potem zabija obie kobiety, wypisuje na ścianie esy-floresy, a następnie wyskakuje przez okno i rozpływa się we mgle. Niech pan mi pokaże dwudziestoletniego chłopaka, który dokonałby takiego wyczynu.

– Drogi panie – Mock roześmiał się. Podobał mu się naiwny entuzjazm Anwaldta. – Nieprzeciętne, nadludzkie siły występują u epileptyków dość często, także po ataku. Wszelkie takie zachowania są skutkiem działania pewnych tajemniczych hormonów, o czym szczegółowo informował mnie lekarz Friedländera, doktor Weinsberg. Nie mam podstaw mu nie ufać.

– Właśnie. Pan mu ufa. A ja nikomu nie ufam. Muszę zobaczyć się z tym lekarzem. Może ktoś kazał mu opowiadać panu o niezwykłych zdolnościach epileptyków, o transie derwiszów i innych tego typu... – Anwaldtowi zabrakło słowa – innych tego typu bzdurach.

Mock pił powoli herbatę.

– Jest pan bardzo kategoryczny, młody człowieku.

Anwaldt wypił jednym haustem pół filiżanki. Za wszelką cenę chciał pokazać dyrektorowi, jak pewnie się czuje w tego typu sprawach. A właśnie pewności siebie bardzo mu brakowało. Zachowywał się w tej chwili jak mały chłopiec, który w nocy zmoczył prześcieradło i rano, po przebudzeniu, nie wie, co ze sobą zrobić. (Zostałem wybrany, jestem wybrańcem, zarobię masę pieniędzy). Wypił do końca herbatę.

– Poproszę o protokół z przesłuchania Friedländera – starał się nadać swemu głosowi twarde brzmienie.

– Po co panu protokół? – teraz ton Mocka nie był już żartobliwy.

– Pracuje pan w policji od lat i wie pan, że czasem trzeba przesłuchiwanego odpowiednio przydusić. Protokół jest wyretuszowany. Lepiej ja sam powiem panu, jak to było. W końcu to ja go przesłuchiwałem – spojrzał w okno i zaczął płynnie zmyślać. – Zapytałem o alibi. Nie miał żadnego. Musiałem go trzepnąć. (*Gestapowiec Konrad chyba szybko zmusił go do mówienia. Ma swoje metody).* Gdy pytałem o tajemnicze napisy, którymi wypełniał grube bruliony, śmiał się, że to przesłanie dla jego braci, którzy go pomszczą. *(Słyszałem, że Konrad tnie ścięgna brzytwą).* Musiałem zastosować bardziej zdecydowaną perswazję. Kazałem sprowadzić jego córkę. To poskutkowało. Natychmiast się uspokoił i przyznał do winy. Oto wszystko. *(Biedna dziewczyna... Cóż, musiałem oddać ją Piontkowi... Uzależnił ją od morfiny i pakował do łóżek różnych ważnych facetów).*

– I uwierzył pan człowiekowi szalonemu – zdumienie rozszerzyło oczy Anwaldta – którego poddał pan takiemu szantażowi?

Mock był szczerze rozbawiony. Przyjął wobec Anwaldta postawę Mühlhausa – dobroduszny dziadek głaszcze po głowie fantazjującego wnuka.

– Mało panu? – na ustach rozwinął się ironiczny uśmiech. – Oto mam szaleńca-epileptyka, który, jak twierdzi lekarz, może cudów dokonywać krótko po ataku. Brak alibi, tajemnicze napisy w brulionach. Jeśliby pan, mając takie dane, dalej szukał mordercy, to nigdy nie ukończyłby pan śledztwa. A może równie dociekliwy był pan w Berlinie i w końcu stary von Grappersdorff zesłał pana na prowincję?

– Panie dyrektorze, czy to wszystko pana naprawdę przekonało?

Mock świadomie powoli dawał upust irytacji. Uwielbiał to uczucie: panować nad falami emocji i móc w każdej chwili je uwolnić.

– Prowadzi pan śledztwo, czy sporządza psychologiczną charakterystykę mojej osoby?! – krzyknął. Źle to jednak rozegrał; Anwaldt wcale się nie wystraszył. Mock nie wiedział, że krzyk na niego nie działa. Za często słyszał go w dzieciństwie.

– Przepraszam – rzekł asystent. – Nie chciałem pana urazić.

– Mój synu – Mock rozparł się wygodnie na krześle, bawił się obrączką, a w myślach budował przenikliwą charakterystykę Anwaldta. – Gdybym miał tak cienką skórę, nie mógłbym już blisko 25 lat pracować w policji. – Od razu się spostrzegł, że Anwaldt udaje pokorę. Zaintrygowało go to do tego stopnia, że postanowił podjąć tę subtelną grę.

– Nie musiał pan przepraszać. Okazał pan w ten sposób swoją słabość. Dam panu dobrą radę: zawsze ukrywać własne słabe punkty, obnażać je u innych. Wtedy innych usidlimy. Wie pan, co to znaczy „mieć coś na kogoś" albo „trzymać kogoś w imadle"? To „imadło" to u jednego hazard, u drugiego – harmonijnie zbudowani efebowie, a u jeszcze innego – żydowskie pochodzenie. Zaciskając to imadło, wygrałem niezliczoną ilość razy.

– Czy moją słabość może pan już teraz wykorzystać przeciwko mnie? Czy może mnie pan chwycić w „kleszcze lęku"?

– A dlaczego miałbym to robić?

Anwaldt przestał być pokorny. Ta rozmowa sprawiała mu wielką przyjemność. Czuł się jak przedstawiciel rzadkiej dyscypliny naukowej, który nagle w pociągu spotyka innego pasjonata tej nauki i stara się nie liczyć nieubłaganie mijających przystanków.

– Dlaczego? Bo przecież odnowiłem śledztwo, które pan zakończył niewiarygodnym sukcesem. (Z tego, co wiem, to śledztwo bardzo ci pomogło w karierze).

– To prowadź pan to śledztwo, a nie dokonuj na mnie psychologicznej wiwisekcji! – Mock postanowił znów trochę się rozzłościć.

Anwaldt wachlował się przez chwilę egzemplarzem „Breslauer Zeitung". W końcu zaryzykował: – Toteż je prowadzę. Zacząłem od pana.

W pokoju rozległ się szczery śmiech Mocka. Anwaldt nieśmiało mu zawtórował. Forstner bezskutecznie nasłuchiwał przez ścianę.

– Podobasz mi się, synu – Mock dopił herbatę. – Gdybyś miał jakieś kłopoty, dzwoń do mnie o każdej porze dnia i nocy. Mam „imadło" prawie na każdego w tym mieście.

– Ale na mnie jeszcze nie? – Anwaldt chował do portfela elegancką wizytówkę.

Mock wstał na znak, że tę rozmowę uważa za skończoną. – I dlatego jeszcze cię lubię.

WROCŁAW, TEGOŻ 7 LIPCA 1934 ROKU.
GODZINA PIĄTA PO POŁUDNIU

Gabinet Mocka był jedynym (oprócz kuchni) pomieszczeniem z oknami wychodzącymi na północ w jego pięciopokojowym apartamencie przy Rehdigerplatz 1. Latem tylko tu można było zażyć przyjemnego chłodu. Dyrektor skończył właśnie jeść obiad przyniesiony mu z restauracji Grajecka, oddzielonej podwórzem od jego kamienicy. Siedział przy biurku i pił zimne piwo Haselbacha, które przed chwilą wyjął ze spiżarni. Jak zwykle po posiłku, palił i czytał książkę wybraną na chybił trafił z półki. Tym razem wybrał pracę autora zakazanego – *Z psychopatologii życia codziennego* Freuda. Czytał ustęp o przejęzyczeniach i powoli zapadał w upragnioną drzemkę, gdy nagle uświadomił sobie, że zwrócił się dziś do Anwaldta per „mój synu". Było to przejęzyczenie w wypowiedziach Mocka niespotykane. Uważał się za człowieka bardzo skrytego, a pod wpływem Freuda sądził, że właśnie przejęzyczenia odsłaniają nasze skryte potrzeby i pragnienia. Największym marzeniem Eberharda była chęć posiadania syna. Rozwiódł się z pierwszą żoną po czterech latach małżeństwa, gdy zdradziła go ze służącym, bo nie mogła już dłużej znieść coraz bardziej brutalnych oskarżeń o bezpłodność. Potem miał wiele kochanek. Gdyby tylko któraś z nich zaszła w ciążę, ożeniłby się z nią bez wahania. Niestety, kolejne kochanki zostawiały ponurego neurotyka i odchodziły do innych, tworząc mniej lub bardziej szczęśliwe stadła. Wszystkie miały dzieci. Mock w wieku lat czterdziestu nie wierzył ciągle w swoją bezpłodność i dalej szukał matki dla swojego syna. Wreszcie znalazł pewną byłą studentkę medycyny, którą rodzina wyklęła za panieńskie dziecko. Dziewczynę relegowano z uniwersytetu i została utrzymanką pewnego bogatego pasera. Mock przesłuchiwał ją w jakiejś sprawie, w którą ów paser był zamieszany. Kilka dni później Inga Martens przeprowadziła się do mieszkania przy Zwingerstrasse, które Mock dla niej wynajął, a ów paser – po tym jak policjant chwycił go w „imadło" – bardzo chętnie przeniósł się do Legnicy i zapomniał o swojej kochance. Mock był szczęśliwy. Przychodził do Ingi codziennie rano na śniadanie po intensywnym wysiłku w pływalni sąsiadującej z jej domem. Po trzech miesiącach szczęście sięgnęło zenitu: Inga była w ciąży. Mock podjął decyzję powtórnego małżeństwa; uwierzył w stare łacińskie przysłowie, że miłość wszystko zwycięża – *amor omnia vincit*. Po kilku miesiącach Inga wyprowadziła się z Zwingerstrasse i urodziła drugie dziecko swojego wykładowcy, doktora Karla Meissnera, który tymczasem otrzymał rozwód i ożenił się z kochanką, Mock zaś stracił wiarę w miłość. Przestał żyć iluzjami i poślubił bogatą, bezdzietną Dunkę, swoją drugą i ostatnią żonę.

Wspomnienia dyrektora przerwał dzwonek telefonu. Ucieszył się, słysząc głos Anwaldta.

– Dzwonię, korzystając z pańskiego łaskawego zezwolenia. Mam pewien kłopot z Weinsbergiem. Nazywa się on teraz Winkler i udaje że nic nie wie o Friedländerze. Nie chciał ze mną rozmawiać i omal nie poszczuł mnie psami. Czy ma pan „coś" na niego?

Mock zastanawiał się przez równą minutę.

– Chyba tak. Ale nie mogę o tym rozmawiać przez telefon. Proszę przyjść do mnie za godzinę. Rehdigerplatz 1, mieszkanie nr 6.

Odłożył słuchawkę i wykręcił numer Forstnera. Kiedy jego były asystent zgłosił się, zadał mu dwa pytania i wysłuchał wyczerpujących odpowiedzi. Za chwilę telefon znów się rozdzwonił. Głos Ericha Krausa łączył w sobie dwie przeciwne intonacje: szef gestapo jednocześnie pytał i rozkazywał.

– Mock, kim jest ten Anwaldt i co tutaj robi?

Eberhard nie cierpiał tego aroganckiego tonu. Walter Piontek zawsze uniżenie prosił o informacje, choć wiedział, że Mock nie może mu odmówić, natomiast Kraus brutalnie ich żądał. Mimo że pracował we Wrocławiu dopiero od tygodnia, za ten brak taktu był już przez wielu szczerze znienawidzony. „Ząbkowicki parweniusz i gorliwiec"– szeptali wrocławscy arystokraci z krwi i ducha.

– No co, zasnęliście tam?

– Anwaldt jest agentem Abwehry – Mock był przygotowany na pytanie o nowego asystenta; wiedział, że udzielenie prawdziwej odpowiedzi byłoby dla berlińczyka bardzo niebezpieczne. Ta odpowiedź jednocześnie chroniła Anwaldta, gdyż szef wrocławskiej Abwehry, śląski arystokrata Rainer von Hardenburg, nienawidził Krausa. – Rozpracowuje polski wywiad we Wrocławiu.

– Po co jest mu pan potrzebny? Dlaczego zgodnie z planem nie wyjechał pan na urlop?

– Zatrzymała mnie pewna sprawa osobista.

– Jaka?

Kraus cenił nade wszystko wojskowe marsze i ustabilizowane życie rodzinne. Mock czuł obrzydzenie do tego człowieka, który dokładnie i metodycznie zmywał z rąk krew torturowanych osobiście więźniów, aby później zasiąść do rodzinnego obiadu. W drugim dniu swojego urzędowania Kraus własnoręcznie zatłukł pewnego żonatego więźnia, który nie chciał wyjawić, gdzie spotykał się ze swoją kochanką, urzędniczką polskiego konsulatu. Chwalił się później w całym Prezydium Policji, że nienawidzi małżeńskiej niewierności.

Mock nabrał powietrza i zawahał się:

– Zostałem z powodu przyjaciółki... Ale proszę pana o dyskrecję... Rozumie pan, jak to jest...

– Tfu – sapnął Kraus. – Nie rozumiem.

Trzasnęła słuchawka rzucona z rozmachem. Mock podszedł do okna i zapatrzył się na zakurzony kasztanowiec, którego liści nie poruszał najlżejszy nawet wietrzyk. Woziwoda sprzedawał swój życiodajny płyn mieszkańcom oficyny, dzieci goniły się z krzykiem na boisku żydowskiej szkoły ludowej, wzniecając obłoki kurzu. Mock był nieco poirytowany. Chciał odpocząć, a tu nawet po pracy nie dają mu spokoju. Rozłożył na biurku szachownicę i sięgnął po *Pułapki szachowe* Überbranda. Kiedy kombinacje pochłonęły go na tyle, że zapomniał o upale i zmęczeniu, zadzwonił dzwonek u drzwi. (*Cholera, to pewnie Anwaldt. Mam nadzieję, że gra w szachy*).

Anwaldt był entuzjastą tej gry. Nic zatem dziwnego, że siedzieli z Mockiem do świtu nad szachownicą, pijąc kawę i lemoniadę. Mock, który najprostszym czynnościom przypisywał prognostyczne znaczenie, założył, że wynik ostatniej partii będzie proroctwem powodzenia śledztwa Anwaldta. Ostatnią szóstą partię rozgrywali od drugiej do czwartej. Zakończyła się remisem.

WROCŁAW, NIEDZIELA 8 LIPCA 1934 ROKU.
GODZINA DZIEWIĄTA RANO

Pod odrapaną kamienicę na Zietenstrasse, gdzie mieszkał Anwaldt, zajechał czarny adler Mocka. Asystent usłyszał dźwięk klaksonu schodząc po schodach. Mężczyźni podali sobie ręce. Mock pojechał Seydlitzstrasse, minął ogromny gmach cyrku Buscha, skręcił w lewo, przejechał przez Sonnenplatz i zatrzymał się przed nazistowską drukarnią przy Sonnenstrasse. Wysiadł i za chwilę wrócił niosąc pod pachą jakieś zawiniątko. Ostro skręcił i przyśpieszył, aby choć nieznacznie poruszyć stojące w samochodzie gorące powietrze. Był niewyspany i małomówny. Przejechali pod wiaduktem i znaleźli się na długiej i pięknej Gabitzstrasse. Anwaldt z zainteresowaniem oglądał kościoły, których wezwania Mock podawał ze znawstwem: najpierw mała, jakby zlepiona z sąsiednią kamienicą kaplica jezuitów, później niedawno powstałe kościoły Chrystusa Króla i Św. Karola Boromeusza o stylizowanej średniowiecznej sylwetce. Mock jechał szybko, wyprzedzając tramwaje aż czterech różnych linii. Minął Cmentarz Gajowicki, przeciął Menzelstrasse, Kürassier Allee i zaparkował naprzeciw ceglastych koszar kirasjerów na Gabitzstrasse. Tu w nowoczesnej kamienicy pod numerem 158 zajmował duże, wygodne mieszkanie doktor Hermann Winkler, do niedawna Weinsberg. Sprawa Friedländera odmieniła szczęśliwie jego życie. Dobrym aniołem tej transformacji był Hauptsturmführer Walter Piontek. Ich znajomość nie zaczęła się zachęcająco: pewnego majowego wieczoru '33 Piontek wpadł z hukiem do jego dawnego mieszkania, sponiewierał go okrutnie, a następnie słodkim głosem przedstawił alternatywę: albo w sposób wiarygodny ogłosi w prasie, że Friedländer zamieniał się po atakach epilepsji we Frankensteina, albo umrze. Kiedy lekarz zawahał się, Piontek dodał, że przyjęcie jego propozycji oznacza znaczne pomnożenie finansów zainteresowanego. Więc Weinsberg powiedział „tak" i jego życie się odmieniło. Dzięki protekcji Piontka zyskał nową tożsamość, a na jego konto w domu handlowym „Eichborn i Spółka" wpływała co miesiąc pewna kwota, która – choć niezbyt wysoka – i tak zadowalała nadzwyczaj oszczędnego lekarza. Niestety, dolce vita trwała krótko. Przed kilkoma dniami Winkler dowiedział się z gazet o śmierci Piontka. Tego samego dnia złożyli mu wizytę ludzie z gestapo i wypowiedzieli układ zawarty przez hojnego Hauptsturmführera. Kiedy próbował protestować, jeden z gestapowców, brutalny grubas postąpił – jak oświadczył – wedle wskazówek swojego szefa: złamał Winklerowi palce lewej dłoni. Po tej wizycie lekarz kupił dwa odchowane dogi, zrezygnował z gestapowskiego honorarium i starał się być niewidoczny.

Mock i Anwaldt aż podskoczyli, gdy za drzwiami Winklera rozszczekały się i rozwyły psy.

– Kto tam? – doszło zza lekko uchylonych drzwi.

Mock ograniczył się do pokazania legitymacji – każde słowo utonęłoby w huku psich płuc. Winkler z trudem uspokoił brytany, uwiązał je na smyczy i poprosił do salonu swych niemile widzianych gości. Ci, jak na komendę zapalili papierosy i rozejrzeli się po pomieszczeniu, które bardziej przypominało biuro niż salon. Winkler, niewysoki, rudy mężczyzna około pięćdziesiątki, był modelowym przykładem starego kawalera-pedanta. W kredensie zamiast kieliszków i karafek stały segregatory oprawione w płótno. Każdy miał na grzbiecie starannie wypisane nazwiska pacjentów. Anwaldtowi nasunęła się myśl, że prędzej zawaliłaby się ta nowoczesna bryła domu, niż któryś z segregatorów zmieniłby swoje miejsce. Mock przerwał milczenie.

– Te pieski to dla obrony? – zapytał z uśmiechem wskazując na dogi, przywarte do podłogi i nieufnie obserwujące obcych. Winkler przywiązał je do ciężkiego dębowego stołu.

– Tak – odparł sucho lekarz, otulając się szlafrokiem kąpielowym. – Co panów do mnie sprowadza w ten niedzielny poranek?

Mock zignorował pytanie. Uśmiechnął się przyjaźnie.

– Do obrony... Tak, tak... A przed kim? Może przed tymi, którzy złamali palce panu doktorowi?

Lekarz zmieszał się i zdrową ręką sięgnął po papierosa. Anwaldt podał mu ogień. Sposób, w jaki się zaciągał, świadczył, że jest to jeden z nielicznych papierosów w jego życiu.

– O co panom chodzi?

– O co panom chodzi? Co panów do mnie sprowadza? – Mock przedrzeźniał Winklera. Nagle podszedł na bezpieczną odległość i wrzasnął:

– Ja tu zadaję pytania, Weinsberg!!!

Doktor ledwie uspokoił psy, które z warczeniem rzuciły się ku policjantowi, omal nie przewracając stołu, do którego były przywiązane. Mock usiadł, odczekał chwilę i ciągnął już spokojnie:

– Nie będę panu zadawał pytań, Weinsberg, jedynie przedstawię nasze żądania. Proszę nam udostępnić wszystkie swoje notatki i materiały dotyczące Isidora Friedländera.

Lekarz zaczął drżeć mimo prawie materialnych fal upału rozlewających się po nasłonecznionym pokoju.

– Już ich nie mam. Wszystko przekazałem Hauptsturm-führerowi Walterowi Piontkowi.

Mock uważnie mu się przyglądał. Po minucie wiedział, że kłamie. Zbyt często rzucał wzrokiem na swoją zabandażowaną rękę. Mogło to oznaczać albo „ci też zaczną łamać mi palce", albo „o Boże, co będzie, jeżeli gestapo wróci i zażąda tych materiałów?". Mock uznał tę drugą możliwość za bliższą prawdy. Położył na stole zawiniątko, które dostał w drukarni. Weinsberg rozerwał paczkę i zaczął kartkować jeszcze niezszytą broszurę. Kościstym palcem przesunął po jednej ze stron. Zbladł.

– Tak, panie Winkler, jest pan na tej liście. Jest to na razie próbny wydruk. Mogę skontaktować się z wydawcą tej broszury i usunąć pańskie nowe czy też prawdziwe nazwisko. Mam to zrobić Weinsberg?

W aucie temperatura była jeszcze o kilka stopni wyższa niż na zewnątrz, czyli wynosiła około 35 stopni Celsjusza. Anwaldt rzucił na tylne siedzenie swoją marynarkę oraz duże, kartonowe pudło oklejone zielonym papierem. Otworzył je. Były tam kopie notatek, artykułów i jedna prymitywnie wytłoczona płyta patefonowa. Napis na pokrywie pudła głosił: „Przypadek epilepsji prognostycznej I. Friedländera".

Mock otarł pot z czoła i uprzedził pytanie Anwaldta:

– Jest to lista lekarzy, pielęgniarzy, felczerów, akuszerek i innych sług Hipokratesa pochodzenia żydowskiego. W tych dniach ma się to ukazać.

Anwaldt spojrzał na jedną z końcowych pozycji: Dr Hermann Winkler, Gabitzstrasse 158. – Jest pan w stanie to usunąć?

– Nawet nie będę próbował – Mock odprowadził wzrokiem dwie dziewczyny spacerujące pod czerwonym murem koszar; jego jasną marynarkę zaciemniały pod pachami dwie plamy. – Myśli pan, że będę ryzykował starcie z szefem SS Udo von Woyrschem i z szefem gestapo Erichem Krausem dla jednego konowała, który wygadywał brednie w gazetach?

We wzroku Anwaldta dostrzegł wyraźną ironię: „No, przyznaj, że te brednie trochę pomogły ci w karierze".

IV

WROCŁAW, NIEDZIELA 8 LIPCA 1934 ROKU.
POŁUDNIE

Anwaldt siedział w policyjnym laboratorium, studiował materiały Weinsberga i coraz silniej umacniał się w przekonaniu o istnieniu zjawisk paranormalnych. Pamiętał siostrę Elisabeth z sierocińca. Ta drobna i niepozorna osoba o ujmującym uśmiechu ściągnęła na sierociniec niewyjaśnione, zatrważające zdarzenia. To za jej bytności w zakładzie – nigdy wcześniej ani później – maszerowały w nocy korowody milczących ludzi w piżamach, w ubikacji spadały z hukiem żeliwne pokrywy rezerwuarów, w świetlicy ciemna postać zasiadała do fortepianu, a dzwonek telefonu rozdzwaniał się codziennie o tej samej godzinie. Kiedy siostra Elisabeth odeszła, na własną zresztą prośbę, tajemnicze zdarzenia ustały.

Z notatek Weinsberga alias Winklera wynikało, że Friedländer tym się różnił od siostry Elisabeth, że nie wywoływał zdarzeń i sytuacji, lecz je przewidywał. W stanach po ataku epilepsji wykrzykiwał pięć lub sześć słów, wciąż je powtarzając jak ponury refren. Doktor Weinsberg zarejestrował 25 takich przypadków, z których 23 zanotował, 2 nagrał na płytę patefonową. Zebrany materiał poddał dokładnej analizie, której wyniki przedstawił w dwudziestym roczniku „Zeitschrift für Parapsychologie und Metaphysik". Artykuł jego nosił tytuł *Prognostyki tanatologiczne Isidora F.* Anwaldt miał przed sobą nadbitkę owego artykułu. Pobieżnie przeczytał metodologiczny wstęp i zagłębił się w zasadnicze wywody Weinsberga:

„Ponad wszelką wątpliwość stwierdzono, że wyrazy wykrzykiwane przez pacjenta są pochodzenia starohebrajskiego. Do takiego wniosku doszedł po trzymiesięcznej analizie semitolog berliński prof. Arnold Schorr. Jego ekspertyza językoznawcza udowadnia to niezbicie. Mamy ją w swoich materiałach i możemy udostępnić zainteresowanym. Każdy komunikat profetyczny chorego dzieli się na dwie części: zaszyfrowane nazwisko i okoliczności śmierci jego posiadacza. Po trzyletnich badaniach udało mi się rozszyfrować 23 z 25 komunikatów. Rozwiązanie dwóch ostatnich jest bardzo trudne, mimo że zostały one nagrane na patefonową płytę. Zrozumiałe przeze mnie komunikaty można podzielić na takie, które okazały się zgodne z rzeczywistością (10) i takie, które dotyczą osób jeszcze żyjących (13). Podkreślić należy, że większość prognostyków Isidora F. odnosi się do osób nieznanych mu osobiście, co potwierdziła córka pacjenta. Te osoby łączą dwie okoliczności: 1 – wszystkie żyły lub żyją we Wrocławiu; 2 – wszystkie zginęły śmiercią tragiczną.

Condicio sine qua non[6] zrozumienia całego komunikatu jest wyłuskanie i rozszyfrowanie nazwiska w nim zawartego. Jest ono wyrażone dwojako: albo brzmieniem, albo znaczeniem hebrajskiego wyrazu. Hebr. *geled* „skórka" rozszyfrowaliśmy na przykład jako Gold (podobne brzmienie, te same spółgłoski *gld*). Należy jednak zaznaczyć, że nazwisko to pacjent mógłby wyrazić w inny, „znaczeniowy" sposób. Wszak Gold oznaczające „złoto" mogło być zaszyfrowane synonimicznie w hebr. *zahaw*. Jest to właśnie ów drugi sposób, kiedy nazwisko ukryte jest w znaczeniu, a nie w brzmieniu hebrajskiego wyrazu. Widać to na przykład w hebr. *hamad* – „hełm", co ewidentnie wskazuje na niemieckie nazwisko Helm, które oznacza nic innego niż „hełm" właśnie. Nie obeszło się tutaj bez pewnych zniekształceń, np. hebr. *sair* znaczy „kozioł" (Bock), a proroctwo dotyczyło zmarłego noszącego nazwisko Beck. Najciekawsze i zarazem najbardziej satysfakcjonujące było rozszyfrowanie hebr. *jawal adama* – „rzeka", „pole" (niem. Fluss, Feld). Wydawało się zatem, że nazwisko należy identyfikować jako Feldfluss lub Flussfeld. Kiedy przeglą-

---

[6] Warunkiem koniecznym (łac.).

dałem urzędowy spis zgonów, natknąłem się na nazwisko Rheinfelder. Inne wyrazy potwierdzały okoliczności śmierci: pobicie pasem wojskowym. Słowem, Rhein to „Ren", „rzeka". Od Rheinfeld do Rheinfelder droga niedaleka. A oto pełny wykaz proroctw dotyczących osób nieżyjących (spis osób żyjących posiadam w swoich materiałach, lecz nie publikuję go, aby nie wywoływać niepotrzebnych emocji).

Wyrazy hebrajskie	Nazwisko	Szczegóły dot. śmierci w proroctwie	Stan faktyczny
charon – płomień Boży srefa – zgliszcza geled – skóra	geled = Gold	płomień Boży zgliszcza, synagoga	Abraham Gold, kantor, zginął podczas pożaru synagogi.
lawan – biały majim – woda pe – usta nefesz – oddech szemesz – słońce	biały = Weiss	woda, usta, oddech, słońce	Regine Weiss utopiła się na kąpielisku.
aw – obłok, esz – ogień bina – rozum er – dający świadectwo bazar – rozsypał acanim – kości	bina-er = Wiener	obłok, ogień, rydwan, rozsypał kości	Moritz Wiener zginął w wypadku lotniczym.
romach – włócznia, szaa – szum gulgolet – czaszka merkaw – wóz hen-ruach – oto tchnienie pasak – rozłupał	hen-ruach = Heinrich	włócznia, czaszka, szum, wóz, rozłupał	Richard Heinrich zginął potrącony przez samochód wiozący rury. Jedna z nich rozłupała mu czaszkę.
kamma – jak wielki pasak – rozdzielił parasz – koń	kamma pasak = Kempsky	koń, kopyto, podwórko	Heinz Kempsky zmarł kopnięty w głowę przez

akew – kopyto			konia na
chacer – podwórko			podwórku.
ganna – ogród	*kozioł* = Bock ÷	ogród, osy, żądła,	Friedrich Beck
cafir – kozioł	Beck	zapylać	zmarł w swym
cira – osa			ogrodzie
ceninim – żądła			użądlony przez
zara – zapylać			osę w gardło.
chebel – pętla	*hełm* = Helm	pętla, wyrzygał się,	Reinhard Helm,
safak – wyrzygał		wino, odchody	alkoholik, powiesił
chemer – wino			się w ubikacji,
afer – hełm			którą
galal – odchody			zanieczyścił
			wymiocinami.
isz – mężczyzna	*mężczyzna* = Mann	pocisk, harfa, taniec,	Artystka varieté
or – ogień		ogień, broń	Luise Mann
szelach – pocisk			została
nebel – harfa			zastrzelona na
machol – taniec			scenie.
keli – broń			
jawal – rzeka	*rzeka* = Ren = Rhein	biczować, żelazo, wół	Fritza Rheinfeldera
adama – pole	pole = Feld, zatem		(był gruby –
mr' w hi. – biczować	Rheinfelder		stąd 'wół')
barzel – żelazo			zatłuczono
aluf – wół			klamrą pasa
			wojskowego.
eben – kamień	*meri kardom* =	kamień, dach, ulica,	Hansa
gag – dach	Marquardt	szybko poleciał	Marquardta
silla – ulica			wypchnięto
meri – upór			z okna
kardom – siekiera			wieżowca.
nas – szybko poleciał			

Z przytoczonych wyżej przykładów wyraźnie widać, że proroctwa pacjenta F. mogły być właściwie zrozumiane dopiero po śmierci wskazanej przez nie osoby. Spójrzmy, powiedzmy, na przykład 2. Oto kilka możliwości jego interpretacji. Równie dobrze osoba wzmiankowana w proroctwie mogłaby nazywać się Weisswasser („biała woda") – we Wrocławiu mieszka 15 rodzin o tym nazwisku. A zatem jakiegoś Weisswassera mogłaby powalić dusznica („usta", „oddech") podczas opalania („słońce"). Denat mógłby też nazywać się Sonnemund („usta", „słońce") – 3 rodziny we Wrocławiu. Przewidywana śmierć: zachłyśnięcie („oddech") wódką (jedna z gdańskich wódek nazywa się *Silberwasser* „srebrna woda").

Zapewniam, że pozostałe przypadki też mógłbym interpretować na wiele sposobów. Dlatego też nie zamieszczamy listy, której śmierć niejako nie zweryfikowała. Powiedzmy tylko tyle, że obejmuje ona 83 nazwiska i rozmaite okoliczności tragicznej śmierci.

Czy ta rozmaitość interpretacji nie dyskwalifikuje proroctw Isidora F.? Bynajmniej. Zagmatwane i ponure przewidywania mojego pacjenta pozbawiają człowieka możliwości jakiejkolwiek obrony. Nie sposób wyobrazić sobie bardziej złośliwego i okrutnego fatalizmu – bo oto opublikujmy listę 83 osób, z których 13 tragicznie zginie. I rzeczywiście zginie trzynaście, a może dwanaście, a może dziesięć! Ale nagle, po pewnym czasie przejrzymy akty zgonów i znajdziemy denatów, których na liście nie było, a których rzeczywiście dotyczyły proroctwa Isidora F. Człowiek z jego przewidywań jest wydany na żer harpiom ciemnych sił, bezradną kukłą, której dumne deklaracje samodzielności rozbijają się o surowy dźwięk hebrajskich spółgłosek, a jej *missa defunctorum*[7] to tylko szyderczy śmiech zadowolonego z siebie demiurga".

Po tym patetycznym akordzie następowały nużące i uczone wywody porównujące osobę Friedländera z jasnowidzami i rozmaitymi mediami wieszczącymi w transie. Anwaldt ze znacznie mniejszą uwagą doczytał do końca artykuł Weinsberga i zabrał się do studiowania owych 83 interpretacji, które spięte mosiężnymi spinaczami tworzyły wyraźnie widoczny plik wśród innych materiałów i nota-

---

[7] Msza za umarłych (łac.).

tek. Wnet go to znużyło. Na deser zostawił sobie proroctwa foniczne. Czuł, że mają one jakiś związek ze śmiercią baronówny. Wprawił w ruch patefon i oddał się słuchaniu tajemnych przesłań. To, co zrobił, było irracjonalne – Anwaldt notorycznie opuszczał w gimnazjum nadobowiązkowe lekcje języka Biblii i teraz z równym zrozumieniem mógł słuchać audycji w języku keczua. Ale chropawe dźwięki wprawiały go w stan chorobliwego niepokoju i fascynacji, jakiej uległ oglądając po raz pierwszy giętkie greckie litery. Friedländer wydawał odgłosy podobne do duszenia się. Głoski raz szumiały, raz syczały, raz fala tłoczona z płuc omal nie rozerwała ściśniętej krtani. Po dwudziestu minutach upartego refrenu dźwięki urwały się.

Anwaldtowi chciało się pić. Przez chwilę odganiał od siebie myśl o spienionym kuflu piwa. Wstał, wszystkie materiały z wyjątkiem płyty włożył do tekturowego pudła i poszedł do dawnego składu materiałów biurowych, który wyposażony teraz w biurko i telefon służył jako gabinet jemu – referentowi do specjalnych poruczeń. Zatelefonował do doktora Georga Maassa i umówił się z nim na spotkanie. Następnie udał się do gabinetu Mocka z listą 83 nazwisk i swoim wrażeniami. Po drodze minął Forstnera wychodzącego od szefa. Anwaldt zdziwił się, widząc go tutaj w niedzielę. Już chciał zażartować na temat ciężkiej pracy policji, ale Forstner minął go bez słowa i szybko zbiegł po schodach. (*Tak wygląda człowiek, którego Mock pochwycił w imadło*). Mylił się. Forstner cały czas tkwił w imadle. Mock jedynie czasem je dociskał. Tak uczynił przed chwilą.

WROCŁAW, TEGOŻ 8 LIPCA 1934 ROKU.
GODZINA WPÓŁ DO TRZECIEJ PO POŁUDNIU

Standartenführer SS Erich Kraus starannie oddzielał sprawy zawodowe od prywatnych. Tym ostatnim poświęcał oczywiście znacznie mniej godzin, ale był to czas bardzo ściśle odmierzony, na przykład niedziela, uznawana za dzień odpoczynku. Po poobiedniej drzemce miał zwyczaj od godziny czwartej do piątej rozmawiać ze swoimi czterema synami. Chłopcy siedzieli przy wielkim, okrągłym stole, relacjonowali ojcu postępy w nauce, działalność ideową w Hitlerjugend i postanowienia, które musieli regularnie czynić w imię führera. Kraus chodził po pokoju, dobrotliwie komentował to, co słyszał, i udawał, że nie dostrzega ukradkowych spojrzeń na zegarek i tłumionych ziewnięć.

Ale swej pierwszej niedzieli we Wrocławiu nie mógł spędzić jako człowiek prywatny. Smak obiadu psuła mu kwaśna myśl o generał-majorze Rainerze von Hardenburgu, szefie wrocławskiej Abwehry. Nienawidził tego sztywnego arystokraty z monoklem całą mocą, na jaką było stać jego – syna ząbkowickiego murarza i alkoholika. Kraus łykał wyśmienity sznycel z cebulką i czuł pękanie pęcherzyków soków żołądkowych. Wstał wściekły od stołu, rzucił z pasją serwetę, przeszedł do swojego gabinetu i po raz któryś dzisiaj zadzwonił do Forstnera. Zamiast wyczerpujących informacji o Anwaldcie słuchał przez pół minuty przerywanego długiego sygnału. (*Ciekaw jestem, gdzie polazł ten sukinsyn*). Wykręcił numer Mocka, ale kiedy dyrektor policji odebrał, Kraus rzucił słuchawkę na widełki. (*Niczego nie dowiem się od tego ugrzecznionego dupka poza tym, co już mi powiedział*). Bezradność wobec von Hardenburga, którego znał jeszcze z Berlina, była dla Krausa poniekąd zrozumiała, wobec Mocka – niemal godna pogardy, dlatego tak raniła jego miłość własną.

Krążył jak wściekły zwierz wokół stołu. Nagle przystanął i uderzył się w czoło otwartą dłonią. (*Ten upał mnie, do diabła, dobija. Już zupełnie nie myślę*). Usiadł wygodnie w fotelu i zatelefonował. Najpierw do Hansa Hoffmanna, potem do Mocka. I jednemu, i drugiemu wydał oschłym tonem kilka poleceń. Ton jego głosu zmienił się pod koniec rozmowy z Mockiem. Z zimnego tonu zwierzchnika we wrzask furiata.

Mock postanowił, że wieczorem wyjedzie do Sopotu. Decyzję tę podjął po wizycie u Winklera. Telefon od Krausa wyrwał dyrektora z poobiedniej drzemki. Gestapowiec przypomniał cicho Mockowi jego zależność od tajnej policji i zażądał pisemnego raportu w sprawie działań Anwaldta na rzecz Abwehry. Mock odmówił mu spokojnym głosem. Stwierdził, że już mu się należy odpoczynek i wyjeżdża dziś wieczorem do Sopotu.

– No, a pańska przyjaciółka?

– Ach, te przyjaciółki... Raz są, raz ich nie ma. Wie pan, jak to z nimi jest...

– Nie wiem!!!

WROCŁAW, TEGOŻ 8 LIPCA 1934 ROKU.
GODZINA TRZECIA PO POŁUDNIU

Hans Hoffmann był tajnym agentem policji od niepamiętnych czasów. Służył cesarzowi, policji republikańskiej, a teraz gestapo. Wielkie sukcesy zawodowe zawdzięczał swojemu dobrotliwemu wyglądowi: szczupła sylwetka, małe wąsiki, starannie zaczesane rzadkie włosy, miodowe, dobre, śmiejące się oczy. Któż mógłby sądzić, że ten sympatyczny starszy pan jest jednym z najbardziej cenionych tajniaków?

Na pewno nie podejrzewali tego Anwaldt i Maass, którzy nie zwracali uwagi na siedzącego na sąsiedniej ławce schludnego staruszka. Zwłaszcza Maass nie przejmował się obecnością innych spacerowiczów i głośno perorował, drażniąc nieco Anwaldta nie tylko piskliwym głosem, ale przede wszystkim drastyczną treścią swych wynurzeń, koncentrującą się głównie wokół kobiecego ciała i związanych z nim rozkoszy.

– Niech pan spojrzy, drogi Herbercie (wszak mogę tak do pan mówić, nieprawdaż?) – Maass aż cmoknął widząc młodą i zgrabną blondynkę spacerującą ze starszą kobietą. – Jak wspaniale ta cienka sukienka przykleja się do ud tej dziewczyny. Ona chyba nie ma halki...

Anwaldta zaczęła bawić ta poza satyra. Wziął Maassa pod rękę i zaczęli wchodzić na Liebichshöhe. Ponad nimi wyrastała wieża zwieńczona posągiem uskrzydlonej rzymskiej bogini zwycięstwa. Tryskające fontanny nieco odświeżały powietrze. Tłum kłębił się na pseudobarokowych tarasach. Mały staruszek spacerował tuż za nimi paląc papierosa w bursztynowej cygarniczce.

71

– Drogi panie – Anwaldt też pozwolił sobie na pewną poufałość.
– Czy to prawda, że kobiety latem stają się natrętne?
– Skąd pan to wie?
– Od Hezjoda. Chciałbym zweryfikować u specjalisty pogląd sprzed dwudziestu siedmiu wieków. Poeta twierdzi, że latem są *machlotatai de gynaikes, aphaurotatoi de toi andres* – Anwaldt zacytował po grecku fragment *Pracy i dni* Hezjoda[8].

Maass nie zwrócił uwagi na ironiczny ton Anwaldta. Zainteresowało go, skąd asystent policji zna grekę.

– Po prostu miałem w gimnazjum dobrego nauczyciela języków starożytnych – wyjaśnił Anwaldt.

Po tym krótkim antrakcie Maass wrócił do głównego nurtu swoich zainteresowań.

– Powiada pan w gimnazjum... Czy wie pan, drogi Herbercie, że dzisiejsze gimnazjalistki są wcale nieźle uświadomione? Niedawno w Królewcu spędziłem z jedną upojne popołudnie. Czytał pan *Kamasutrę*, słyszał pan coś o połykaniu owocu mango? Proszę sobie wyobrazić, że to na pozór niewinne dziewczę potrafiło zmusić mojego rumaka do posłuszeństwa, gdy już – już chciał się wyrwać spod kontroli. Nie na darmo udzielałem jej prywatnych lekcji sanskrytu...

Anwaldta mocno zirytowała ta wzmianka o wyuzdanej gimnazjalistce. Zdjął marynarkę i rozpiął kołnierzyk. Intensywnie myślał o spienionych kuflach piwa: o lekkim szumie po pierwszym, o zawrocie głowy po drugim, o drżeniu języka po trzecim, o jasności umysłu po czwartym, o euforii po piątym... Spojrzał na kędzierzawego brunecika z rzadką bródką i niezbyt delikatnie przerwał jego tokowanie:

– Doktorze Maass, proszę przesłuchać tę płytę. Patefon wypożyczą panu z policyjnego laboratorium. Gdyby miał pan problemy z tłumaczeniem, proszę się ze mną skontaktować. Profesor Andreae i niejaki Hermann Winkler są do pańskiej dyspozycji. Nagrane teksty zostały wygłoszone prawdopodobnie w języku hebrajskim.

---

[8] Kobiety są najbardziej podniecone, mężczyźni najbardziej ospali (gr.). (Hezjod, *Prace i dnie* 586. Przekład M.K.)

– Nie wiem, czy pana to interesuje – Maass spojrzał na Anwaldta z urazą. – Ale niedawno ukazało się trzecie wydanie gramatyki hebrajskiej mojego autorstwa. Z językiem tym radzę sobie zupełnie dobrze i nie potrzebuję hochsztaplerów w rodzaju Andreae. Winklera zaś nie znam i nie pragnę poznać.

Odwrócił się gwałtownie i schował płytę pod marynarkę: – Żegnam pana. Proszę przyjść do mnie jutro po tłumaczenie tych tekstów. Myślę, że sobie poradzę – dodał urażonym tonem.

Anwaldt nie zwrócił uwagi na zgryźliwość Maassa. Gorączkowo usiłował sobie przypomnieć z jego wypowiedzi coś, o co od kilku minut miał zapytać. Nerwowo odganiał wizje spienionych kufli i starał się nie słyszeć krzyków dzieci biegających alejkami. Liście dorodnych platanów tworzyły klosz, pod którym kleiła się gęsta od upału zawiesina kurzu. Anwaldt poczuł strużkę potu płynącą między łopatkami. Spojrzał na Maassa najwyraźniej czekającego na przeprosiny i wychrypiał suchym gardłem:

– Doktorze Maass, dlaczego nazwał pan profesora Andreae hochsztaplerem?

Maass widocznie zapomniał o urazie, bo wyraźnie się ożywił:

– Czy pan uwierzy, że ten kretyn odkrył kilka nowych inskrypcji koptyjskich? Opracował je, a potem na ich podstawie zmodyfikował gramatykę koptyjską. Byłoby to wspaniałe odkrycie, gdyby nie fakt, że te „odkrycia" pracowicie skomponował sam. Po prostu potrzebował tematu rozprawy habilitacyjnej. Wykazałem to fałszerstwo w „Semitische Forschungen". Wie pan, jakie przedstawiłem argumenty?

– Przepraszam pana, Maass, ale trochę się śpieszę. Chętnie w wolnej chwili zapoznam się z tą fascynującą zagadką. W każdym razie wnoszę, że pan i Andreae nie jesteście przyjaciółmi. Czy tak?

Maass nie dosłyszał pytania. Nienasycony wzrok wbił w obfite kształty przechodzącej obok dziewczyny w gimnazjalnym mundurku. Nie uszło to uwagi staruszka wydmuchującego z bursztynowej cygarniczki niedopałek papierosa.

Forstner wypił trzeciego dużego sznapsa w ciągu kwadransa i zagryzł gorącą parówką ozdobioną białą czapą chrzanu. Duża dawka alkoholu uspokoiła go nieco. Siedział pochmurny w dyskretnej loży, oddzielonej od reszty sali pluszową wiśniową kotarą, i usiłował rozluźnić mocnym trunkiem ścisk imadła, w jakie Mock wcisnął przed godziną jego głowę. Było to o tyle trudne, że na obręczy imadła równoważyły się dwie potężne i nienawistne siły: Eberhard Mock i Erich Kraus. Wychodząc ze swego mieszkania przy Kaiser-Wilhelm-Strasse, słyszał uporczywy dzwonek telefonu. Wiedział, że to Kraus dzwoni po informacje w sprawie misji Anwaldta. Stojąc na rozprażonym trotuarze na przystanku tramwajów numer 2 i 17, rozpamiętywał własną bezsilność, Mocka, Krausa, a przede wszystkim barona von Köpperlingka. Przeklął dzikie orgie w pałacu i w ogrodach barona pod Kątami Wrocławskimi, podczas których nagie nastoletnie nimfy i kędzierzawe amorki zapraszały do wypicia ambrozji, a basen roił się od gołych tancerzy i tancerek. Forstner czuł się bezpieczny pod skrzydłami wszechwładnego Piontka, tym bardziej, że jego szef wciąż pozostawał w nieświadomości co do prywatnego życia i kontaktów swego asystenta. Nie przejmował się Mockiem, choć wiedział od Piontka, że po niefortunnej wypowiedzi barona von Köpperlingka radca zdobywa o nim coraz to nowe informacje. Uśpił go i zupełnie znieczulił spektakularny awans na stanowisko zastępcy szefa Wydziału Kryminalnego. Kiedy podczas „nocy długich noży" upadł Heines, Piontek i cały szczyt wrocławskiego SA, Forstner – formalnie pracownik Wydziału Kryminalnego – ocalał, lecz stracił grunt pod nogami. Stał się całkowicie zależny od Mocka. Jedno słówko szepnięte Krausowi o kontaktach Forstnera pogrąży go w niebycie w ślad za jego protektorami. Jako homoseksualista mógł liczyć na zdwojone okrucieństwo Krausa. Już w pierwszym dniu urzędowania nowy szef gestapo ogłosił, że „jeśli znajdzie w swoim wydziale jakiegoś pedała, to skończy on tak jak Heines". Nawet gdyby nie spełnił tej groźby wobec Forstnera, ostatecznie policjanta z innego wydziału, to z pewnością cofnie mu swoje poparcie. A wtedy Mock pożre go z dziką przyjemnością.

Forstner starał się uspokoić nerwy czwartym, znacznie mniejszym, sznapsem. Nałożył na bułkę maź z chrzanu i tłuszczu po parówce. Przełknął to i skrzywił się lekko. Zrozumiał, że imadło ze zdwojoną siłą dokręca Mock, nie Kraus. Postanowił na czas tajemniczego śledztwa Anwaldta zawiesić współpracę z gestapo. Swe milczenie mógłby usprawiedliwić przed Krausem niezwykłym utajnieniem śledztwa. Wtedy upadek byłby tylko prawdopodobny. Gdyby zaś naraził się Mockowi odmową współpracy – klęska byłaby niewątpliwa.

Oddzieliwszy w ten sposób prawdę od prawdopodobieństwa, Forstner odetchnął z pewną ulgą. Zapisał do notesu nieformalne polecenie Mocka: „sporządzić szczegółowe *dossier* służby barona Oliviera von der Maltena". Następnie wzniósł wysoko oszroniony kieliszek i wypił jednym haustem.

WROCŁAW, TEGOŻ 8 LIPCA 1934 ROKU.
TRZY KWADRANSE NA CZWARTĄ PO POŁUDNIU

Anwaldt siedział w tramwaju linii 18 i z wielkim zainteresowaniem przyglądał się niezwykłemu mostowi na linach, po którym właśnie przejeżdżał. Tramwaj zadudnił na moście, po prawej stronie mignęły czerwonoceglaste budynki i kościół otulony starymi kasztanowcami, po lewej solidne kamienice. Tramwaj zatrzymał się na jakimś bardzo ruchliwym placu. Anwaldt policzył przystanki. Na następnym musiał wysiąść. Tramwaj ruszył i szybko nabierał rozpędu. Anwaldt modlił się, aby jechał jeszcze szybciej. Powodem tych suplicjów była wielka osa, która rozpoczęła swój oszalały taniec wokół głowy asystenta. Najpierw usiłował zachować spokój za wszelką cenę, a jedynie nieznacznie odchylał głowę raz w prawo, raz w lewo. Te ruchy bardzo zainteresowały owada, który wyraźnie upodobał sobie nos Anwaldta. (*Pamiętam: lepki słój soku wiśniowego w sklepie kolonialnym w Berlinie, wściekłe osy kąsające małego Herberta, śmiech sprzedawcy, smród łupin cebuli przykładanych do ukąszeń*). Stracił panowanie nad sobą i zatrzepotał rękami. Poczuł, że trafił osę. Z lekkim pstryknięciem uderzyła o podłogę tramwaju. Już miał ją zmiażdżyć butem, gdy tramwaj gwałtownie zahamował i policjant runął na jakąś korpulentną damę. Owad wystartował z bzykaniem i przysiadł na dłoni Anwaldta, który zamiast użądlenia poczuł mocne uderzenie gazetą, a następnie charakterystyczny chrzęst. Spojrzał z wdzięcznością na swojego wybawcę – niewysokiego staruszka o ujmującym wyglądzie, który właśnie rozdeptał napastnika. Anwaldt podziękował mu grzecznie. (*Skąd ja znam tego staruszka*) i wysiadł na przystanku. Zgodnie z poleceniem Mocka przeszedł na drugą stronę i wstąpił między jakieś urzędowe budynki. Na jednym z nich przeczytał szyld: „Klinika uniwersytecka". Skręcił w lewo. Od kamienic bił żar, piwnice cuchnęły trutką na szczury. Doszedł do rzeki, oparł się o barierkę i zdjął marynarkę. Był zdezorientowany, najwidoczniej się pomylił. Czekał na kogoś, kto wskazałby mu drogę na Hansastrasse. Do barierki podeszła tęga służąca dźwigając wielkie wiadro wypełnione popiołem. Powoli, nie przejmując się obecnością świadka, zaczęła je wysypywać na trawiasty wał. Nagle zerwał się wiatr – zwiastun burzy. Zawirował wokół wiadra szary dym popiołów i sypnął wprost na twarz, szyję i ramiona rozwścieczonego Anwaldta. Policjant rzucił kajającej się dziewce stek ordynarnych wyzwisk i udał się na poszukiwanie jakiegoś kranu z czystą wodą. Nie znalazł go jednak i ograniczył się do zdmuchnięcia popiołu z koszuli i do otarcia go z twarzy chusteczką do nosa.

Przygoda z osą, popiołem oraz nieznajomość Wrocławia sprawiły, że Anwaldt spóźnił się na spotkanie z Leą Friedländer. Kiedy już trafił na Hansastrasse i znalazł „Studio fotograficzne i filmowe «Fatamorgana»", było piętnaście po czwartej. Witryna zasłonięta była różowymi kotarami, na drzwiach przybito mosiężną tabliczkę „Wejście od podwórza". Anwaldt postąpił zgodnie ze wskazówką. Dobijał się długo. Dopiero po kilku minutach drzwi otworzyła rudowłosa służąca. Z silnym cudzoziemskim akcentem oznajmiła, że „panna Susanne" nie przyjmuje spóźnialskich klientów. Anwaldt był zbyt zdenerwowany, aby próbować subtelnych perswazji. Bezceremonialnie odsunął dziewczynę i usiadł w niewielkiej poczekalni.

– Proszę powiedzieć pannie Friedländer, że jestem klientem specjalnym – zapalił spokojnie papierosa. Służąca odeszła wyraźnie rozbawiona. Anwaldt pootwierał wszystkie drzwi z wyjątkiem tych, za którymi zniknęła dziewczyna. Pierwsze prowadziły do łazienki wyłożonej jasnoniebieskimi kafelkami. Jego uwagę przykuła wanna niespotykanej wręcz wielkości stojąca na wysokim postumencie i bidet. Obejrzawszy niecodzienny sprzęt higieniczny, Anwaldt wszedł do frontowego, dużego pomieszczenia, w którym mieściło się studio filmowe „Fatamorgana". Jego środek zajmował ogromny tapczan wyłożony złotymi i purpurowymi poduszkami. Dookoła rozstawione były teatralne reflektory i kilka wiklinowych parawanów obwieszonych elegancką koronkową bielizną. Nie można było żywić najmniejszej wątpliwości co do charakteru kręconych tu filmów. Usłyszał jakiś szmer. Odwrócił się i ujrzał stojącą w drzwiach wysoką brunetkę. Ubrana była jedynie w pończochy i w czarny, przejrzysty peniuar. Dłonie oparła na biodrach rozsuwając swe okrycie. Anwaldt poznał w ten sposób większość pięknych tajemnic jej ciała.

– Spóźnił się pan pół godziny. Mamy zatem mało czasu – mówiła powoli, przeciągając sylaby. Podeszła do łoża lekko kołysząc biodrami. Sprawiała wrażenie, jakby przejście tych dwu metrów było ponad jej siły. Usiadła ciężko i smukłą dłonią uczyniła zapraszający gest. Anwaldt podszedł dość ostrożnie. Przyciągnęła go mocno ku sobie. Wydawało się, że nigdy nie skończy prostej czynności rozpinania jego spodni. Przerwał te zabiegi, pochylił się nieco i ujął w dłonie jej drobną twarz. Spojrzała na niego ze zdziwieniem. Jej źrenice rozpłynęły się, całkiem pokrywając tęczówki. Cienie półmroku obrysowały twarz Lei – bladą i chorą. Szarpnęła głową, aby rozerwać łagodny uścisk. Peniuar zsunął się z ramienia odsłaniając świeże nakłucia. Anwaldt poczuł, że papieros parzy mu wargi. Wypluł go szybko, trafiając do dużej porcelanowej miednicy. Niedopałek zasyczał w reszcie wody. Anwaldt zdjął marynarkę i kapelusz. Usiadł w fotelu naprzeciw Lei. Promienie zachodzącego słońca przenikały przez różowe kotary i tańczyły na ścianie.

– Panno Friedländer, chcę porozmawiać o pani ojcu. Tylko kilka pytań...

Głowa Lei opadła do przodu. Oparła łokcie na udach, jakby zapadała w sen.

– Po co to panu? Kim pan jest? – Anwaldt raczej się domyślił tych pytań.

– Nazywam się Herbert Anwaldt i jestem prywatnym detektywem. Prowadzę śledztwo w sprawie śmierci Marietty von der Malten. Wiem, że pani ojca zmuszono do przyznania się do winy. Znam też brednie Weinsberga alias Winklera...

Urwał. Wyschnięte gardło odmawiało mu posłuszeństwa. Podszedł do zlewu zamontowanego w rogu studia i pił przez chwilę wodę wprost z kranu. Potem znów usiadł w fotelu. Wypita woda parowała przez skórę. Starł wierzchem dłoni falę potu i zadał pierwsze pytanie:

– Ktoś wrobił pani ojca. Może właśnie mordercy. Niech mi pani powie, komu zależało na uczynieniu mordercy z pani ojca?

Lea wolnym gestem odgarnęła włosy z czoła. Milczała.

– Niewątpliwie Mockowi – odpowiedział sam sobie. – Dzięki znalezieniu „mordercy" awansował. Ale doprawdy trudno podejrzewać dyrektora o taką naiwność. A może mordercami baronówny są ci, którzy go do was skierowali? Baron von Köpperlingk? Nie, to niemożliwe z przyczyn naturalnych. Żaden homoseksualista nie jest w stanie zgwałcić w ciągu kwadransa dwóch kobiet. Poza tym baron, wskazując na wasz sklep jako miejsce zakupu skorpionów, mówił prawdę, więc to wszystko nie wygląda na z góry ukartowany plan. Krótko mówiąc, pani ojca podsunął Mockowi ktoś, kto wiedział, że baron niegdyś kupował u was skorpiony, wiedział też o chorobie umysłowej pani ojca. Ten „ktoś" znalazł w osobie pani ojca idealnego kozła ofiarnego. Kto mógł wiedzieć o skorpionach i o obłędzie ojca? Niech pani pomyśli! Czy oprócz Mocka pojawiał się u was ktoś i wypytywał pani ojca o alibi? Może jakiś prywatny detektyw, taki jak ja?

Lea Friedländer położyła się na boku i oparła głowę na zgiętej w łokciu ręce. W kąciku ust dymił papieros.

– Jeżeli panu powiem, umrze pan – roześmiała się cicho. – Zabawne. Mogę skazywać na śmierć.

Opadła na plecy i zamknęła oczy, papieros wysunął się z uszminkowanych ust i potoczył po łożu. Anwaldt szybkim ruchem wrzucił go do porcelanowej miski. Chciał wstać z tapczanu, kiedy Lea uwiesiła mu się na szyi. Chcąc nie chcąc położył się koło niej. Leżeli oboje na brzuchu, blisko siebie. Policzek Anwaldta dotykał jej gładkiego ramienia. Lea położyła rękę mężczyzny na swoich plecach i wyszeptała mu do ucha:

– Zginie pan. Ale teraz jest pan moim klientem. Więc rób pan swoje. Czas się kończy...

Dla Lei Friedländer czas się rzeczywiście skończył. Usnęła. Anwaldt położył na plecach bezwładną dziewczynę i odchylił jej powieki. Oczy uciekały pod sklepienie czaszki. Przez chwilę walczył z ogarniającą go żądzą. Opanował się jednak, wstał, zdjął krawat i rozpiął do pasa koszulę. Uzyskawszy w ten sposób trochę ochłody, wszedł do przedpokoju, a następnie do jedynego pomieszczenia, którego jeszcze nie zlustrował: do salonu pełnego mebli w czarnych pokrowcach. Panował tu przyjemny chłód – okna wychodziły na podwórze. Drzwi prowadziły do kuchni. Ani śladu służącej. Wszędzie sterty brudnych naczyń oraz butelek po piwie i lemoniadzie (*Co w tym domu robi służąca? Chyba kręci filmy wraz ze swoją panią...*). Wziął jeden z czystych kufli i napełnił go do połowy wodą. Z kuflem w dłoni wszedł do pokoju bez okien, które kończyło ową nietypową amfiladę (Spiżarnia?, służbówka?). Prawie całą powierzchnię zajmowało żelazne łóżko, ozdobny sekretarzyk oraz toaletka z powyginaną misternie lampką. Na sekretarzyku stał z tuzin książek oprawionych w wyblakłe zielone płótno. Na grzbietach wytłoczono srebrem tytuły. Jedna z nich była bez tytułu i ta właśnie zaintrygowała Anwaldta. Otworzył ją: brulion do połowy wypełniony dużym, okrągłym pismem. Na stronie tytułowej starannie wykaligrafowano: „Lea Friedländer. Pamiętnik". Zdjął buty, ułożył się na łóżku i zagłębił w lekturze. Nie był to typowy pamiętnik; raczej niedawno spisane wspomnienia z dzieciństwa i młodości.

Anwaldt porównywał swoją wyobraźnię do obrotowej sceny w teatrze. Często w trakcie lektury przed jego oczami pojawiała się z intensywnym realizmem czytana scena. Tak podczas niedawnej lektury pamiętników Gustava Nachtigala czuł pod stopami rozpalony piasek pustyni, a w nozdrza bił smród wielbłądów i przewodników z ludu Tibbu. Gdy tylko oderwał oczy od książki, kurtyna zapadała, znikały wyimaginowane dekoracje. Gdy wracał do książki, wracała właściwa sceneria, rozpalało się słońce Sahary.

Teraz też widział to, o czym czytał: park i słońce przeciskające się przez liście drzew. Słońce załamywało się w koronkach sukien młodych matek, obok których biegały małe dziewczynki. Zaglądały matkom w oczy i wtulały główki pod ich ramiona. Obok spacerowała piękna dziewczyna z otyłym ojcem, który dreptał i bezgłośnie rzucał przekleństwa na mężczyzn chciwie przypatrujących się córce. Anwaldt zamknął oczy i ułożył się wygodniej. Jego wzrok zatrzymał się na jakimś obrazie na ścianie, po czym znów wrócił do kart pamiętnika.

Teraz widział ciemne podwórze. Mała dziewczynka upadła z trzepaka i wołała: „Mamo!" Zbliżył się ojciec i utulił małą. Usta pachnące znajomym tytoniem. Ojcowska chustka rozmazywała łzy na policzkach.

Usłyszał jakiś hałas w kuchni. Wyjrzał. Duży, czarny kot majestatycznie spacerował po parapecie. Uspokojony Anwaldt wrócił do lektury.

Dekoracja, w którą teraz się wpatrywał, była trochę zamazana. Gruba zieleń wypełniała obraz mocnymi plamami. Las. Liście drzew zwieszały się nad głowami dwóch małych istot trzymających się za ręce i idących niepewnie ścieżką. Istoty chore, pokrzywione, wypaczone, dławione ciemną zielenią lasu, wilgocią mchu, szorstkim dotykiem traw. To nie była wyobraźnia – Anwaldt wpatrywał się w obraz wiszący nad łóżkiem. Przeczytał przymocowaną doń tabliczkę: „Chaim Soutine. Wygnane dzieci".

Oparł płonący policzek na poręczy łóżka. Spojrzał na zegarek. Dochodziła siódma. Zwlókł się z trudem i poszedł do „atelier".

Lea Friedländer ocnęła się z narkotycznego letargu i leżała na tapczanie z szeroko rozrzuconymi nogami.

– Zapłacił pan? – posłała mu wymuszony uśmiech.

Wyjął z portfela banknot dwudziestomarkowy. Dziewczyna przeciągnęła się, aż trzasnęły stawy. Poruszyła kilka razy głową i cicho pisnęła.

– Proszę, niech pan już idzie... – spojrzała na niego błagalnie, pod oczami wykwitły czarne sińce. – Źle się czuję...

Anwaldt zapiął koszulę, zawiązał krawat i włożył marynarkę. Wachlował się przez chwilę kapeluszem.

– Pamięta pani, o czym rozmawialiśmy, jakie zadałem pani pytanie? Przed kim mnie pani ostrzegała?

– Proszę mnie nie męczyć! Proszę przyjść pojutrze o tej samej porze... – podciągnęła kolana pod brodę bezradnym gestem małej dziewczynki. Starała się opanować drgawki, które nią wstrząsnęły.

– A jeśli pojutrze niczego się nie dowiem? Skąd wiem, że nie nafaszerujesz się jakimś świństwem?

– Nie ma pan innego wyjścia... – nagle Lea rzuciła się do przodu i rozpaczliwie przywarła do niego całym ciałem. – Pojutrze... pojutrze... błagam... (*Usta pachnące znajomym tytoniem, ciepła pacha matki, wygnane dzieci*). Ich uścisk odbijała zainstalowana w „atelier" ściana z luster. Widział swoją twarz. Łzy, z których nie zdawał sobie sprawy, wyryły dwie bruzdy w popiele naniesionym na policzki przez nieżyczliwy wiatr.

WROCŁAW, TEGOŻ 8 LIPCA 1934 ROKU.
KWADRANS PO SIÓDMEJ WIECZOREM

Szofer Mocka Heinz Staub zahamował łagodnie i zaparkował adlera na podjeździe pod Dworcem Głównym. Odwrócił się i spojrzał pytająco na swojego szefa.

– Proszę chwilę zaczekać, Heinz. Jeszcze nie wysiadamy – Mock wyjął z portfela kopertę. Rozłożył list zapisany drobnym, nierównym pismem. Po raz kolejny uważnie go przeczytał:

„Drogi panie Anwaldt!

Chcę, aby pan na początku swojego śledztwa miał pełną jasność co do przebiegu mojego. Oświadczam, że nigdy nie wierzyłem w winę Friedländera. Nie wierzyło w nią również gestapo. Jednak i mnie, i gestapo Friedländer-morderca był bardzo potrzebny. Mnie oskarżenie Żyda pomogło w karierze, gestapo wykorzystało go w swojej propagandzie. To gestapo uczyniło z Friedländera kozła ofiarnego. Jednak chciałbym tu polemizować z pańskim rozumowaniem: „Kto wrobił

*Friedländera – jest mordercą". To nie gestapo stoi za śmiercią baro-
nówny. Owszem, nieżyjący już Hauptsturmführer SA Walter Piontek
skwapliwie wykorzystał trop podsunięty przez barona Wilhelma von
Köpperlingka (który – nawiasem mówiąc – ma wielu przyjaciół w gestapo), lecz byłoby nonsensem twierdzić, że tajna policja dopuściła się
tej zbrodni po to, aby zniszczyć nikomu nie znanego handlarza, a następnie całą sprawę wykorzystać w celach propagandowych. Gestapo
raczej dokonałoby jakiejś ewidentnej prowokacji, aby usprawiedliwić
szeroko zakrojony pogrom Żydów. Tutaj najwłaściwszą osobą byłby jakiś hitlerowski dygnitarz, a nie baronówna.*

*To, że za zbrodnią nie kryje się gestapo, nie znaczy jednak, że lu-
dziom z tej instytucji może podobać się jakiekolwiek śledztwo w tej
sprawie. Jeżeli ktoś znajdzie prawdziwych morderców, wówczas cała
ogromna akcja propagandowa zostanie w angielskich czy francuskich
gazetach całkowicie ośmieszona. Ostrzegam pana przed tymi ludźmi –
są bezwzględni i potrafią zmusić każdego do rezygnacji ze śledztwa.
Gdyby – Boże broń – znalazł się pan na gestapo, proszę uparcie twierdzić, że jest pan agentem Abwehry rozpracowującym siatkę polskiego
wywiadu we Wrocławiu.*

*Ten list jest dowodem zaufania z mojej strony. Najlepszym dowo-
dem zaufania z pana strony będzie zniszczenie go.*

*Z poważaniem
Eberhard Mock*

*P.S. Wyjeżdżam na urlop do Sopotu. Podczas mojej nieobecności
służbowy adler jest do pańskiej dyspozycji".*

Mock schował list do koperty i wręczył go szoferowi. Wyszedł
z auta i starał się zaczerpnąć tchu. Rozgrzane powietrze porażało
płuca. Trotuar i mury dworca oddawały ciepło upalnego dnia.
Gdzieś daleko za miastem ginęły nikłe zapowiedzi burzy. Dyrektor
policji otarł czoło chustką i ruszył w stronę wejścia ignorując zalotne uśmiechy prostytutek. Heinz Staub dźwigał za nim dwie walizy. Gdy Mock zbliżał się do właściwego peronu, ktoś podszedł do
niego szybkim krokiem i ujął go za łokieć. Baron von der Malten

mimo upału ubrany był w elegancki, wełniany garnitur w srebrne paski.

– Czy mogę cię, Eberhardzie, odprowadzić do pociągu?

Mock skinął głową i nie zapanował nad swoją twarzą: wyrażała ona mieszaninę zdumienia i niechęci. Von der Malten nie zauważył tego i szedł w milczeniu obok Mocka. *Ad infinitum*[9] starał się odwlec pytanie, które musiał zadać Mockowi. Zatrzymali się przed wagonem pierwszej klasy. Szofer wniósł do przedziału ciężkie walizy, konduktor dawał znak podróżnym, aby wsiadali do pociągu. Baron chwycił w obie dłonie twarz Mocka i przyciągnął go ku sobie, jakby chciał go pocałować, lecz zamiast pocałunku zadał pytanie. Natychmiast zasłonił uszy, aby nie usłyszeć twierdzącej odpowiedzi.

– Eberhardzie, czy powiedziałeś Anwaldtowi, że zabiłem tego nieszczęśnika Friedländera?

Mock triumfował. Heinz Staub wyszedł z wagonu, oznajmiając, że pociąg już odjeżdża, Mock uśmiechał się, baron zaciskał powieki i zasłaniał uszy, konduktor uprzejmie zapraszał, policyjny dygnitarz oderwał dłonie barona od jego uszu.

– Jeszcze nie powiedziałem...

– Błagam cię, nie rób tego!

Konduktor się niecierpliwił, Staub nalegał, baron patrzył z błagalną furią, Mock uśmiechał się, spod lokomotywy buchnęły kłęby pary, Mock wszedł do przedziału i krzyknął przez okno:

– Nie powiem, jeżeli dowiem się, dlaczego tak ci na tym zależy.

Pociąg ruszał powoli, konduktor zatrzasnął drzwi, Staub machał ręką na pożegnanie, von der Malten uwiesił się na oknie i donośnym głosem wypowiedział cztery słowa. Mock opadł zdumiony na poduszki kanapy, baron odskoczył od okna, pociąg nabierał pędu, konduktor ze zgrozą kiwał głową, Staub schodził po schodach, żebrak ciągnął barona za rękaw marynarki ("szanowny pan omal nie wpadł pod koła"), baron stał wyprostowany ocierając się prawie o pociąg,

---

[9] W nieskończoność (łac.).

a Mock siedział nieruchomo w przedziale i wciąż powtarzał sobie, że to, co usłyszał, nie jest Freudowskim złudzeniem.

WROCŁAW, TEGOŻ 8 LIPCA 1934 ROKU.
TRZY KWADRANSE NA ÓSMĄ WIECZOREM

Maass siedział w swym trzypokojowym apartamencie przy Tauentzienstrasse 23, słuchał trzeszczącej płyty patefonowej i rekonstruował ze słuchu hebrajskie słowa. Z pasją maczał stalówkę w pękatym kałamarzu i nanosił na papier dziwne pochyłe znaki. Zapamiętał się w tej pracy. Nie mógł darować sobie żadnego wahania, żadnej wątpliwości. Dzwonek u drzwi boleśnie oderwał jego uwagę od języka Biblii. Zgasił światło i postanowił nie otwierać. Usłyszał chrzęst klucza w zamku. (*To pewnie ciekawski właściciel kamienicy. Przypuszcza, że mnie nie ma w domu i chce się trochę rozejrzeć*). Wstał i ruszył z wściekłością do przedpokoju, gdzie – jak przypuszczał – zobaczy chytrego śledziennika, z którym zdążył się pokłócić na temat komornego już pierwszego dnia. Maass wprawdzie nie płacił za wynajęcie ani feniga z własnej kieszeni, ale dla zasady wytknął kamienicznikowi zdzierstwo.

Ci, których ujrzał, również nie przypadli mu do gustu. W przedpokoju oprócz przerażonego właściciela domu stało trzech mężczyzn w mundurach SS. Wszyscy trzej szczerzyli do niego zęby. Ale Maassowi wcale nie było do śmiechu.

WROCŁAW, TEGOŻ 8 LIPCA 1934 ROKU.
GODZINA ÓSMA WIECZOREM

Wracając dorożką do swojego mieszkania, Anwaldt położył się na siedzeniu i z lękiem obserwował szczyty kamienic. Wydawało mu się, że równoległe linie przeciwległych dachów łączą się ze sobą i zamykają nad nim falującym sufitem. Zamknął oczy i powtarzał przez chwilę w myślach: „Jestem normalny, nic mi nie jest". Jakby zaprzeczając temu wyznaniu podpłynął mu pod oczy obraz Chaima Soutine'a „Wygnane dzieci". Chłopiec w krótkich spodenkach pokazywał

84

coś ręką dziewczynce ze zdeformowaną nogą. Ledwo szła, trzymając się kurczowo ręki towarzysza. Żółta ścieżka przecinała w perspektywie granat sklepienia niebieskiego i stykała się z natarczywą zielenią lasu. Na łące pękały czerwone wrzody kwiatów.

Anwaldt gwałtownie otworzył oczy i zobaczył wielką, brodatą, ogorzałą twarz dorożkarza patrzącego podejrzliwie na swego pasażera.

– Jesteśmy na Zietenstrasse.

Anwaldt klepnął rubasznie fiakra po ramieniu. (*Jestem normalny, nic mi nie jest*). Roześmiał się szeroko:

– A macie wy w tym mieścic jakiś dobry burdel? Ale musi być, rozumiecie, pierwsza klasa. Dziewuchy z zadami jak kobyły. Takie lubię.

Fiakier zmrużył oko, wyjął z zanadrza niewielką wizytówkę i wręczył pasażerowi: – Tam szanowny pan znajdzie wszystkie kobity, jakie pan chce.

Anwaldt zapłacił i poszedł do narożnej restauracji Kahlerta. Zażądał od starszego kelnera menu i nawet nie patrząc na nie, wskazał palcem pierwszą lepszą pozycję. Zapisał na serwetce swój adres i wręczył ją uprzejmemu oberowi.

W domu nie znalazł ochrony przed upałem. Zamknął okno wychodzące na południowy zachód, obiecując sobie otworzyć je dopiero późną nocą. Rozebrał się do samych ineksprymabli i położył na dywanie. Nie zamykał oczu – znów mógł nadpłynąć obraz Soutine'a. Pukanie do drzwi było natarczywe. Kelner podał talerz okryty srebrną pokrywą i wyszedł po zainkasowaniu napiwku. Anwaldt wszedł do kuchni i zapalił światło. Oparł się o ścianę i po omacku szukał kupionej wczoraj butelki lemoniady. Podskoczyła przepona, w gardle poczuł skurcz: wzrok utwił w dużym karaluchu, który zaalarmowany ruchem powietrza czym prędzej zniknął gdzieś pod żeliwnym zlewem. Anwaldt zatrzasnął z hukiem drzwi od kuchni. Usiadł przy stole w pokoju i jednym haustem wypił pół butelki lemoniady, wyobrażając sobie, że pije wódkę.

Minął kwadrans, zanim zniknął mu z oczu obraz karalucha. Spojrzał na kolację. Szpinak i jajko sadzone. Szybko przykrył talerz, aby odpędzić kolejny obraz: brunatne lamperie w jadalni sierocińca, mdłości, ból ściśniętego palcami nosa, lepka maź szpinaku wlewana do gardła aluminiową łyżką.

Jakby bawiąc się z samym sobą, znów odkrył talerz i zaczął bezmyślnie grzebać widelcem w jedzeniu. Rozciął cienką powłokę żółtka. Rozlało się, obficie zalewając białko. Anwaldt odtworzył widelcem znany pejzaż: śliska dróżka żółtka wijąca się wśród tłustej zieleni szpinaku. Oparł głowę na krawędzi stołu, ręce zwisły bezwładnie; jeszcze zanim zapadł w sen, powrócił krajobraz z obrazu Soutine'a: Trzymał Ernę za rękę. Biel skóry dziewczyny żywo kontrastowała z granatem gimnazjalnego mundurka. Biały, marynarski kołnierz przykrywał drobne ramionka. Szli wąską ścieżką w ciemnym korytarzu drzew. Oparła mu głowę na ramieniu. Zatrzymał się i zaczął ją całować. Trzymał w ramionach Leę Friedländer. Łąka: po łodygach traw pełzały dobrotliwe chrząszcze. Rozpinała gorączkowo guziki jego ubrania. Siostra Dorothea z sierocińca krzyczy: znowu się zesrałeś, zobacz, jak przyjemnie sprząta się twoje gówna. Gorący piasek sypie się na rozdartą skórę. Gorący piasek pustyni osiadał na kamiennej posadzce. Do zrujnowanego grobowca zajrzał włochaty kozioł. Ślady racic na piasku. Wiatr wdmuchuje piasek w zygzakowate szpary ścian. Z sufitu spadają małe, ruchliwe skorpiony. Otaczają go i wznoszą ku górze jadowite odwłoki. Eberhard Mock zrzuca nakrycie głowy beduina. Pod jego sandałami trzaskają groźne stworzenia. Dwa nie zauważone przez niego skorpiony tańczą na brzuchu Anwaldta.

Śpiący krzyknął i uderzył się w brzuch. W zamkniętym oknie stał czerwony księżyc. Policjant zataczając się podszedł do okna i otworzył je na oścież. Zrzucił na dywan pościel i legł w barłogu, niebawem zlanym potem.

Wrocławska noc była bezlitosna.

V

WROCŁAW, PONIEDZIAŁEK 9 LIPCA 1934 ROKU.
GODZINA DZIEWIĄTA RANO

Ranek przyniósł nieco ochłody. Anwaldt wszedł do kuchni i bacznie ją zlustrował: ani śladu karaluchów. Wiedział, że w dzień chowają się w różnych szparach, załamaniach ścian, za listwami podłóg. Wypił butelkę ciepławej lemoniady. Nie przejmując się potem, który pokrył mu skórę, rozpoczął całą serię szybkich ruchów. Kilkoma pociągnięciami brzytwy zdarł twardy zarost, potem wylał na siebie dzbanek zimnej wody, włożył czystą bieliznę i koszulę, usiadł w starym zniszczonym fotelu i zaatakował nikotyną błony śluzowe żołądka.

Pod drzwiami leżały dwa listy. Z pewnym rozrzewnieniem przeczytał przestrogi Mocka i spalił list nad popielniczką. Ucieszyła go wiadomość od Maassa: uczony oschle oznajmiał, że przetłumaczył okrzyki Friedländera i oczekuje Anwaldta o dziesiątej w swoim mieszkaniu przy Tauentzienstrasse 14. Przez chwilę studiował plan Wrocławia i lokalizował tę ulicę. Z rozpędu spalił i ten list. Czuł przypływ ogromnej energii. Nie zapomniał o niczym – zgarnął ze stołu talerz z rozmazaną kolacją, jego zawartość wrzucił do klozetu na półpiętrze, naczynia zaniósł do restauracji, gdzie zjadł lekkie śniadanie i zasiadł za kierownicą czarnego, lśniącego adlera, którego podstawił mu rano pod dom szofer Mocka. Gdy samochód wynurzył się z cienia, wlała się do niego fala upału. Niebo było białe, słońce z trudem przedzierało się przez ciążącą nad Wrocławiem kaszę. Żeby nie błądzić pojechał zgodnie z mapą: najpierw Gräbschener Strasse, potem na Sonnenplatz skręcił w lewo w małą Telegraphstrasse, minął urząd telegraficzny, hellenistyczny gmach Muzeum Sztuk Pięknych i zaparkował samochód na Agnesstrasse, w cieniu synagogi.

W kamienicy przy Tauentzienstrasse 14 mieścił się Bank Allgemeine Deutsche Credit-Anstalt. Do części mieszkalnej budynku wchodziło się przez podwórze. Stróż uprzejmie przepuścił gościa nowego lokatora, doktora Maassa. Irytacja policjanta wywołana upałem wzrosła, gdy znalazł się w przestronnym, komfortowym apartamencie z łazienką, wynajętym dla Maassa przez barona. Anwaldt przywykł do trudnych warunków. Nie mógł jednak stłumić irytacji, gdy porównał to piękne mieszkanie ze swoją zakaraluszoną norą z ubikacją na półpiętrze.

Maass nawet nie udawał, że cieszy go widok gościa. Posadził go za biurkiem i rzucił kilka kartek papieru zapisanych równym, czytelnym pismem. Sam chodził po pokoju wielkimi krokami, zaciągając się papierosem tak chciwie, jakby od miesięcy nie palił. Anwaldt przesunął wzrokiem po eleganckim biurku i stojących na nim luksusowych przedmiotach kancelaryjnych (podkład z zielonej skóry, ozdobna piasecznica, fantazyjny, pękaty kałamarz, mosiężny przycisk do papieru w kształcie kobiecej nogi) i z trudem pohamował gorycz zawiści. Maass przemierzał pokój wyraźnie podekscytowany, pragnienie wysuszało gardło Anwaldta, między szybami wściekle tłukła się osa. Policjant spojrzał na wydęte policzki Maassa, złożył kartki i schował je do portfela.

– Żegnam pana, doktorze Maass. Przestudiuję to w moim gabinecie – położył nacisk na wyrazie „moim" i ruszył do wyjścia. Maass rzucił się ku niemu machając rękami.

– Ależ drogi Herbercie, jest pan podenerwowany... To ten upał... Proszę, niech pan przeczyta moją ekspertyzę tutaj... i wybaczy moją próżność, ale chciałbym od razu poznać pana zdanie na temat tego przekładu. Proszę o pytania i uwagi... Jest pan inteligentnym człowiekiem... Bardzo pana proszę...

Maass kręcił się w kółko wokół swojego gościa, wyciągając na przemian papierosy, cygara i syczącą zapalniczkę. Anwaldt wziął z podziękowaniem cygaro i nie przejmując się jego mocą, kilkakrotnie się zaciągnął, po czym zabrał się do studiowania apokaliptycznych okrzyków Friedländera. Pobieżnie przejrzał szczegółowy opis metody oraz uwagi o semickich samogłoskach. Skupił się na przekładach proroctw. Pierwsze z nich brzmiało: *raam* – „huk", *chawura* – „rana", *makak* – „rozpłynąć się, ropieć", *arar* – „ruina", *szamajim* – „niebo", drugie zaś: *jeladim* – „dzieci", *akrabbim* – „skorpiony", *sewacha* – „kraty", *amoc* – „biały". Dalej Maass dzielił się pewnymi wątpliwościami: „Z powodu niewyraźnego nagrania, ostatni wyraz drugiego proroctwa można rozumieć albo jako *chol* (lO חוֹל) – «piasek» albo *chul* (IV חוּל) – «kręcić się, tańczyć, upadać»".

Anwaldt odprężył się, osa wyleciała przez otwarty lufcik. Hipoteza Maassa była następująca: „...wydaje się, że osoba wskazana przez Friedländera w pierwszym proroctwie umrze od ropiejącej rany (*śmierć, rana, ropieć*), poniesionej w wyniku zawalenia się budynku (*ruina*). Klucz do identyfikacji tej osoby leży w wyrazie (*amajim* – 'niebo'. Przyszłym denatem może być albo ktoś czyje nazwisko utworzone jest z głosek š, *a, m, a, j, i, m*, np. Scheim albo ktoś o nazwisku Himmel, Himmler itp.

Sądzimy, że drugie proroctwo już się spełniło. Dotyczy ono – naszym zdaniem – Marietty von der Malten (dziecko, biały brzeg – tak nazywano wyspę Maltę), zamordowanej w salonce wyposażonej w kraty (kraty). W jej rozerwanej jamie brzusznej znaleziono kręcące się skorpiony."

Detektyw nie chciał po sobie pokazać, jak wielkie wrażenie zrobiła na nim ta ekspertyza. Zdusił starannie niedopałek cygara i wstał.

– Naprawdę nie ma pan żadnych uwag? – próżność Maassa domagała się pochwał. Spojrzał ukradkowo na zegarek. Anwaldtowi przypomniała się pewna scena z sierocińca: zamęczał swojego wychowawcę, aby zechciał spojrzeć na wieżę wybudowaną z klocków przez małego Herberta.

– Doktorze Maass, pańska analiza jest tak precyzyjna i przekonująca, że trudno o cokolwiek pytać. Dziękuję panu bardzo – wyciągnął rękę na pożegnanie. Maass jakby tego nie zauważył.

– Drogi Herbercie – popiskiwał słodko. – Może się pan napije zimnego piwa?

Anwaldt zastanawiał się przez chwilę (Szanowny panie wychowawco, niech pan spojrzy na moją wieżę. – Nie mam czasu...).

– Nie piję alkoholu, ale chętnie napiję się zimnej lemoniady albo wody sodowej.

– Oczywiście – rozpromienił się Maass. Wychodząc do kuchni jeszcze raz spojrzał na zegarek. Anwaldt z zawodowego przyzwyczajenia rozejrzał się po biurku jeszcze dokładniej niż za pierwszym razem. *(Dlaczego on chce mnie na siłę u siebie zatrzymać?)*. Pod przyciskiem do papierów leżała otwarta elegancka, wrzosowa koperta z nadrukowanym herbem. Bez wahania ją otworzył i wyjął twardy złożony wpół czarny kartonik. W jego wnętrzu wykaligrafowano srebrnym atramentem: „Serdecznie pana zapraszam na bal maskowy dziś wieczorem (tj. w poniedziałek 9 lipca br.) o siódmej. Odbędzie się on w mojej rezydencji przy Uferzeile 9. Panie obowiązuje strój Ewy. Mile widziani są również panowie w stroju Adama.

Wilhelm baron von Köpperlingk".

Anwaldt dostrzegł cień Maassa wychodzącego z kuchni. Szybko schował zaproszenie pod przycisk. Przyjął z uśmiechem grubą sześciokątną szklankę. Opróżnił ją potężnym haustem i usiłował zrozumieć to, co przeczytał. Przez kłębiące się myśli nie przebijał się falset Maassa, choć semitolog nie przejmując się brakiem koncentracji swego słuchacza z wielkim ożywieniem przedstawiał swój spór naukowy z profesorem Andreae. Kiedy przystąpił do omawiania kwestii gramatycznych, zadźwięczał dzwonek wejściowy. Maass spojrzał na zegarek i rzucił się do przedpokoju. Przez otwarte drzwi gabinetu Anwaldt ujrzał jakąś gimnazjalistkę. *(Wakacje, upał, a ona w mundurku. Widać jeszcze obowiązuje ten idiotyczny przepis o całorocznym umundurowaniu)*. Szeptali przez chwilę, po czym Maass wymierzył jej siarczyste klepnięcie w pośladek. Dziewczyna zachichotała. *(Ach, więc dlatego mnie zatrzymywał. Chciał pokazać, że nie był gołosłowny, mówiąc o wyuzdanych gimnazjalistkach)*. Nie mógł opanować ciekawości i wyszedł z gabinetu. Poczuł gwałtowny skurcz żołądka i słodkawy smak w ustach. Przed nim stała gimnazjalistka Erna.

– Pan pozwoli, panie asystencie Anwaldt, panna Elsa von Herfen, moja uczennica. Udzielam pannie korepetycji z łaciny – Maass wydobywał z siebie coraz wyższe tony. – Panno Elso, oto asystent kryminalny Anwaldt, mój przyjaciel i współpracownik.

Policjant omal nie zasłabł na widok intensywnie zielonych oczu dziewczyny.

– My się chyba znamy... – wyszeptał opierając się o framugę.

– Czyżby...? – alt dziewczyny nie miał nic wspólnego z cichym, melodyjnym głosem Erny, zaś spory pieprzyk na wierzchu dłoni – z jej alabastrową skórą. Zrozumiał, że ma przed sobą sobowtór Erny. – Przepraszam... – odetchnął z ulgą. – Jest pani bardzo podobna do mojej znajomej z Berlina. Drogi doktorze, już pan się świetnie zadomowił we Wrocławiu. Jest pan tu zaledwie cztery dni, a już zdobył pan uczennicę... I to jaką uczennicę... Nie przeszkadzam państwu. Do widzenia.

Zanim zamknął drzwi za Anwaldtem, Maass wykonał obsceniczny gest: połączył kciuk i palec wskazujący lewej ręki i w tak utworzony pierścień kilkakrotnie wsunął i wysunął palec wskazujący prawej. Anwaldt prychnął pogardliwie i zbiegł kilka schodków w dół. Potem wszedł do góry i zatrzymał się ponad mieszkaniem semitologa, na półpiętrze pod witrażem, który ciągnął się przez całą wysokość kamienicy obsypując klatkę schodową kolorowymi, „tańczącymi monetami". Oparł łokieć we wnęce kryjącej małą kopię Wenus z Milo.

Zazdrościł Maassowi i ta zazdrość na moment przyćmiła podejrzliwość. Z niechęcią przywitał nasuwające się wspomnienia. Wiedział, że – choć nie będą przyjemne, pomogą mu zabić czas. Postanowił czekać na Elsę von Herfen, aby sprawdzić, ile jest wart uwodzicielski czar Maassa.

Jakoż wspomnienie nadpłynęło. Było to 23 listopada 1921 roku. Tego dnia miał doznać inicjacji seksualnej. Był jedynym w swojej sali, który nie poznał jeszcze kobiety. Jego kolega Josef obiecał wszystkim się zająć. Młoda, tęga kucharka z sierocińca dała się zaprosić przez trzech wychowanków do niewielkiego magazynku, w którym przechowywano sprzęt gimnastyczny, zużytą pościel i ręczniki. Dwie butelki wina pomogły. Ułożyła na gimnastycznym materacu swe spocone ciało. Pierwszy był Josef. Drugie miejsce wylosował gruby Hannes. Anwaldt czekał cierpliwie na swoją kolej. Kiedy Hannes zwlókł się z kucharki, ta uśmiechnęła się szelmowsko do Anwaldta:

– Ty już nie. Mam dość.

Chłopiec wrócił do swojej sali i stracił chęć poznawania kobiet. Jednak los nie pozwolił mu na długie czekanie. Dziewiętnastoletni uczeń prymy zatrudnił się jako korepetytor córki bogatego przemysłowca. Odkrywał przed siedemnastoletnią, nieco kapryśną dziewczyną tajniki składni greckiej, ona zaś chętnie rewanżowała mu się odkrywaniem tajemnic swego ciała. Anwaldt zakochał się bez pamięci. Kiedy po pół roku ciężkiej, lecz bardzo przyjemnej pracy poprosił jej ojca o honorarium, ten zdziwiony odparł, że przekazał już honorarium poprzez swoją córkę, która, w obecności tatusia, zdecydowanie to potwierdziła. Przemysłowiec zareagował odpowiednio. Dwaj jego służący na obcasach wynieśli z pałacu pobitego „podłego oszusta".

Wydawało się, że Anwaldt stracił już wszystkie złudzenia. Niestety, znów je odzyskał dzięki innej gimnazjalistce, ubogiej, pięknej Ernie Stange z porządnej robotniczej rodziny z berlińskiej dzielnicy Wedding. Trzydziestolatek, mający przed sobą karierę policyjną, myślał o małżeństwie. Ojciec Erny, uczciwy i twardy kolejarz, miał łzy w oczach, gdy patrzył na oświadczyny. Anwaldt starał się o pożyczkę w kasie policyjnej. Czekał na maturę Erny i myślał o mieszkaniu. Po trzech miesiącach przestał myśleć o czymkolwiek z wyjątkiem alkoholu.

Nie wierzył w bezinteresowną namiętność gimnazjalistek. Dlatego i teraz nie bardzo wierzył w to, co widział przed chwilą. Oto piękna dziewczyna oddawała się szpetnej pokrace.

Szczęknęły drzwi od mieszkania. Maass zamknąwszy oczy całował się ze swoją uczennicą. Znów mocno klepnął dziewczynę w pośladek i zatrzasnął zamek. Anwaldt usłyszał stukot pantofli na schodach. Zszedł ostrożnie, obcasy stukały w bramie, zalotne „do widzenia" dotarło do zarośniętych uszu stróża. Pożegnał się również ze stróżem, lecz nie wyszedł tak szybko z bramy. Wynurzył się nieznacznie i obserwował: dziewczyna wsiadała do czarnego mercedesa, brodaty szofer zdjął czapkę i ukłonił się. Ruszył powoli. Anwaldt podbiegł szybko do swojego adlera. Ruszył z rykiem silnika. Z wściekłością zauważył, że traci z oczu mercedesa. Przyśpieszył i omal nie potrącił jakiegoś jegomościa w cylindrze, przechodzącego przez ulicę. Po dwóch minutach znalazł się w bezpiecznej odległości za mercedesem, który jechał znaną Anwaldtowi drogą: Sonnenplatz i Gräbschener Strasse. Oba samochody zanurzyły się w prąd samochodów, dorożek i nielicznych furmanek. Anwaldt widział tylko kark i głowę szofera. (*Zmęczona, widocznie położyła się na tylnym siedzeniu*). Jechali cały czas prosto. Anwaldt obserwował szyldy z nazwą ulicy: jechali wciąż Gräbschner Strasse. Za murem cmentarnym, ponad którym sterczał gładki tympanon (*Pewnie krematorium; takie samo jest w Berlinie*) śledzony samochód nagle przyśpieszył i zniknął Anwaldtowi z oczu. Policjant dodał gazu i przeskoczył przez most na jakiejś małej rzece. Po lewej stronie mignęła tabliczka z napisem „Wrocław". Skręcił w pierwszą uliczkę w lewo. Znalazł się w cienistej pięknej alei, wzdłuż której stały wille i małe domki ukryte wśród lip i kasztanowców. Mercedes stał przed narożnym pałacykiem. Anwaldt skręcił w prawo w małą, boczną uliczkę i zgasił silnik. Wiedział z doświadczenia, że śledzenie samochodem jest mniej skuteczne niż na piechotę. Wysiadł z adlera i ostrożnie podszedł do skrzyżowania. Wychylił głowę i dostrzegł zawracającego mercedesa. Po dwóch sekundach samochód zniknął, skręcił w prawo i pojechał w stronę Wrocławia. Nie miał najmniejszych wątpliwości: szofer jechał sam. Zapisał numer rejestracyjny i podszedł do pałacyku, sprzed którego odjechał mercedes. Była to stylowa, neogotycka budowla. Zamknięte okiennice wyglądały bardzo tajemniczo. Nad wejściem widniał napis „Nadślężański zameczek".

– Wszystkie burdele śpią o tej porze – mruknął do siebie patrząc na zegarek. Był dumny ze swojej fotograficznej pamięci. Wyjął z portfela wizytówkę otrzymaną wczoraj od fiakra. Porównał adres na wizytówce i na budynku. Zgadzało się: Schellwitzstrasse. (*Ta podwrocławska miejscowość to pewnie Oporów, jak na wizytówce*).

Długo przyciskał dzwonek przy bramie wjazdowej. Na podjeździe pojawił się w końcu mężczyzna o posturze boksera wagi ciężkiej. Podszedł do furty i uprzedził wszystkie pytania Anwaldta:

– Nasz klub jest czynny od siódmej.

– Jestem z policji. Wydział Kryminalny. Chciałbym zadać kilka pytań twojemu szefowi.

93

– Każdy tak może powiedzieć. Nie znam ciebie, a znam wszystkich z kripo. Poza tym każdy z kripo wie, że tutaj jest szefowa, nie szef...

– Oto moja legitymacja.

– Tu jest napisane „Policja Berlin". A jesteśmy na Oporowie pod Wrocławiem.

Anwaldt przeklął własne roztargnienie. Już od soboty czekała w dziale kadr jego wrocławska legitymacja. Zapomniał o niej. „Bokser" patrzył na niego beznamiętnie spod opuchniętych powiek. Anwaldt stał w słonecznej kałuży i liczył ozdobne pręty ogrodzenia.

– Albo otwierasz, bydlaku, tę bramę, albo dzwonię do zastępcy mojego szefa, Maxa Forstnera – powiedział podniesionym głosem. – Chcesz, żeby twoja szefowa miała przez ciebie kłopoty?

Goryl był niewyspany i skacowany. Powoli zbliżył się do furty:

– Zmiataj stąd, albo... – wysilał się na wymyślenie czegoś, co zabrzmiałoby groźnie, ale Anwaldt już dostrzegł, że furta jest niedomknięta. Rzucił się na nią całym ciężarem. Żelazna krata trafiła w sam środek twarzy goryla. Znalazłszy się na terenie posesji, Anwaldt uskoczył, aby uniknąć poplamienia krwią, która nader obficie buchnęła z nosa strażnika. Uderzony szybko otrząsnął się z zaskoczenia. Zamachnął się i Anwaldt stracił oddech: potężna pięść trafiła go w tętnicę szyjną. Tłumiąc kaszel uchylił się w ostatniej chwili przed drugim ciosem. Pięść strażnika tym razem chybiła i z całym impetem runęła na żelazne ogrodzenie. Goryl stał przez kilka sekund i z niedowierzaniem oglądał przetrąconą dłoń. Policjant znalazł się natychmiast za jego plecami i wziął zamach nogą, jakby chciał kopnąć piłkę. Wycelował dokładnie – szpic buta trafił w krocze. Drugi precyzyjny cios w skroń, był decydujący. Strażnik kiwał się przy bramie jak pijany i starał się za wszelką cenę utrzymać pionową pozycję. Anwaldt kątem oka dostrzegł wybiegające z pałacyku postaci. Nie sięgał po rewolwer; wiedział, że zostawił go w samochodzie.

– Stać! – władczy kobiecy głos powstrzymał trzech strażników biegnących, aby przykładnie ukarać człowieka, który zmasakrował ich kolegę. Posłusznie zatrzymali się. Tęga kobieta stała w oknie na pierwszym piętrze i uważnie patrzyła na Anwaldta. – Kto pan jest? – zawołała z wyraźnie cudzoziemskim akcentem.

Pobity strażnik nie tylko nie utrzymał pozycji pionowej, ale rozpłaszczył się całkiem na ziemi. Zdrową rękę przyłożył do podbrzusza. Anwaldtowi żal się zrobiło tego człowieka, który został sponiewierany tylko za to, że rzetelnie wypełniał swe obowiązki. Spojrzał w górę i odkrzyknął:

– Asystent kryminalny Herbert Anwaldt.

Madame le Goef rozzłościła się, lecz nie na tyle, aby stracić panowanie nad sobą:

– Kłamiesz. Ty groził dzwonić do Forstnera. On nie jest szef kripo.

– Po pierwsze, proszę do mnie nie mówić per ty – uśmiechał się, słuchając tej osobliwej niemczyzny. – Po drugie, moim szefem jest dyrektor kryminalny Eberhard Mock, lecz nie mogę do niego zadzwonić. Wyjechał na urlop.

– Proszę Pan wchodzi – madame wiedziała, że Anwaldt nie kłamie. Wczoraj dyrektor Mock odwołał z powodu wyjazdu cotygodniową partię szachów. Poza tym bała się go panicznie i otworzyłaby nawet włamywaczowi, który wszedłby z nazwiskiem Mocka na ustach.

Anwaldt nie patrzył na zacięte twarze mijanych strażników. Wszedł do hallu i przyznał, że ten przybytek Afrodyty swym wystrojem nie ustępuje żadnemu berlińskiemu. To samo mógł powiedzieć o gabinecie właścicielki. Bezceremonialnie usiadł w otwartym oknie. Na podjeździe szurały buty strażnika ciągniętego przez kolegów. Anwaldt zdjął marynarkę, odkaszlnął i rozmasował siniec na szyi.

– Krótko przed moim przyjściem podjechał pod pani salon czarny mercedes, z którego wyszła dziewczyna w gimnazjalnym mundurku. Chcę się z nią widzieć.

Madame podniosła słuchawkę i powiedziała kilka słów (chyba po węgiersku).

– Zaraz. Teraz kąpiel.

„Zaraz" było bardzo krótką chwilą. Anwaldt nie zdążył nacieszyć oczu wielką reprodukcją „Mai nagiej" Goi, gdy w drzwiach stanął sobowtór Erny. Gimnazjalny mundurek ustąpił miejsca różowym tiulom.

– Erno – to przejęzyczenie szybko pokrył ironicznym tonem. – Przepraszam, Elso... Do którego gimnazjum pani uczęszcza?

– Tutaj pracuję – pisnęła.

– Ach tutaj – przedrzeźniał ją. – Zatem *cui bono*[10] uczy się panna łaciny?

Dziewczyna milczała, spuściwszy skromnie oczy. Anwaldt odwrócił się nagle ku właścicielce lupanaru:

– Co pani tu jeszcze robi? Proszę wyjść!

Madame uczyniła to bez słowa, mrugając znacząco do dziewczyny. Anwaldt usiadł za biurkiem i wsłuchiwał się przez chwilę w odgłosy letniego ogrodu.

– Co robicie z Maassem?

– Pokazać panu? (*Tak samo patrzyła na niego Erna, kiedy wszedł do kawalerki Klausa Schmetterlinga. Od dawna mieli na oku to niepozorne mieszkanie w berlińskiej dzielnicy Charlottenburg. Wiedzieli, że bankier Schmetterling gustuje w niepełnoletnich dziewczętach. Nalot był udany*).

– Nie. Nie musisz mi pokazywać – powiedział znużonym tonem.

– Kto cię wynajął? Kto jest pracodawcą brodatego szofera?

Dziewczyna przestała się uśmiechać.

– Nie wiem. Zjawił się brodacz i powiedział, że jakiś frajer lubi gimnazjalistki. Co mi szkodzi? Zapłacił dużo. Zawozi mnie do niego i odwozi. Ach, dziś ma mnie zabrać na jakąś większą bibę. Chyba to będzie u jego szefa. Wszystko panu opowiem po powrocie.

Anwaldt przesłuchał w życiu niezliczone ilości prostytutek i był pewien, że ta dziewczyna nie kłamie.

– Siadaj! – pokazał jej krzesło. – Teraz będziesz wykonywała zadania dla mnie. Wieczorem na tym przyjęciu masz dbać o to, aby wszystkie okna – a zwłaszcza balkonowe – były co najmniej uchylone. Rozumiesz? Potem będę miał dla ciebie inne zadania. Nazywam się Herbert Anwaldt. Od dzisiaj mi służysz, albo skończysz w rynsztoku! Rzucę cię na żer najgorszym alfonsom w tym mieście!

_____

[10] Po co (łac.)

Zdawał sobie sprawę, że nie musiał tego mówić. (*Każda dziwka najbardziej boi się władzy policjanta*). Usłyszał skrzypienie własnych strun głosowych.

– Przynieś mi coś zimnego do picia! Najlepiej lemoniady!

Kiedy wyszła, wychylił głowę przez okno. Niestety – upał nie mógł wypalić jego wspomnień. (*„Pan ją chyba zna, Anwaldt?"*. *Kopnął z furią drzwi od pokoju. Bankier Schmetterling zasłaniał oczy przed błyskiem fleszy. Próbował naciągnąć kołdrę na głowę*).

– Proszę. Lemoniada – dziewczyna uśmiechnęła się zalotnie do przystojnego policjanta. – Czy ma pan dla mnie jakieś specjalne zadania? Chętnie je spełnię... (*Ciało Schmetterlinga było unieruchomione. Zespolone w miłosnym uścisku. Drżało tłuste ciało, wiło się ciało gibkie. Nierozerwalny* coitus *połączył grubego bankiera z piękną jak sen narzeczoną Anwaldta – Erną Stange*).

Policjant wstał i podszedł do uśmiechającej się Erny Stange. Zielone oczy pokryły się cieniutką błoną łez, kiedy z całej siły ją spoliczkował. Schodząc po schodach, słyszał jej stłumiony szloch. W głowie szumiała mu maksyma Samuela Coleridge'a: „Kiedy człowiek bierze swoje myśli za osoby i rzeczy, jest szaleńcem. Taka jest właśnie definicja szaleńca".

WROCŁAW, TEGOŻ 9 LIPCA 1934 ROKU.
GODZINA PIERWSZA PO POŁUDNIU

Anwaldt siedział w swoim gabinecie w Prezydium Policji, delektował się chłodem, jaki tu panował i czekał na telefon od wachmistrza kryminalnego Kurta Smolorza, jedynego czowieka, któremu – zdaniem Mocka – mógł ufać. Małe okienko pod sufitem wychodziło na północ, na jeden z pięciu wewnętrznych dziedzińców policyjnego gmachu. Położył głowę na biurku. Głuchy sen trwał może kwadrans. Przerwał go Smolorz, który zjawił się osobiście.

– Oto smoking i maska – rudy, tęgi mężczyzna uśmiechnął się przyjaźnie. – A teraz ważna wiadomość: czarny mercedes z podanym przez pana numerem rejestracyjnym należy do barona Wilhelma von Köpperlingka.

97

– Dziękuję. Mock was nie przecenił. Ale skąd, do diabła, to wytrzasnęliście? – wskazał palcem na czarną, aksamitną maskę.

W odpowiedzi Smolorz położył palec na ustach i wycofał się z pokoju. Anwaldt zapalił cygaro i odchylił się na krześle. Założył ręce na kark i kilkakrotnie wyprostował całe ciało. Wszystko układało się w jednolitą całość. Baron von Köpperlingk spełnił największe marzenia Maassa, podsyłając mu piękną gimnazjalistkę. „Skąd o nich wiedział?" – zapisał na kartce. (*Nieważne. Maass wcale się nie kryje ze swoimi upodobaniami. Wczoraj w parku wystarczająco głośno dawał temu wyraz*). „Po co?" – stalówka ponownie zaskrzypiała na papierze. (*Aby kontrolować Maassa, a pośrednio moje śledztwo*). „Dlaczego?" – na kratkowanej płaszczyźnie pojawiło się kolejne pytanie. Uruchomił pamięć i przywołał przed oczy kilka linijek z listu od Mocka: „...nieżyjący już Hauptsturmführer SA Walter Piontek skwapliwie wykorzystał trop podsunięty przez barona Wilhelma von Köpperlingka (który – nawiasem mówiąc – ma wielu przyjaciół w gestapo)... Jeżeli ktoś znajdzie prawdziwych morderców, wówczas cała ogromna akcja propagandowa zostanie w angielskich czy francuskich gazetach całkowicie ośmieszona. Ostrzegam pana przed tymi ludźmi – są bezwzględni i potrafią zmusić każdego do rezygnacji ze śledztwa".

Anwaldt poczuł przypływ dumy. Włożył maskę na twarz.

– Jeśli gestapo pozna cel mojego śledztwa, na pewno je przerwie, bojąc się ośmieszenia we Francji i w Anglii – mruczał, podchodząc do małego lustra wiszącego na ścianie. – Wydaje mi się jednak, że są w gestapo ludzie, którzy zechcą przerwać moje śledztwo z zupełnie innego powodu.

Aksamitna maska zasłaniała dwie trzecie twarzy. Zrobił błazeńską minę i klasnął w ręce.

– Może ich spotkam na balu u barona – powiedział głośno. – Czas na bal, asystencie Anwaldt!

Anwaldt bez większego trudu, choć ze stratą pięciomarkowego banknotu, przekonał stróża kamienicy przy Uferzeile 9, że pragnie uczynić kilka szkiców Ogrodu Zoologicznego w wieczornej poświacie. Policjant otworzył drzwi na strych otrzymanym kluczem i po chybotliwej drabinie wszedł na dach o dość łagodnym spadzie. Ten, na który teraz zamierzał się wspiąć, wznosił się trzy metry wyżej. Wyjął z plecaka grubą linę, do której końca przywiązany był stalowy, potrójnie rozgałęziony hak. Minęło około dziesięciu minut, zanim hak zdołał się o coś zaczepić. Anwaldt nie bez wysiłku wspiął się na wyższy dach. Gdy tylko się tam znalazł, zrzucił z siebie przybrudzone drelichowe spodnie i długi fartuch. Pod tym przebraniem krył się smoking i lakierki. Sprawdził, czy ma papierosy i rozejrzał się dookoła. Szybko znalazł to, czego szukał: lekko zardzewiały wylot wywietrznika przykryty trójkątnym daszkiem. Zaczepił o niego hak i bardzo powoli, uważając, aby się nie pobrudzić, spuścił się po linie kilka metrów w dół. Po dwóch minutach jego stopy dotknęły kamiennej poręczy balkonu. Stał na niej dość długo. Ciężko oddychał i czekał, aż spłynie po nim fala potu. Kiedy trochę ochłonął, spojrzał w rozjarzone światłami okna. Zorientował się, że na balkon wychodzą okna z dwóch pokojów. Za chwilę w owym świetle znalazło się jego jedno oko. Z uwagą obserwował scenę w pokoju. Na podłodze prężyły się dwa kobiece i dwa męskie ciała. Minęło pół minuty, nim zrozumiał tę skomplikowaną konfigurację. Obok na sofie rozwalał się nagi mężczyzna w masce, a po obu jego stronach klęczały dwie dziewczyny w gimnazjalnych mundurkach. Podszedł do drugiego okna, zaniepokojony dziwnym odgłosem. Był to świst bata: dwie dziewczyny w długich butach i czarnych mundurach biczowały chuderlawego blondynka, przykutego kajdankami do lśniących drzwiczek kaflowego pieca. Mężczyzna krzyczał, kiedy żelazne końcówki batogów raniły jego posiniaczone ciało.

Oba okna były szeroko otwarte. Przesycone wonią kadzideł powietrze drżało od mniej lub bardziej udawanych jęków kobiet. Anwaldt wszedł przez drzwi balkonowe do pierwszego pokoju. Jak słusznie przypuszczał, żadna z obecnych tam osób nie zwróciła na niego najmniejszej uwagi. Za to on przyjrzał się wszystkim uważnie. Bez trudu rozpoznał cofniętą szczękę Maassa i pieprzyk na dłoni „gimnazjalistki". Wyszedł do przedpokoju i delikatnie zamknął za sobą drzwi. W obszernym korytarzu wykuto kilka nisz, w których stały małe marmurowe kolumny. Wiedziony instynktem kameleona zdjął smoking i koszulę i powiesił je na jednej z kolumn. Z dołu dochodził łagodny dźwięk instrumentów smyczkowych. Rozpoznał *Kwartet cesarski* Haydna.

Zszedł po schodach i zobaczył trzy pary otwartych na oścież drzwi. Stanął w jednych z nich i rozejrzał się. Rozsunięte szklane ściany działowe trzech wielkich pokojów tworzyły wielką salę długości trzydziestu, szerokości zaś czterdziestu metrów. Całą tę powierzchnię zajmowały drewniane stoliki zastawione owocami, kieliszkami i butelkami stojącymi w wiaderkach z lodem oraz kilkanaście niskich dwuosobowych sof i szezlongów, zajętych przez nagie, wolno poruszające się ciała. Baron dyrygował kwartetem za pomocą osobliwej batuty – ludzkiego piszczela. Pięknooki służący ubrany jedynie w indiańską przepaskę okrywającą genitalia nalewał hojnie wino do wysokich kieliszków. Ów Ganimedes przerwał na chwilę swą czynność i zaczął z gracją krążyć wśród gości rozrzucając dookoła różane płatki. Dbał, by każdy z gości był zadowolony. Toteż zdziwił się bardzo, widząc wysokiego szatyna, który stał przez chwilę w drzwiach, po czym szybko przysiadł na szezlongu, z którego właśnie stoczyła się na podłogę kobieca para. Zbliżył się tanecznym krokiem do Anwaldta i zapytał melodyjnym głosem:

– Szanowny pan potrzebuje czegoś?

– Tak. Wyszedłem na chwilę do toalety, tymczasem moja partnerka zniknęła.

Ganimedes zmarszczył brwi i zaśpiewał:

– To żaden problem, dostanie pan nową.

Z Ogrodu Zoologicznego dochodzi fetor nawozu, niekiedy wzbijały się ku niebu ryki rozdrażnionych upałem zwierząt. Odra oddawała suchemu powietrzu resztki wilgoci.

Baron odrzucił piszczel i rozpoczął striptiz. Instrumentaliści uderzali w dzikiej pasji smyczkami w napięte struny. Baron zupełnie nagi przyprawił sobie wielką rudą brodę, a na głowę włożył piętrową czapę Nabuchodonozora. Niektórzy orgiaści opadli z sił i ślizgali się na własnym pocie. Inne pary, tercety i kwartety usiłowały – na próżno – zadziwiać się wymyślnymi pieszczotami. Anwaldt spojrzał ponad ciałami i napotkał uważny wzrok Nabuchodonozora, który tymczasem włożył ciężką złotą szatę. (*Wyglądam jak karaluch na białym dywanie. Leżę sam, ubrany w spodnie wśród nagich ludzi. Nikt z nich nie jest sam. Nic dziwnego, że ten kutas tak mi się przygląda*). Nabuchodonozor patrzył, instrumenty smyczkowe zamieniały się w instrumenty perkusyjne, jęczały kobiety w udawanej rozkoszy, wyli mężczyźni w wymuszonej ekstazie.

Anwaldt wił się pod uważnym wzrokiem barona. Postanowił przyjąć zaproszenie dwóch lesbijek, które od dłuższej chwili przyzywały go ku sobie. Nagle zjawił się Ganimedes prowadząc nieco zamroczoną platynową blondynkę w aksamitnej masce. Nabuchodonozor przestał się nim interesować. Dziewczyna przykucnęła przy sofie Anwaldta. Zamknął oczy. (*Niech też coś mam z tej orgii*). Niestety, jego oczekiwania nie zostały spełnione, zamiast delikatnych dłoni i ust dziewczyny, poczuł twarde zrogowaciałe palce przyciskające go mocno do sofy. Wielki ciemny mężczyzna z orlim nosem opierał ręce na bicepsach Anwaldta i wtłaczał go w sofę. Służący barona trzymał smoking Anwaldta i plik czarnych zaproszeń na bal. Napastnik otworzył usta, ziejąc smrodem czosnku i tytoniu:

– Jak się tu znalazłeś? Pokaż zaproszenie!

Anwaldt słyszał już taki akcent, kiedy przesłuchiwał w Berlinie pewnego tureckiego restauratora zamieszanego w przemyt opium. Leżał sparaliżowany nie tyle mocnym chwytem, ile widokiem dziwnego tatuażu na lewej dłoni napastnika. Pod wpływem stalowego uścisku między palcem wskazującym a kciukiem wysklepił się duży okrągły mięsień drgający przy najmniejszym poruszeniu. Drżenie mięśnia wprawiało w ruch starannie wytatuowanego skorpiona. Napastnik chciał jeszcze bardziej unieruchomić ofiarę, ale gdy przerzucał nogę przez sofę, aby usiąść okrakiem na policjancie, ten zgiął szybko nogę w kolanie i trafił amatora czosnku w czułe miejsce. Mężczyzna pod wpływem bólu oderwał rękę od ramienia Anwaldta, który odzyskawszy częściowo swobodę ruchów uderzył czołem w twarz przeciwnika. Poczuł wilgoć na głowie. Wytatuowany stracił równowagę i spadł z sofy. Policjant pobiegł ku wyjściu. Nikogo nie zainteresowała bijatyka, kwartet wykonywał nadal oszalałe rondo, coraz więcej osłabionych ludzi zaległo mokry parkiet.

Jedyną przeszkodą, jaką Anwaldt musiał pokonać, był Ganimedes, który wymknął się wcześniej z sali i właśnie zamykał drzwi wejściowe. Anwaldt wymierzył mu mocnego kopniaka w pachę, drugi zadudnił po żebrach. Służący zdołał jednak zamknąć drzwi i wepchnąć klucz w otwór na listy. Klucz zabrzęczał z drugiej strony, na posadzce klatki schodowej. Trzeci cios, w głowę, pozbawił Ganimedesa przytomności. Anwaldt, nie mogąc się wydostać drzwiami, ruszył po wewnętrznych schodach na piętro apartamentu. Za sobą słyszał ciężki oddech cudzoziemca. Huk strzału rozdarł powietrze i nieznacznie zaniepokoił odpoczywających po ciężkim trudzie orgiastów. Policjant poczuł ból w uchu i ciepłą krew na szyi. (*Kurwa, znów nie mam pistoletu, deformował mi linię smokingu*). Schylił się i porwał jeden z wielu ciężkich prętów przyciskających do schodów purpurowy chodnik. Kątem oka spostrzegł, że napastnik znów składa się do strzału. Huk rozległ się jednak dopiero, gdy Anwaldt znalazł się na piętrze. Kula nadkruszyła marmurową kolumienkę i przez chwilę rykoszetowała w kamiennej niszy. Policjant rzucił się ku drzwiom, w których tkwił duży klucz. Przekręcił go i wyskoczył na klatkę schodową. Ścigający był blisko. Kule biły po ceramicznych kafelkach pokrywających ściany. Anwaldt zbiegał na oślep. Piętro niżej, przed głównym wejściem do mieszkania, stał jakiś spóźniony gość. Zza czarnej maski wymykały się sztywne, rude włosy. Zaalarmowany wystrzałami, trzymał w ręku rewolwer. Kiedy zobaczył Anwaldta i krzyknął „stać, bo strzelam!", policjant kucnął, zamachnął się i rzucił prętem. Metalowa sztaba trafiła rudowłosego w czoło. Osuwając się na posadzkę, oddał w sufit dwa strzały. Posypał się deszcz tynku i kurzu. Anwaldt podniósł pręt i jednym susem przeskoczył poręcz. Znalazł się na kolejnym półpiętrze. Kamienica drżała od kanonady. Biegł, potykał się i padał, aż w końcu dopadł ostatniego półpiętra. Cofnął się gwałtownie: po schodach wchodzili czterej mężczyźni uzbrojeni w wielkie szufle do odgarniania śniegu. Anwaldt domyślił się, że do polowania dołączył stróż z trzema kolegami. Odwrócił się i otworzył okno na podwórze. Wyskoczył na oślep i spadł prosto na jakąś furmankę. Drzazgi nieheblowanych desek wkłuły się w ciało, piętę wykręcił przenikliwy ból. Kuśtykając biegł przez podwórze. Rozjarzyły się złe ślepia okien – był widoczny jak na dłoni. Huk wystrzałów wstrząsnął pustą studnią podwórza. Biegł pod ścianami kamienic. Usiłował dostać się do któregoś domu poprzez tylne drzwi. Niestety, wszystkie były zaryglowane. Pościg był blisko. Anwaldt stoczył się po schodkach prowadzących w dół – do piwnicy kolejnego domu. Jeśli i tam drzwi będą zamknięte, to ścigający osaczą go w betonowym prostokącie. Ale ustąpiły. Anwaldt zaryglował się od wewnątrz, w momencie gdy znalazł się przy nich pierwszy prześladowca. Woń zgniłych ziemniaków, fermentującego wina i szczurzych odchodów była dla niego najmilszym zapachem. Osunął się w dół po ścianie, ocierając sobie plecy o nieotynkowane cegły. Dotknął dłonią ucha. Targnął nim ostry dreszcz, gęsta krew znów spłynęła kroplami na szyję. Skręcona noga pulsowała ciepłym bólem. Na czole, u nasady włosów, tam gdzie napastnik rozciął mu skórę zębami, zastygała lepka galareta. Wiedząc, że zanim jego prześladowcy okrążą kwartał domów, minie kilka minut, usiłował wydostać się z labiryntu piwnicy.

Szedł w całkowitych ciemnościach, po omacku, płosząc nieliczne szczury i owijając twarz zwojami pajęczyny. Tracił poczucie czasu, ogarniała go senność. Pokonał ją skutecznie daleki odblask. Zlokalizował łatwo latarniany promień przebijający się przez zakurzone okienko. Otworzył je i po kilku nieudanych próbach wydostał się na zewnątrz, zdzierając sobie przy tym naskórek z brzucha i z żeber. Zamknął okienko i rozejrzał się dookoła. Od chodnika i ulicy oddzielały go gęste krzaki, zza których dochodził tupot nóg kilku biegających tu i tam ludzi. Położył się na wznak na trawniku i ciężko oddychał. (*Muszę przeczekać kilka godzin*). Rozejrzał się i znalazł idealną kryjówkę. Balkon mieszkania na parterze obrośnięty był dzikim winem zwieszającym się do samej ziemi. Anwaldt wsunął się tam i poczuł, że opuszcza go przytomność.

Zbudziła go wilgoć ziemi i cisza dookoła. Kryjąc się między drzewami i ławkami nadodrzańskiej promenady przekradł się do zaparkowanego pod politechniką samochodu. Ledwo prowadził. Był obolały i pokrwawiony. Wchodząc na swoje piętro, trzymał się kurczowo poręczy. W kuchni nie zapalał światła, aby nie widzieć karaluchów. Wypił jednym haustem szklankę wody, rzucił w przedpokoju podarte spodnie od smokingu, otworzył okno w pokoju i runął w skłębioną pościel.

WROCŁAW, WTOREK 10 LIPCA 1934 ROKU.
GODZINA DZIEWIĄTA RANO

Po przebudzeniu Anwaldt nie mógł oderwać ucha od poduszki. Zastygła krew tworzyła mocne spoiwo. Z trudem usiadł na łóżku. Na czubku głowy sztywno sterczały sklejone krwią włosy. Cały tors był odrapany i pokryty plamami sińców. Pięta bolała, spuchnięta kostka sfioletowiała. Podskakując na jednej nodze, zbliżył się do telefonu i zadzwonił do barona von der Maltena.

Po kwadransie przyjechał do Anwalda osobisty lekarz barona, doktor Lanzmann. Po upływie kolejnego kwadransa byli w rezydencji von der Maltenów. Po czterech godzinach pacjent Anwaldt – wyspany, z opatrunkiem na głowie i na naderwanym uchu, ze skręconą nogą unieruchomioną bambusowymi deszczułkami i z żółtymi plamami na całym ciele – palił długie, wyborne cygaro „Ahnuri Shu" firmy Przedecki i relacjonował swojemu chlebodawcy wczorajsze wypadki. Kiedy baron – wysłuchawszy – wyszedł do swojego gabinetu, Anwaldt zadzwonił do Prezydium Policji i poprosił Kurta Smolorza o przygotowanie na szóstą wieczór wszelkich materiałów na temat barona von Köppelringka. Potem połączył się z profesorem Andreae i umówił się z nim na rozmowę.

Szofer barona von der Maltena pomógł mu zejść po schodach i zająć miejsce w aucie. Ruszyli. Anwaldt z zaciekawieniem pytał o każdy prawie dom, każdą ulicę. Szofer cierpliwie odpowiadał:

– Jedziemy Hohenzollernstrasse... Po lewej wieża ciśnień... Po prawej kościół św. Jana... Tak, zgadzam się, że piękny. Niedawno wybudowany... Oto rondo. Reichpräsidentenplatz. To jest dalej Hohenzollernstrasse... Tak, a teraz wjeżdżamy w Gabitzstrasse. Tak?... zna pan te rejony? Przejedziemy pod wiaduktem i już będziemy na pańskiej Zietenstrasse...

Jazda nienagrzanym samochodem sprawiła Anwaldtowi wielką przyjemność (*Piękne miasto*). Niestety, jego adler był od rana palony promieniami wysoko stojącego słońca. Kiedy się wtoczył za kierownicę, pot wylał mu się na koszulę i na marynarkę. Otworzył okna, odrzucił na tylne siedzenie kapelusz i ruszył z piskiem opon, pragnąc się ochłodzić ruchem powietrza. Nie udało się – płuca napełniły się suchym pyłem. Jakby tej udręki było mało, Anwaldt zapalił papierosa wysuszając sobie zupełnie jamę ustną.

Kierując się wskazówkami kierowcy von Maltena, dojechał bez większych kłopotów pod seminarium orientalistyczne przy Schmiedebrücke 35. Profesor Andreae czekał już na niego. Uważnie wysłuchał Anwaldta, naśladującego sposób mówienia wczorajszego napastnika. Choć kwestia, którą policjant kilkakrotnie powtarzał, była bardzo krótka (*„Jak się tu znalazłeś? Pokaż zaproszenie!"*), profesor nie miał wątpliwości. Mówiący po niemiecku cudzoziemiec na balu u barona był niewątpliwie Turkiem. Zadowolony ze swej intuicji językowej, Anwaldt pożegnał profesora i pojechał do Prezydium Policji.

Przy wejściu spotkał Forstnera. Wymienili spojrzenia i rozpoznali się bez trudu: obwiązana głowa Anwaldta i rozcięty łuk brwiowy Forstnera. Pozdrowili się z udawaną obojętnością.

– Widzę, że wczorajszego wieczora nie spędził pan na zebraniu Armii Zbawienia na Blücherplatz – śmiał się Smolorz witając Anwaldta.

– Drobiazg, miałem lekki wypadek – spojrzał na biurko: leżała tam teczka von Köpperlingka. – Niezbyt gruba.

– Grubsza jest z pewnością w archiwum gestapo. Trzeba mieć specjalne wpływy, aby tam się dostać. Ja ich nie mam... – otarł spocone czoło kraciastą chustką.

– Dziękuję, Smolorz. Ach... – Anwaldt nerwowo potarł nos. – Bardzo pana proszę o przygotowanie do jutra spisu wszystkich Turków, którzy przebywali we Wrocławiu przez ostatnie półtora roku. Macie tu konsulat turecki?

– Tak, jest przy Neudorffstrasse.

– Tam panu na pewno pomogą. Dziękuję, jest pan wolny.

Anwaldt został sam w swoim chłodnym gabinecie. Oparł czoło na śliskim, zielonym blacie biurka. Czuł, że zbliża się do minimum sinusoidy – punktu krytycznego złych i dobrych nastrojów. Boleśnie uświadomił sobie, że reaguje inaczej niż inni: wściekle rozpalony świat na zewnątrz wyzwalał u niego aktywność i działanie, przyjemny chłód gabinetu – poddanie i rezygnację. (*Oni są mikrokosmosami związanymi z ruchem wszechświata, ja – nie. Różnię się od nich. Czyż nie mówiono mi tego od dzieciństwa? Jestem odizolowanym miniwszechświatem, w którym panuje wielokierunkowa grawitacja spajająca wszystko w ciężkie i stężone bryły.*)

Wstał gwałtownie, zdjął koszulę i pochylił się nad miednicą. Posykując z bólu obmył kark i pachy. Usiadł na krześle i pozwalał wodzie ściekać z pokaleczonego torsu wąskimi strumykami. Wytarł twarz i ręce w podkoszulek. (*Bądź aktywny! Działaj!*). Podniósł słuchawkę i polecił gońcowi kupić papierosy i lemoniadę. Zamknął oczy i z łatwością zapanował nad chaosem obrazów. Poodrywał je od siebie i uporządkował: „Skorpiony w brzuchu Marietty von der Malten. Skorpion na ręce Turka. Turek zabił Mariettę". Ta konstatacja ucieszyła Anwaldta swoją oczywistością, a jednocześnie zmroziła perspektywą nieskutecznych działań. (*Turek zabił baronównę, Turek jest strażnikiem domu barona von Köppelringka, barona osłania gestapo, ergo Turek ma coś wspólnego z gestapo, ergo w morderstwo baronówny zamieszane jest gestapo, ergo wobec gestapo jestem słaby i bezsilny jak dziecko*).

Pukanie do drzwi. Pu-ka-nie. Goniec przyniósł naręcze butelek i dwie paczki mocnych papierosów „Bergmann Privat". Papieros osłabił go na krótki moment. Wypił duszkiem lemoniadę, zamknął oczy i znów myśli-obrazy stały się myślami-zdaniami. (*Lea Friedländer wie, kto podsunął Mockowi jej ojca i zrobił z niego kozła ofiarnego. Mógł to być ktoś z gestapo. Jeżeli będzie się bała powiedzieć mi, zmuszę ją do tego. Nie dam jej morfiny, sterroryzuję strzykawką, zrobi wszystko, co jej każę!).* Odrzucił erotyczną wizję „zrobi wszystko, co jej każę" i wstał od biurka *(Bądź aktywny!).* Chodził po pokoju i głośno zdradzał się ze swoimi wątpliwościami:

– Gdzie ją zmusisz do mówienia? W celi. Jakiej celi? Tu, w Prezydium Policji. Od czego masz Smolorza? Świetnie – zamknij taką laleczkę w celi, a za godzinę wszyscy klawisze i policjanci o tym się dowiedzą. A już na pewno gestapo.

W momencie największego zniechęcenia Anwaldt zawsze szybko przerzucał myśli na zupełnie inny obiekt. Tak i teraz: zajął się studiowaniem teczki barona. Znalazł tam kilka zdjęć z orgii w jakimś ogrodzie i listę nieznanych mu nazwisk – uczestników tych zabaw. Żadne nie zdradzało tureckiego pochodzenia. O samym gospodarzu tych przyjęć było bardzo mało danych. Zwykły życiorys wykształconego pruskiego arystokraty oraz kilka służbowych notatek ze spotkań barona z Hauptsturmführerem SA Walterem Piontkiem.

Zapiął koszulę i zacisnął krawat. Zszedł powoli do archiwum, odbierając po drodze wrocławską legitymację policyjną. *(Bądź aktywny!).* W podziemiach Prezydium Policji spotkało go srogie rozczarowanie. Na rozkaz pełniącego obowiązki prezydenta policji doktora Engla, akta Piontka przeniesiono do archiwum gestapo. Ledwo doszedł do swojego gabinetu: rwała opuchnięta pięta, paliły rany i zadrapania. Usiadł za biurkiem i ochrypłym głosem zadał pytanie Mockowi opalającemu się na sopockiej plaży:

– Kiedy wrócisz, Eberhardzie? Gdybyś tutaj był, wydobyłbyś z gestapo akta Piontka i von Köpperlingka... znalazłbyś kryjówkę, w której poddalibyśmy Leę antymorfinowej kuracji... Na pewno odszukałbyś w swojej pamięci jakieś imadło na tego stukniętego barona... Kiedy w końcu wrócisz?

Tęsknota za Mockiem była tęsknotą za pieniędzmi barona, za tropikalnymi wyspami, za niewolnicami o jedwabnej skórze... *(Ładną wieżę zbudowałeś, Herbercie, z tych klocków. Bądź aktywny, zmuś sam Leę do mówienia, nie potrafisz tego? Ładną wieżę zbudowałeś, Herbercie).*

VI

Na głównej ulicy, do której dochodziła Hansastrasse, Anwaldt znalazł małą restaurację. Z zawodowego przyzwyczajenia zanotował nazwisko właściciela i adres: Paul Seidel, Tiergartenstrasse 33. Zjadł tam trzy gorące kiełbaski unurzane w pulpie rozgotowanego grochu i wypił dwie butelki wody mineralnej Deinerta.

Dziesięć minut później, nieco ociężały, stał pod studiem fotograficznym „Fatamorgana". Przez dość długą chwilę uparcie i mocno walił w zamknięte drzwi. (*Pewnie znów się naszprycowała morfiną. Ale to już ostatni raz*). Stary dozorca wyczłapał z bramy na trotuar.

– Nie widziałem, żeby panna Susanne gdzieś wychodziła. Jej służąca poszła przed godziną... – mruczał, oglądając legitymację Anwaldta.

Policjant zdjął marynarkę i z rezygnacją poddał się strugom potu: nie próbował wycierać ich chusteczką. Przysiadł na kamiennej ławeczce na podwórzu obok drzemiącego emeryta w dziurkowanym kapeluszu. Spostrzegł, że jeden lufcik w mieszkaniu Lei jest niedomknięty. Z trudem wspiął się na parapet – rwała napuchnięta pięta, ciążył pełny żołądek. Włożył do środka rękę i przekręcił mosiężną klamkę. Przez chwilę mocował się z plączącą się firanką i bujnymi paprotkami stojącymi na parapecie. W tym mieszkaniu czuł się jak u siebie. Zdjął marynarkę, kamizelkę i krawat. Powiesił to wszystko na oparciu krzesła i udał się na poszukiwanie Lei. Skierował się do atelier, gdzie – jak sądził – leżała zamroczona. Zanim tam jednak dotarł, skręcił do łazienki: groch i kiełbasa wysyłały potężny fizjologiczny sygnał.

W łazience była Lea Friedländer. Jej nogi wisiały nad muszlą klozetową. Uda i łydki oblepione były fekaliami. Była zupełnie naga. Gruby kabel owinięty wokół jej szyi przymocowany był do rury odpływowej pod samym sufitem. Zwłoki dotykały plecami ściany. Karminowe uszminkowane usta odsłaniały dziąsła i zęby, pomiędzy którymi tkwił siny, opuchnięty język.

Anwaldt zwrócił do bidetu zawartość żołądka. Usiadł potem na skrawku wanny i usiłował zebrać myśli. Już po kilku minutach był pewien, że Lea nie popełniła samobójstwa. Nie było w łazience żadnego stołka, niczego, od czego mogłaby się odepchnąć. Nie mogła odskoczyć od muszli klozetowej, gdyż nie była na to dostatecznie wysoka. Musiałaby zatem zawiązać pętlę na grubej rurze kanalizacyjnej pod sufitem, a następnie trzymając się jej jedną ręką, założyć sobie pętlę na szyję. (*Taki wyczyn byłby trudny dla akrobaty, a co dopiero dla morfinistki, którą dzisiaj zerżnęło pewno z pół tuzina facetów. Wygląda na to, że ktoś bardzo silny udusił Leę, powiesił w łazience sznur, podniósł dziewczynę i włożył jej szyję w pętlę. Zapomniał tylko o jakimś krześle, które uwiarygodniłoby tę mistyfikację*).

Nagle usłyszał łopotanie firanki w oknie, przez które wchodził. Przeciąg. (*Musi być jeszcze jedno okno otwarte w tym mieszkaniu*).

W drzwiach stał wielki, ciemny mężczyzna. Zamachnął się gwałtownie. Anwaldt uskoczył, nadeptując na jedwabną halkę leżącą na podłodze. Jego prawa noga podjechała do tyłu, cały ciężar ciała spoczął na opuchniętej lewej pięcie: nie wytrzymała. Ugięła się lewa noga, Anwaldt pochylił się przed Turkiem. Ten splótł ręce i zadał cios od dołu – w brodę. Policjant runął na wznak do wielkiej wanny. Zanim zrozumiał, co się stało, zobaczył nad sobą twarz napastnika i ogromną pięść z kastetem. Cios w splot słoneczny odebrał mu oddech. Kaszel, charkot, rozmyty obraz, charkot, charkot, noc, charkot, noc, noc.

WROCŁAW, TEGOŻ 10 LIPCA 1934 ROKU.
GODZINA ÓSMA WIECZOREM

Lodowata woda przywróciła Anwaldtowi przytomność. Siedział całkiem nagi w celi bez okna, przywiązany do krzesła. Przypatrywali mu się dwaj mężczyźni w czarnych rozpiętych mundurach SS. Niższy z nich wykrzywiał długą, inteligentną twarz w grymas przypominający uśmiech. Przypominał mu gimnazjalnego nauczyciela matematyki, który robił podobne miny, gdy któryś z uczniów nie potrafił rozwiązać zadania. (*Ostrzegam pana przed tymi ludźmi – są bez-*

względni i potrafią zmusić każdego do rezygnacji ze śledztwa. Gdyby
– Boże broń – znalazł się pan na gestapo, proszę uparcie twierdzić,
że jest pan agentem Abwehry rozpracowującym siatkę polskiego wy-
wiadu we Wrocławiu).

Gestapowiec przeszedł się po celi, w której smród potu był prawie namacalny.

– Jest źle, Anwaldt, prawda? – wyraźnie czekał na odpowiedź.

– Tak... – wysapał skatowany. Język trafił w poszarpane resztki przedniego zęba.

– Wszyscy są źli w tym mieście – obszedł krzesło dookoła. – Taaak, Anwaldt. Co zatem robisz tu... w tym Babilonie, co cię tu przygnało?

Zapalił papierosa, a płonącą zapałkę przyłożył do ciemienia więźnia, który rzucił się z wraz z krzesłem; smród spalonych włosów zatykał oddech. Drugi oprawca, spocony grubas, zarzucił mu na głowę mokrą szmatę, która stłumiła ogień. Ulga nie trwała długo. Ten sam gestapowiec jedną ręką ścisnął mu nos, drugą zaś wepchnął szmatę do ust.

– Berlińczyku, jakie jest twoje zadanie we Wrocławiu? – powtarzał przytłumiony głos. – Wystarczy, Konrad.

Uwolniony od śmierdzącego knebla Anwaldt rozkaszlał się na długo. Szczupły gestapowiec cierpliwie czekał na odpowiedź. Nie otrzymawszy jej, spojrzał na swego pomocnika.

– Pan Anwaldt nie chce odpowiadać, Konrad. Widać czuje się bezpiecznie. Wydaje mu się, że jest chroniony. A kto go chroni? – rozłożył ręce. – Może Kriminaldirektor Eberhard Mock? Ale tu nie ma Mocka. Widzisz gdzieś Mocka, Konrad?

– Nie widzę, Herr Standartenführer.

Szczupły schylił głowę i rzekł proszącym głosem:

– Wiem, wiem, Konrad. Twoje metody są niezawodne. Żadna tajemnica się nie ostanie, nie zatrze się w pamięci żadne nazwisko, gdy ty przesłuchujesz swoich pacjentów. Pozwól, abym ja wyleczył tego pacjenta. Mogę?

– Oczywiście, Herr Standartenführer.

Uśmiechnięty Konrad wyszedł z celi. Standartenführer otworzył starą, podniszczoną teczkę i wyjął z niej litrową butelkę oraz półlitrowy słoik. Zawartość flaszki – jakąś zawiesinę – wylał Anwaldtowi na głowę. Więzień poczuł na języku słodkawy smak.

– To woda z miodem, wiesz Anwaldt – oprawca sięgnął po słoik. – A wiesz, co to jest? No już, już... Zaspokoję twoją ciekawość. Potrząsnął kilkakrotnie słoikiem. Dochodziło z niego niskie bzyczenie owadów. Anwaldt spojrzał: dwa szerszenie z wściekłością skakały na siebie i obijały się o ścianki słoika.

– Ojej, jakie to straszne potwory... – zawodził gestapowiec. Nagle wziął zamach i rozbił słoik o ścianę. Zanim zdezorientowane szerszenie zafurkotały w małej celi, więzień pozostał sam.

Nigdy nie przypuszczał, że te olbrzymie owady wydają swymi skrzydłami taki dźwięk jak małe ptaki. Szerszenie rzuciły się najpierw ku odrutowanej żarówce, lecz po chwili zmieniły kierunek. Dziwnie podrygiwały w zatęchłym powietrzu i wraz z każdym drgnięciem opadały niżej. Wkrótce znalazły się w okolicach głowy Anwaldta, dokąd wabił je zapach miodu. Więzień starał się dzięki swej wyobraźni wydostać z kazamatów. Udało się. (*Szedł plażą obmywaną przez łagodne fale marszczone rześką bryzą. Stopy wgłębiały się w ciepły piasek. Nagle zerwał się wiatr, piasek rozpalił się do białości, fale zamiast lizać plażę, ryknęły i rzuciły się na Anwaldta spienionymi bałwanami*).

Wyobraźnia odmówiła mu posłuszeństwa. Czuł lekki podmuch koło ust sklejonych wodą z miodem. Otworzył oczy i zobaczył szerszenia, który wyraźnie upatrzył sobie jego wargi. Dmuchnął w niego z całej siły. Szerszeń, pchnięty pędem powietrza, przysiadł na ścianie celi. Tymczasem drugi owad zaczął się kręcić wokół głowy. Anwaldt gwałtownie poruszał się wraz z krzesłem i rzucał głową na boki. Szerszeń usiadł na jego obojczyku i wbił żądło w skórę. Więzień przycisnął go brodą i poczuł rozdzierający ból. Żuchwę i obojczyk połączyła sina, pulsująca opuchlizna. Zduszony owad wykrzywiał na posadzce swe czarno-żółte ciało. Drugi szerszeń oderwał się od ściany i ruszył do ataku – uparcie w stronę ust. Anwaldt przechylił głowę i owad zamiast trafić w usta, znalazł się na skraju oczodołu. Ból i opuchlizna rozlały się na całe lewe oko. Anwaldt szarpnął głową i wraz z krzesłem runął na beton. Ciemność zalała lewe oko. Potem prawe.

Wiadro lodowatej wody przywróciło mu świadomość. Standartenführer odprawił pomocnika gestem ręki. Chwycił krzesło za oparcie i bez najmniejszego trudu przywrócił Anwaldta na powrót do pionu.

– Bojowy jesteś – z troską spojrzał na opuchniętą twarz więźnia.
– Dwa szerszenie cię zaatakowały i oba zabiłeś.

Skóra policjanta boleśnie napinała się na twardych kulach opuchlizny. Szerszenie jeszcze drgały na chropawej posadzce.

– Powiedz, Anwaldt – już wystarczy? Czy chcesz, żebym z powrotem poprosił o pomoc te agresywne stworzenia? Wiesz, że ja jeszcze bardziej się boję ich niż ty? Powiedz Anwaldt – już wystarczy?

Więzień potwierdził skinieniem głowy. Do celi wszedł gruby oprawca i postawił przed oficerem krzesło. Ten usiadł okrakiem, łokcie oparł na oparciu i patrzył przyjaźnie na swoją ofiarę.

– Dla kogo pracujesz?
– Dla Abwehry.
– Zadanie?
– Rozpracować polską siatkę szpiegowską.
– Dlaczego ściągnęli cię aż z Berlina? We Wrocławiu nie ma nikogo odpowiedniego?
– Nie wiem. Dostałem rozkaz.

Anwaldt słyszał obcy głos dobywający się z jego własnej krtani. Każdemu słowu towarzyszył ból gardła i mięśni twarzy zesztywniałych między gulami ukąszeń na oku i szczęce.

– Proszę mnie rozwiązać – wyszeptał.

Standartenführer patrzył na niego bez słowa. W inteligentnym oku zabłysło jakieś cieplejsze uczucie.

– Rozpracowujesz polski wywiad. A co mają z tym wspólnego baron von Köpperlingk i baron von der Malten?

– Na balu u barona von Köpperlingka był człowiek, którego śledziłem. A von der Malten nie ma związku ze sprawą.

– Jak się nazywa ten człowiek?

Anwaldta zwiódł przyjazny wyraz twarzy oprawcy. Wciągnął do płuc gęste powietrze i wyszeptał:

– Nie mogę powiedzieć...

Gestapowiec śmiał się przez chwilę bezgłośnie, po czym rozpoczął osobliwy monolog. Pytania zadawał grubym głosem, odpowiadał sobie samemu drżącym falsetem:

– Kto cię zbił na balu u barona? Jakiś bydlak, panie oficerze. Boisz się tego bydlaka? Tak, panie oficerze. Ale szerszeni się nie boisz? Owszem, boję się panie oficerze. Jak to? Przecież dwa zabiłeś! Nawet bez pomocy rąk! Ach rozumiem, Anwaldt, dwa to za mało dla ciebie... Może być ich więcej...

Gestapowiec skończył basowo falsetową przeplatankę i powoli wraził niedopałek papierosa w opuchliznę na obojczyku.

Obcy głos omal nie rozerwał opuchniętego gardła. Anwaldt leżał na posadzce i krzyczał. Minutę. Dwie. Standartenführer zawołał: „Konrad!". Wiadro zimnej wody uciszyło więźnia. Oprawca zapalił nowego papierosa i rozdmuchał jego koniec. Anwaldt wpatrywał się z przerażeniem w żarzący się szpic.

– Nazwisko tego podejrzanego?

– Paweł Krystek.

Gestapowiec wstał i wyszedł. Po pięciu minutach wszedł do celi w towarzystwie znanego Anwaldtowi Turka.

– Kłamiesz, głupcze. Nikogo takiego nie było u barona, prawda? – zwrócił się do Turka, który włożywszy okulary przeglądał plik czarno-srebrnych zaproszeń. Kręcił przy tym głową, potwierdzając w ten orientalny sposób słowa gestapowca, który chciwie zaciągnął się ostatkiem papierosa.

– Zmarnowałeś mój czas i ośmieszyłeś moje metody. Sprawiłeś mi przykrość. Dokuczyłeś mi – westchnął i pociągnął kilka razy nosem. – Proszę się nim zająć. Może pan będzie skuteczniejszy.

Turek wyjął z teczki dwie butelki miodu rozrobionego z niewielką ilością wody i powoli – obie naraz – wylał na głowę, ramiona i brzuch więźnia, szczególnie obficie oblał podbrzusze i genitalia. Anwaldt zaczął krzyczeć. Z jego krtani dobywał się bełkot, ale Turek zrozumiał: „Ja będę mówić!". Spojrzał na Standartenführera. Ten dał znak „rób dalej swoje". Turek wyjął z teczki słoik i podsunął go pod oczy więźniowi. Z tuzin szerszeni kąsało się wściekle i wykrzywiało grube odwłoki.

– Będę mówić!!!

Turek trzymał słoik w wyprostowanej ręce. Nad betonową posadzką.

– Będę mówić!!!

Turek upuścił słoik.

– Będę mówić!!!

Słoik zbliżał się do posadzki. Mocz rozprysnął się wokoło. Słoik wylądował na kamiennej podłodze. Anwaldt nie panował nad swoim pęcherzem. Tracił przytomność. Słoik nie zbił się. Jedynie głucho stuknął o beton.

Turek odsunął się ze wstrętem od nieprzytomnego więźnia. Pojawił się natomiast gruby Konrad. Odwiązał Anwaldta od krzesła i chwycił go pod pachy. Nogi wlokły się po kałuży. Standartenführer szczeknął:.

– Zmyjcie z niego te szczyny i zawieźcie do Lasku Osobowickiego – zamknął za Konradem drzwi i spojrzał na Turka. – Czemu ma pan taką zdziwioną minę, Erkin?

– Przecież miał go pan już na widelcu, Standartenführer Kraus. Już był gotów wszystko wyśpiewać.

– Jest pan zbyt narwany, Erkin – Kraus przyglądał się szerszeniom rzucającym się w słoiku z grubego jenajskiego szkła. – Przyjrzał mu się pan? Teraz musi odpocząć. Znam takich, jak on. Zacznie nam wyśpiewywać takie bzdury, że będziemy je musieli sprawdzać przez tydzień. A ja nie mogę go tak długo tu trzymać. Mock jest jeszcze bardzo silny, a z Abwehrą ma bardzo dobre stosunki. Poza tym, Anwaldt jest już mój. Jeżeli zdecyduje się na wyjazd, dorwą go moi ludzie w Berlinie. Jeżeli zostanie tutaj, to znowu go poproszę na rozmowę. I w jednym, i w drugim wypadku wystarczy, że zobaczy zwykłą pszczołę, a już będzie śpiewał. Erkin, od dzisiaj pan i ja jesteśmy dla tego policjanta demonami, które nigdy go nie opuszczą...

Na świat opadła wilgotnym całunem rosa. Perliła się na trawach, drzewach i nagim ciele mężczyzny. W zetknięciu z rozpaloną skórą natychmiast parowała. Policjant obudził się. Po raz pierwszy od wielu dni poczuł dreszcz chłodu. Z najwyższym trudem wstał i ciągnąc opuchniętą nogę obijał się o drzewa. Wyszedł na żwirową alejkę. Zmierzał ku jakiejś ciemnej budowli odbijającej się kanciastym cieniem od jaśniejącego nieba. W tym momencie smagnął go blask reflektorów. Pod budynkiem stał samochód, którego światła boleśnie wykrawały z ciemności nagość Anwaldta. Usłyszał okrzyk „Stój!", przytłumiony kobiecy śmiech, odgłos żwiru trzaskającego pod butami idących mężczyzn. Dotknął obolałej szyi, szorstka kołdra ocierała poranione ciało. Otworzył oczy w kojącym blasku nocnej lampki. Zza grubych szkieł wpatrywały się w niego mądre oczy doktora Abrahama Lanzmanna, osobistego lekarza barona von der Maltena.

– Gdzie ja jestem? – na jego twarzy pojawiła się nikła próba uśmiechu. Rozbawiło go, że po raz pierwszy to nie alkohol był przyczyną niepamięci.

– Jest pan w swoim mieszkaniu – doktor Lanzmann był niewyspany i poważny. – Przywieźli pana policjanci patrolujący tzw. Szwedzki Bastion w Lasku Osobowickim. Tam latem gromadzi się sporo dziewczynek. A tam, gdzie one są, zawsze dzieje się coś nieciekawego. Ale do rzeczy. Znalazł się pan na progu świadomości. Powtarzał pan uparcie swoje nazwisko, nazwisko Mocka, pana barona oraz swój adres. Policjanci nie chcieli zostawiać swojego, jak sądzili, pijanego kolegi i odwieźli pana do domu. Stąd zadzwonili do barona. Teraz muszę pana opuścić. Pan baron przekazuje przeze mnie tę oto kwotę – popieścił opuszkami palców kopertę leżącą na stole. – Tutaj ma pan maść na opuchliznę i skaleczenia. Na każdej buteleczce i fiolce jest informacja o przeznaczeniu i dawkowaniu lekarstwa. Sporo udało mi się znaleźć w domowej aptece, zważywszy na niecodzienną porę. Jest piąta rano. Żegnam pana. Przyjadę około południa, jak pan się wyśpi.

Mądre oczy doktora Lanzmanna przykryły się powiekami. Opuchnięte oczy Anwaldta również. Nie mógł zasnąć, przeszkadzały mu rozgrzane ściany, oddające dzienne ciepło. Po kilku ruchach stoczył się z łóżka na brudny dywan. Posuwając się na czworakach dotarł do parapetu, odsunął ciężkie zasłony i otworzył okno. Opadł na kolana i dotarł powoli do łóżka. Położył się na kołdrze i ocierał lnianą chustą, omijając opuchlizny – wulkany bólu. Gdy tylko zamykał oczy, do pokoju wlatywały chmary szerszeni, gdy zamykał przed nimi okno, mury kamienicy dusiły go rozpalonym oddechem, a z dziur wypełzały karaluchy – niektóre podobne do skorpionów. Słowem, nie mógł zasnąć przy zamkniętym oknie, a nie mógł spać z otwartymi oczami.

WROCŁAW, CZWARTEK 12 LIPCA 1934 ROKU.
GODZINA ÓSMA RANO

Rano trochę się ochłodziło. Zasnął na dwie godziny. Po przebudzeniu zobaczył cztery osoby siedzące koło łóżka. Baron cicho rozmawiał z doktorem Lanzmannem. Kiedy zauważył, że chory się obudził, skinął na dwóch stojących pod ścianą sanitariuszy. Ci chwycili policjanta pod pachy i zanieśli go do kuchni, umieścili w wielkiej balii napełnionej letnią wodą. Jeden obmywał gąbką obolałe ciało Anwaldta, drugi usuwał brzytwą ciemny zarost. Po chwili znów leżał w łóżku, na czystym, sztywnym prześcieradle i wystawiał swe poranione członki na działanie maści i balsamów doktora Lanzmanna. Baron cierpliwie czekał ze swoimi pytaniami, dopóki medyk nie skończy. Anwaldt mówił około dwóch kwadransów. Przerywał i zacinał się. Nie panował nad rozchwianą składnią. Baron słuchał na pozór obojętnie. W pewnej chwili policjant urwał w pół słowa i zasnął. Śnił o śnieżnych szczytach, lodowych przestrzeniach, o mroźnych podmuchach Arktyki: wiatr dął i wysuszał skórę, skąd ten chłód, skąd ten wiatr? Otworzył oczy i zobaczył w ciemnym słońcu zachodu jakiegoś chłopca wachlującego go złożoną gazetą.

– Kim jesteś? – z trudem poruszał szczęką obwiązaną bandażem.

– Helmut Steiner, kuchcik pana barona. Mam się panem opiekować, dopóki jutro doktor Lanzmann nie przyjedzie zbadać pana.

– Która godzina?

– Siódma wieczór.

Anwaldt próbował przejść się po pokoju. Z trudem opierał się na spuchniętej pięcie. Na krześle dostrzegł wyczyszczone i starannie odprasowane beżowe ubranie. Szybko wciągnął kalesony i rozejrzał się za papierosami.

– Idź do restauracji na rogu i przynieś dla mnie golonkę z kapustą i piwo. Kup też papierosy – z wściekłością zauważył, że na gestapo ukradziono mu papierośnicę i zegarek. Podczas nieobecności chłopca umył się przy kuchennym zlewie i zmęczony usiadł przy stole, starając się nie patrzeć w lustro. Niebawem stał przed nim dymiący talerz – drżący tłuszcz golonki pławił się w porcji młodej kapusty. Pochłonął wszystko w ciągu kilkunastu minut. Kiedy spojrzał na pękatą butelkę piwa Kipkego – po chłodnej szyjce płynęły kropelki wody, na czubku tkwił porcelanowy, biały kapelusz przytwierdzony niklowanym zapięciem – przypomniał sobie postanowienie całkowitej abstynencji. Parsknął szyderczym śmiechem i wlał w siebie pół butelki piwa. Zapalił papierosa i chciwie się zaciągnął.

– Kazałem ci kupić golonkę i piwo, czy tak?

– Tak.

– Powiedziałem wyraźnie „piwo"?

– Tak jest.

– Wyobraź sobie, że powiedziałem to machinalnie. A wiesz, kiedy mówimy machinalnie, to nie my mówimy, ale ktoś inny przez nas przemawia. Zatem, kiedy kazałem ci kupić piwo, to nie ja kazałem, ale ktoś inny, rozumiesz?

– Niby kto? – zaciekawił się skołowany chłopak.

– Bóg! – ryknął śmiechem Anwaldt i śmiał się dotąd, aż ból omal nie rozświdrował mu głowy. Przywarł do szyjki butelki i po chwili odstawił ją pustą. Ubrał się niezdarnie. Z trudem wcisnął kapelusz na obandażowaną głowę. Skacząc na jednej nodze pokonał spiralę schodów i znalazł się na ulicy zalanej zachodzącym słońcem.

VII

Eberhard Mock spacerował po sopockim molo i z niechęcią odrzucał co chwilę myśl o zbliżającym się obiedzie. Nie był głodny, gdyż między posiłkami wypijał kilka kufli piwa, które zagryzał gorącymi frankfurckimi serdelkami. Ponadto, dla obiadu musiał porzucić przyglądanie się dziewczętom spacerującym koło kasyna, których leniwe ciała tak prowokacyjnie prężyły się pod śliskim jedwabiem sukienek i kąpielowych strojów. Mock potrząsał głową i znów starał się odpędzić natarczywą myśl, która uparcie ciągnęła go w stronę dalekiego miasta duszącego się w niecce pełnej nieruchomego powietrza, w stronę ciasnych, zatłoczonych kwartałów kamienic i ciemnych studni podwórek, w stronę monumentalnych budowli zamkniętych w klasycystyczną biel piaskowca lub neogotycką czerwień cegły, w stronę obciążonych kościołami wysp owiniętych brudnozielonym wężem Odry, w stronę ukrytych w zieleni rezydencji i pałaców, w których „pan" z wzajemnością zdradza „panią", a służba wtapia się w boazerie ścian. Uparta myśl ciągnęła Mocka do tego miasta, w którym ktoś wrzuca skorpiony do brzucha pięknych jak sen dziewczyn, a zniechęceni mężczyźni z brudną przeszłością prowadzą śledztwo, które zawsze skończy się porażką. Wiedział, jak nazwać swoje myśli: wyrzuty sumienia.

Napełniony piwem, serdelkami i ciężkimi myślami Mock wszedł do „Domu Zdrojowego", gdzie wynajmował wraz z żoną tzw. apartament junkierski. W restauracji przywitał go z daleka błagalny wzrok żony stojącej obok dwu starych dam, które ani na chwilę jej nie opuszczały. Mock uświadomił sobie brak krawata i odwrócił się, aby pójść do apartamentu i naprawić ten garderobiany *faux pas*. Idąc przez hotelowy hall, kątem oka dojrzał wysokiego, ciemno odzianego mężczyznę, który wstał z fotela i ruszył w jego kierunku. Mock zatrzymał się instynktownie. Mężczyzna zaszedł mu drogę i przyciskając czapkę do piersi ukłonił się grzecznie.

– Ach, to ty, Hermann – spojrzał uważnie na szarą ze zmęczenia twarz szofera barona von der Maltena.

Hermann Wuttke jeszcze raz się ukłonił i wręczył Mockowi kopertę ze złotymi inicjałami barona. Mock trzykrotnie przeczytał list, włożył go starannie do koperty i mruknął do szofera:

– Poczekaj tu na mnie.

Po chwili wszedł do restauracji, niosąc podręczny sakwojaż. Zbliżał się do stolika piorunowany wzrokiem dwóch dam i rozpaczliwym spojrzeniem żony. Zaciskała mocno zęby, aby przełknąć gorycz rozczarowania. Wiedziała, że kończy się ich wspólny pobyt – jeszcze jedna nieudana próba ratowania małżeństwa z rozsądku. Nie musiał mieć przy sobie sakwojażu, aby poznała, że opuści za chwilę kurort, o którym marzył od lat. Wystarczyło, że spojrzała w jego oczy: zamglone, melancholijne i okrutne – takie jak zawsze.

WROCŁAW, CZWARTEK 12 LIPCA 1934 ROKU.
GODZINA DZIESIĄTA WIECZOREM

Po dwugodzinnym spacerze po centrum miasta (Rynek i ciemne uliczki koło Blücherplatz zaludnione łotrzykami i prostytutkami), Anwaldt siedział w piwiarni Orlicha „Orwi" na Gartenstrasse niedaleko operetki i przeglądał menu. W karcie było mnóstwo gatunków kaw, kakao, wielki wybór likierów i piwo od Kipkego. Ale było też coś, na co miał szczególną ochotę. Złożył kartę, a kelner stał już przy nim. Zażądał koniaku i syfonu wody mineralnej Deinerta. Zapalił papierosa i rozejrzał się dookoła. Miękkie krzesła otaczały czwórkami ciemne stoły, ponad obitymi drewnem lamperiami wisiały kolorowe pejzaże z Karkonoszy, zielony plusz osłaniał dyskretne łoże i gabinety, niklowane krany lały strugami pięniące się piwo w pękate kufle. Śmiech, głośne rozmowy i obfite opary aromatycznego tytoniu wypełniały restaurację. Anwaldt przysłuchiwał się uważnie rozmowom klientów i starał się odgadnąć ich zawody. Jak się łatwo zorientował, byli to głównie drobni fabrykanci i właściciele dużych firm rzemieślniczych sprzedający swe wyroby we własnych przywarsztatowych sklepach. Nie brakowało też ajentów, drobnych urzędników i studentów z oznakami swoich burszowskich stowarzyszeń. Po lokalu przechadzały się i uśmiechały jaskrawo ubrane kobiety. Omijały jednak stolik Anwaldta z niewyjaśnionej dla niego przyczyny. Poznał ją dopiero spojrzawszy na marmurowy blat: oto na serwetę haftowaną w trzebnickie kwiaty wygramolił się czarny skorpion. Wykonywał szybkie ruchy zakrzywionym odwłokiem, kierując w górę swój jadowity kolec. Bronił się w ten sposób przed szerszeniem, który usiłował go zaatakować.

Policjant zamknął oczy i próbował zapanować nad wyobraźnią. Ostrożnie wymacał dłonią znajomy kształt butelki, która przed chwilą znalazła się na stole. Odkorkował ją i uniósł ku ustom – wargi i przełyk przyjemnie parzyło roztopione złoto. Otworzył oczy: potwory ze stołu zniknęły. Śmiać mu się teraz chciało z tych lęków: z pobłażliwym uśmiechem patrzył na paczkę papierosów „Salem", na której widniał rysunek dużej osy. Napełnił baniasty kielich z cienkiego szkła i wypił duszkiem. Zaciągnął się papierosem. Alkohol, wzmocniony potężną dawką nikotyny, przenikał do krwi. Syfon bulgotał przyjaźnie. Zaczął nasłuchiwać rozmów przy sąsiednich stolikach.

– Panie Schultze, niech się pan nie przejmuje... Mało to złego spotyka człowieka na tym świecie? Naprawdę, panie Schultze... – bełkotał jakiś jegomość z przyklejonym do ciemienia melonikiem. – Mówię panu: ani dnia, ani godziny... Taka jest prawda... Bo weź na na ten przykład ostatni wypadek. Tramwaj skręcał z Teichstrasse w Gartenstrasse koło piekarni Hirschlika... I walnął, mówię panu, w dorożkę jadącą na dworzec... Drań fiakier przeżył, a zginęła kobieta z dzieckiem... Tak ich, świński ryj, zawiózł... Na tamten świat... Nikt nie zna dnia ani godziny... Ani ja, ani pan, ani ten, ani tamten... Te, poharatany, co się tak gapisz?

Anwaldt spuścił wzrok. Zasyczał poirytowany syfon. Podniósł obrus i zobaczył dwa spółkujące szerszenie, które splotły swe odwłoki. Szybko wygładził biel obrusa, który zamienił się w prześcieradło. Tym to prześcieradłem przykryto bankiera Schmetterlinga sczepionego bolesnym węzłem ze śliczną gimnazjalistką Erną.

Wypił dwa kieliszki koniaku pod rząd i spojrzał w bok, unikając wzroku pijanego grubasa, który wyjawiał panu Schultzemu wiedzę tajemną o życiu.

– Co? Pod pomnikiem „Walki i Zwycięstwa" na Königsplatz? Tam, powiadasz, przychodzą? Na ogół służące i bony? Masz rację – to wyjątkowa sytuacja. Nie musisz zalecać się i puszyć. One chcą od ciebie tylko tego, czego ty od nich... – chudy student pił „Beaujolais" wprost z butelki i wpadał w coraz większe podniecenie. – Tak. To jasna sytuacja. Podchodzisz, uśmiechasz się i zabierasz ją do siebie. Nie tracisz pieniędzy ani honoru. Ech, co tam konkurencja ze strony żołnierzy!... Przepraszam, czy ja skądś pana znam?

– Nie. Zamyśliłem się... – odparł Anwaldt. *(Chciałbym z kimś porozmawiać. Albo zagrać w szachy. Tak – w szachy. Tak jak kiedyś w sierocińcu. Karl – ten to był zapalony szachista. Stawialiśmy między łóżkami kartonową walizkę, na niej szachownicę. Kiedyś, gdy graliśmy, do sali wszedł pijany wychowawca).* Anwald słyszał teraz wyraźnie stukot rozsypujących się figurek i czuł kopniaki, jakimi wychowawca obdarzał i walizkę, i ich kryjące się po łóżkami ciała.

Dwa kielichy, dwa hausty, dwie nadzieje.

– Panic Schultze, dobrze, że wywalili z pracy tych profesorów. Nie bydzie Żyd uczył niemieckich dzieci... Nie bydzie pluł... pluł... Nie bydzie plugawił...

Syk gazowych płomyków, niecierpliwy syk syfonu: napij się jeszcze!

– Ech, ci polscy studenci! Wiedzy u nich za grosz! A jakie wymagania! Jakie maniery! I dobrze, że ich nauczono rozumu na gestapo. Są w niemieckim mieście, niech więc mówią po niemiecku!

Anwaldt potykając się ruszył do ubikacji. Na jego drodze zgromadzone były liczne przeszkody: nierówne deski podłogi, stoły tarasujące przejście, kelnerzy uwijający się wśród gęstego dymu. Dotarł w końcu do celu. Spuścił spodnie, ręce oparł na ścianie i kiwał się na boki. Wśród jednostajnego szumu słyszał głuchy łomot serca. Wsłuchiwał się w ten odgłos przez dłuższą chwilę. Nagle usłyszał krzyk i zobaczył ponętne ciało Lei Friedländer drgające pod sufitem. Runął z powrotem do sali. Musiał się napić, aby wyskrobać spod powiek ten obraz.

– Och, jakże się cieszę, że pana widzę, Herr Kriminaldirektor! Tylko pan może mi pomóc! – krzyknął z radością do Mocka, który siedział przy jego stoliku i palił grube cygaro.

- Spokojnie, Anwaldt, to wszystko nieprawda! Lea Friedländer żyje – silna, pokryta czarnymi włoskami dłoń poklepywała jego przedramię. – Nie martw się, rozwiążemy tę sprawę.

Anwaldt spojrzał na miejsce, gdzie przed chwilą był Mock. Teraz siedział tam kelner i patrzył na niego rozbawionym wzrokiem.

– No, dobrze, że się szanowny pan obudził. Byłoby mi głupio wyrzucać klienta, który daje takie napiwki. Zamówić dla szanownego pana dorożkę albo taksówkę?

WROCŁAW, SOBOTA 14 LIPCA 1934 ROKU.
GODZINA ÓSMA RANO

Poranne słońce obrysowało rzymski profil barona von der Maltena i fale czarnych włosów Eberharda Mocka. Obaj panowie siedzieli w ogrodzie barona i pili aromatyczną kawę.

– Jak minęła podróż?

– Dziękuję, dobrze. Byłem tylko trochę niespokojny, zważywszy na szybkość jazdy i zmęczenie twojego szofera.

– O, Hermann to żelazny człowiek. Czytałeś raport Anwaldta?

– Tak. Bardzo precyzyjny. Dobrze, że od razu mi go przesłałeś.

– Pisał go przez cały wczorajszy dzień. Twierdzi, że dobrze mu się pracuje po przepiciu.

– Upił się? Naprawdę?

– Niestety. U Orlicha koło operetki. Co zamierzasz, Eberhardzie? Jakie są twoje dalsze plany?

– Zamierzam zająć się Maassem i von Köppelringkiem – Mock wypuścił gruby kłąb dymu. – Oni mnie doprowadzą do tego Turka.

– A co ma z nim wspólnego Maass?

– Olivierze, baron von Köppelringk przekupił Maassa ślicznymi sprzedajnymi gimnazjalistkami od madame le Goef. Anwaldt ma rację: Maass jest zbyt inteligentny, aby nie wiedzieć, że ma do czynienia z córami Koryntu, ale z drugiej strony, zbyt egocentryczny, aby to przyjąć do wiadomości. Jest to, jak sądzę, typ profesora Andreae. W jakm celu przekupił go baron? Dowiemy się tego. A potem przycisnę barona. Jestem pewien, że poda mi Turka na tacy. Anwaldt niczego więcej nie wskóra. Za mało zna Wrocław, a poza tym porządnie go przestraszyli. Teraz ja wkraczam do akcji.

– W jaki sposób zmusisz ich do mówienia?

– Olivierze, proszę... Pozostaw mi moje metody. O, właśnie idzie Anwaldt. Dzień dobry! Coś nieszczególnie pan wygląda. Wpadł pan do kwasu solnego?

– Miałem drobne kłopoty – rzekł rekonwalescent kłaniając się obu panom. Mock, ściskając go serdecznie, powiedział:

– Proszę się nie martwić. Gestapo nie będzie już pana nękało. Załatwiłem to przed chwilą. (*Tak, sprawnie to załatwił – myślał baron podając Anwaldtowi wiotką dłoń. – Nie chciałbym być w skórze tego Forstnera*).

– Dziękuję panu – wychrypiał Anwaldt. Zwykle trzeciego dnia po przepiciu ustępowały bóle somatyczne, lecz pojawiała się silna depresja. Byłoby tak i teraz, gdyby nie jeden jedyny człowiek – Eberhard Mock. Widok tego kanciastego mężczyzny w nienagannie skrojonym jasnym garniturze podziałał na Anwaldta uspokajająco. Spojrzał ze skruchą na Mocka i po raz pierwszy w życiu doznał wrażenia czyjejś opieki.

– Przepraszam. Upiłem się. Nie mam nic na swoje usprawiedliwienie.

Istotnie. Nic pana nie usprawiedliwia. Jeżeli jeszcze raz pan się upije, zrywam z panem współpracę i jedzie pan do Berlina. A radca kryminalny von Grappersdorff nie przyjmie tam pana z otwartymi rękami! – Mock patrzył surowo na pokornie pochylonego Anwaldta. Nagle otoczył go ramieniem. – Już się pan nie upije. Po prostu nie będzie pan miał powodu. Wróciłem z Sopotu i będę nad panem czuwał. Razem prowadzimy to śledztwo. Pan baron pozwoli – zwrócił się do von der Maltena obserwującego całą scenę z pewnym niesmakiem – że się odmeldujemy. Jesteśmy umówieni z dyrektorem Biblioteki Uniwersyteckiej, doktorem Hartnerem.

WROCŁAW, TEGOŻ 14 LIPCA 1934 ROKU.
GODZINA DZIEWIĄTA RANO

Mimo wczesnej pory słońce bezlitosnie prażyło szyby i dach adlera. Anwaldt prowadził samochód, Mock pilotował i objaśniał mijane ulice i obiekty. Jechali Krietener Weg, wzdłuż której ciągnęły się robotnicze czynszówki przetykane małymi ukwieconymi domkami. Minęli słup graniczny Wrocławia i znaleźli się w Klecinie. Przez gęste powietrze przebijał słodkawy smród cukrowni Liebicha. Za prawą szybą mignął niedawno zbudowany kościół ewangelicki, oddzielony niskim płotem od ukrytej wśród drzew plebanii. Koła samochodu zadudniły po nierównym bruku Klettendorfer Strasse. Mock zamyślił się i zaprzestał komentowania okolicy. Jechali przez piękną podmiejską miejscowość, pełną ogrodów i willi.

– Acha, jesteśmy w Oparowie? Tylko że wjechaliśmy z innej strony, tak?

– Tak. To Oporów, nie Oparów.

Anwaldt nie pytał o dalszą drogę. Zaparkował samochód pod salonem madame le Goef. W tej ciszy słychać było przytłumione okrzyki kąpiących się mimo wczesnej pory w basenie sportowym, odległym o jakieś 200 metrów. Mock nie wysiadał. Wyjął papierośnicę i poczęstował Anwaldta. Prążkowana, błękitna bibułka zwilgotniała od palców.

– Przeżył pan ciężkie upokorzenie, Herbercie – za każdym słowem wydostawały się z nosa i z ust Mocka papierosowe chmurki. – Ja też przeżyłem kiedyś podobne. Stąd wiem, jak zdusić w sobie gorycz. Należy atakować, rzucać się komuś do gradła, szarpać i gryźć. Walczyć! Działać! Kogo dziś zaatakujemy, Herbercie? Przekupnego erotomana Maassa. Kogo wykorzystamy przeciwko niemu? – nie odpowiedział, lecz wskazał głową na pałacyk stojący w rozgrzanym ogrodzie. Zgasili papierosy i ruszyli. Nikt ich nie zatrzymał ani przy furcie, ani na podjeździe. Strażnicy kłaniali się grzecznie Mockowi. Po kilku ostrych dzwonkach drzwi uchyliły się nieznacznie. Mock rozwarł je na oścież kopniakiem i ryknął do przerażonego kamerdynera:

– Gdzie jest madame?!

Madame zbiegała po schodach, zawijając poły szlafroka. Była nie mniej przerażona od oddźwiernego.

– Ach, co się stało, ekscelencjo? Dlaczego ekscelencja taka zła?

Mock postawił jedną nogę na stopniu schodów, oparł pięści na biodrach i wrzasnął tak, że zakołysały się kryształki stojącej w hallu lampy.

– Co to ma znaczyć, do cholery?! Mój współpracownik jest bandycko napadany w tym lokalu! Jak ja mam to rozumieć?!

– Przepraszam, było tu nieporozumienie. Młody pan nie miał legitymacji. Ale proszę, proszę... Do mojego kabinetu... Kurt przynieś piwa, syfon, lód, cukier i cytryny.

Mock rozparł się bezceremonialnie za biurkiem madame, Anwaldt – na skórzanej kanapce. Madame przysiadła na brzeżku krzesła i spoglądała lękliwie to na jednego, to na drugiego policjanta. Mock przedłużał milczenie. Wszedł służący.

– Cztery lemoniady – zadysponował Mock. – Dwie dla tego pana.

Na małym stoliku pociły się cztery wysokie szklanki. Za służącym zamknęły się drzwi. Anwaldt pochłonął pierwszą lemoniadę prawie jednym łykiem. Drugą sączył znacznie wolniej.

– Proszę zawołać pseudogimnazjalistkę i jakąś drugą ładną osiemnastolatkę. Ma to być „dziewica”. Wie pani, o czym mówię? Potem proszę nas z nimi zostawić sam na sam.

Madame uśmiechnęła się znacząco i wycofała jak sprzed oblicza króla. Świeżo podmalowane oko mrugało znacząco. Była szczęśliwa, że „ekscelencji” minęła złość.

„Gimnazjalistce” towarzyszył rudowłosy anioł o jasnopiwnych oczach i białej, przezroczystej skórze. Nie pozwolili dziewczętom usiąść. Stały więc na środku pokoju zakłopotane i bezradne.

Anwaldt wstał i, założywszy ręce do tyłu, przespacerował się po pokoju. Nagle zatrzymał się przed „Erną”.

– Posłuchaj mnie uważnie. Dzisiaj brodaty szofer zawozi ciebie do Maassa. Powiesz Maassowi, że twoja koleżanka z gimnazjum pragnie go poznać i uszczęśliwić. Czeka na niego w hotelu... Jakim? – zapytał Mocka.

– „Pod Złotą Gęsią” na Junkerstrasse 27/297.

– Ty – Anwaldt zwrócił się do rudowłosej – rzeczywiście będziesz tam na niego czekać w pokoju 104. Portier da ci klucz. Masz udawać niewiniątko i oddać się Maassowi po długich oporach. Madame powie ci, co zrobić, aby klient myślał, że ma do czynienia z dziewicą. Potem ty – pokazał palcem na „Ernę” – dołączysz się do nich.

Krótko mówiąc, musicie w tym hotelu zatrzymać Maassa przez dwie godziny. Nie chciałbym być w waszej skórze, jeśli to się wam nie uda. To wszystko. Macie jakieś pytania?

– Tak – rozległ się alt „gimnazjalistki". – Czy szofer zgodzi się tam nas zawieźć?

– Jemu jest wszystko jedno, gdzie się puszczasz, byleby z Maassem.

– Ja też mam pytanie – zachrypiał rudowłosy anioł. (*Dlaczego one wszystkie mają takie grube głosy? Nie szkodzi. I tak są uczciwsze niż Erna Stange ze swoim melodyjnym, cichym popiskiwaniem*). – Skąd mam wziąć gimnazjalny mundurek?

– Włóż zwykłą sukienkę. Jest lato i nie wszystkie gimnazja wymagają od uczniów mundurów. Poza tym, powiedz mu, że wstydziłaś się przyjść w mundurku na schadzkę do hotelu.

Mock podniósł się powoli zza biurka. – Macie jeszcze jakieś pytania?

WROCŁAW, TEGOŻ 14 LIPCA 1934 ROKU.
GODZINA DZIESIĄTA RANO

Zaparkowali adlera przed Prezydium Policji. Po wejściu do ponurego gmachu, którego mury koiły piwnicznym chłodem, rozdzielili się: Mock poszedł do Forstnera, Anwaldt do archiwum materiałów dowodowych. Po kwadransie spotkali się przy kantorku portiera. Obaj trzymali pod pachą jakieś pakunki. Z żalem opuścili grube mury Prezydium i zachłysnęli się gorącym tchnieniem ulicy. Przy samochodzie stał policyjny fotograf Helmut Ehlers, którego wielka łysa głowa zdawała się odbijać promienie słoneczne. Wszyscy trzej wsiedli do samochodu, prowadził Anwaldt. Pojechali najpierw do trafiki Deutschmanna na Schweidnitzer Strasse, gdzie Mock kupił swoje ulubione cygara, a następnie zawrócili. Minęli kościół św. Doroty, hotel „Monopol", Teatr Miejski, dom towarowy Wertheima i skręcili w prawo – w Tauentziestrasse. Zatrzymali się po kilkunastu metrach. Z zacienionej bramy wyszedł Kurt Smolorz i zbliżył się do auta. Szybko usiadł koło Ehlersa i rzekł:

– Jest u niego już pięć minut. Kierowca Köpperlingka czeka na nią tam – pokazał ręką szofera, który ćmił papierosa oparty o mercedesa. Wachlował się zbyt małą sztywną czapką i najwyraźniej dusił się w ciemnej liberii opatrzonej złotymi guzikami z monogramem barona. Po chwili na gorącym jak piec chodniku znalazł się wyraźnie podekscytowany Maass z przyczepioną do jego boku piękną gimnazjalistką. Jakaś przechodząca obok nich jejmość splunęła z obrzydzeniem. Wsiedli do mercedesa. Szofer nie okazał najmniejszego zdziwienia. Zawarczał silnik. Po chwili zniknął im z oczu elegancki tył limuzyny.

– Panowie – rzekł cicho Mock. – Mamy dwie godziny. A Maass niech się na koniec jeszcze trochę nacieszy. Niedługo znajdzie się u nas...

Wysiedli i z ulgą schronili się w cień bramy. Niski dozorca zaszedł im drogę i zapytał trochę przestraszony:

– Panowie do kogo?

Mock, Ehlers i Smolorz nie zwrócili na niego najmniejszej uwagi. Anwaldt pchnął go na ścianę i ścisnął mocno jedną dłonią zarośnięte policzki. Usta dozorcy zwinęły się w przestraszony ryjek.

– Jesteśmy z policji, ale ty nas nie widziałeś. Rozumiesz, czy chcesz mieć kłopoty?

Dozorca kiwnął głową na znak, że rozumie i czmychnął w głąb podwórza. Anwaldt z trudem wspiął się na pierwsze piętro i nacisnął mosiężną klamkę. Ustąpiła. Mimo że rozmowa z dozorcą i wejście na schody zajęły mu dwie minuty, obaj policjanci i fotograf nie tylko bezgłośnie weszli do mieszkania, lecz nawet rozpoczęli szczegółową i metodyczną rewizję. Anwaldt szybko do nich dołączył. Zaopatrzeni w rękawiczki podnosili i oglądali rozmaite przedmioty, po czym odstawiali je dokładnie w to samo miejsce. Po godzinie wszyscy spotkali się w gabinecie Maassa, osobiście przeszukiwanym przez Mocka.

– Siadajcie – Mock wskazał im krzesła rozstawione wokół okrągłego stolika. – Zrewidowaliście kuchnię, łazienkę, sypialnię i salon? Dobra robota. Nie było tam nic ciekawego? Tak myślałem. Tutaj jest za to jedna rzecz ciekawa... Ten oto zeszyt. Ehlers, do dzieła!

Fotograf wyjął swój sprzęt, na biurku postawił poziomy, ruchomy statyw, na którym umieścił aparat „Zeiss". Na blacie biurka położył znaleziony przez Mocka brulion. Przycisnął go szybą i nacisnął wężyk spustowy. Strzelił flesz po raz pierwszy. Na błonie fotograficznej utrwaliła się strona tytułowa: *„Die Chronik von Ibn Sahim.* Übersetzt von Dr. Georg Maass"[11]. Flesz trzaskał i strzelał jeszcze piętnaście razy, aż wszystkie strony zapisane równym drobnym pismem zostały sfotografowane. Mock spojrzał na zegarek i powiedział:

– Drodzy panowie, zmieściliśmy się w czasie. Ehlers, o której może mieć pan gotowe zdjęcia?

– O piątej.

– Wtedy odbierze je od pana Anwaldt. Tylko on, rozumie pan?

– Tak jest.

– Dziękuję panom.

Smolorz zamknął drzwi z równą łatwością, z jaką je otworzył. Anwaldt spojrzał przez witraż i w jego kolorowej poświacie dostrzegł dozorcę zamiatającego podwórze i rozglądającego się lękliwie po oknach. Było prawdopodobne, że nie wie, do jakiego mieszkania wtargnęli. Po kilkunastu sekundach znaleźli się w samochodzie. Kierował Mock. Przez Agnesstrasse pojechali do Prezydium Policji, gdzie wysiedli Ehlers i Smolorz. Mock i Anwaldt skręcili w Schweidnitzer Strasse, a następnie na Zwinger Platz i minąwszy palarnię kawy i resursę kupiecką, wjechali w ruchliwą Schuhbrücke. Minęli domy towarowe Petersdorffa i braci Baraschów uwieńczony szklaną kulą ziemską, następnie pozostawili za sobą Muzeum Paleontologiczne i dawne Prezydium Policji. Dojechali do Odry. Koło gimnazjum św. Macieja skręcili w prawo i wnet znaleźli się na Ostrowie Tumskim. Minąwszy średniowieczną katedrę i czerwony budynek alumnatu Georgianum, znaleźli się na Adalbertstrasse. Po chwili kłaniał im się w pas boy z restauracji „Pod Lessingiem".

W sali panował przyjemny chłód, który najpierw przywrócił swobodny oddech, potem wywołał spokojną senność. Anwaldt zamknął oczy. Zdawało mu się, że kołyszą go łagodne fale. Szczęk sztućców. Mock atakował dwoma widelcami chrupiącego, różowego łososia

---

[11] *„Kronika Ibn Sahima.* Przełożył dr Georg Maass".

pływającego w chrzanowym sosie. Spojrzał z rozbawieniem na śpiącego Anwaldta.

– Niechże się pan obudzi, Anwaldt – dotknął ramienia śpiącego mężczyzny. – Wystygnie panu obiad.

Paląc cygaro obserwował, jak Anwaldt łapczywie zajada befsztyk z kiszoną kapustą i z ziemniakami.

– Proszę się nie obrazić, Herbercie – Mock położył dłoń na swoim wydętym brzuchu. – Przejadłem się, a panu, jak widzę, dopisuje apetyt. Może wziąłby pan ode mnie ten kawałek łososia? Nawet go nie ruszyłem.

– Z przyjemnością. Dziękuję – uśmiechnął się Anwaldt. Nikt nigdy nie dzielił się z nim jedzeniem. Zjadł rybę ze smakiem i pociągnął spory łyk czarnej, mocnej herbaty.

Mock budował w myślach charakterystykę Anwaldta. Była ona niepełna bez szczegółów tortur w kazamatach gestapo. Nie przychodziło mu jednak do głowy żadne zręczne pytanie, żaden chwyt, którym sprowokowałby Anwaldta do wyznań. Kilkakrotnie otwierał już usta i natychmiast je zamykał, gdyż wydawało mu się, że to, co powie, będzie głupie i płaskie. Po chwili pogodził się z myślą, że nie przeczyta za tydzień dziewczynom od madame le Goef psychologicznej charakterystyki Anwaldta.

– Jest w tej chwili wpół do drugiej. Do wpół do piątej proszę przejrzeć akta von Köpperlingka i zastanowić się, jak go możemy przyszpilić. Proszę również przejrzeć akta wszystkich Turków. Może pan coś znajdzie. O wpół do piątej odda pan te wszystkie akta Forstnerowi, o piątej odbierze pan zdjęcia od Ehlersa i przyjedzie do mnie do domu. Zostawiam panu samochód. Wszystko jasne?

– Tak jest.

– No to czemu pan tak dziwnie patrzy? Czegoś panu trzeba?

– Nic, nic... Po prostu nikt nigdy nie dzielił się ze mną jedzeniem.

Mock roześmiał się głośno i poklepał drobną dłonią ramię Anwaldta.

– Niechże pan nie bierze tego za oznakę jakiejś szczególnej sympatii dla pana – skłamał. – To nawyk z dzieciństwa. Zawsze musiałem oddawać pusty talerz... Teraz jadę dorożką do domu. Muszę się zdrzemnąć. Do widzenia.

Krimnaldirektor usypiał już w dorożce. Na granicy snu i jawy przypomniał sobie pewien niedzielny obiad sprzed roku. Siedział wraz z żoną w jadalni i łapczywie łykał żeberka w sosie pomidorowym. Żona jadła również z wielkim smakiem, wyjadając najpierw mięso. W pewnym momencie spojrzała błagalnie na talerz Mocka, który zawsze najlepsze kąski zostawiał na koniec.

– Proszę cię, daj mi trochę mięsa.

Mock nie zareagował i napchał sobie usta całym mięsem, jakie jeszcze miał na talerzu.

– Jestem pewna, że nie dałbyś nawet swoim dzieciom, gdybyś oczywiście mógł mieć dzieci – wstała rozgniewana. (*Znów nie miała racji. Przecież dałem. I to obcemu!*).

WROCŁAW, TEGOŻ 14 LIPCA 1934 ROKU.
GODZINA DRUGA PO POŁUDNIU

Anwaldt wyszedł z restauracji i wsiadł do samochodu. Spojrzał na akta opatrzone pieczęciami gestapo i na pakunek, który dziś rano zabrał z archiwum. Rozpakował go i wzdrygnął się: dziwne, powyginane pismo. Sczerniała krew na niebieskiej tapecie. Zapakował z powrotem krwawy napis i wysiadł z samochodu. Pod pachą dźwigał akta gestapo i pled, którym Mock przykrywał tylne siedzenie. Nie miał ochoty jechać przez rozprażone miasto. Skierował się w stronę wysmukłych wież kościoła św. Michała, do Waschteich Park, którego dziwną nazwę objaśnił mu Mock podczas jazdy: w średniowieczu kobiety prały bieliznę w znajdującym się tutaj stawie. Teraz nad stawem biegały rozkrzyczane dzieci, a większość ławek zajmowały bony i służące. Kobiety te wykazywały się znakomitą podzielnością uwagi prowadząc jednocześnie jazgotliwe polemiki i pokrzykując na dzieci taplające się w płytkiej przybrzeżnej wodzie. Pozostałe ławki zajmowali żołnierze i okoliczna łobuzeria paląca dumnie papierosy.

Anwaldt zdjął marynarkę, położył się na pledzie i rozpoczął przeglądanie akt von Köpperlingka. Niestety, nie było w nich niczego, czym można by „przyszpilić" barona. Co więcej: wszystko, co wyczyniał w swoim apartamencie i w swoich posiadłościach, odbywało się z pełnym błogosławieństwem gestapo. (Mock powiedział mi, że nawet Kraus, choć najpierw wpadł w furię, gdy dowiedział się o swym homoseksualnym agencie, szybko zdał sobie sprawę z korzyści, jakie może dzięki niemu odnieść). Nadzieją napełniła Anwaldta ostatnia informacja – o służącym barona, Hansie Tetgesie.

Położył się na wznak i za pomocą kilku brutalnych i sugestywnych obrazów wymyślił sposób na barona. Zadowolony ze swojego pomysłu, zaczął teraz przeglądać akta Turków notowanych przez gestapo i kripo. Było ich razem ośmiu: pięciu wyjechało z Wrocławia przed 9 lipca, kiedy odbył się bal u barona, pozostałych trzech należało wykluczyć z racji wieku – wszak oprawca Anwaldta nie mógł mieć dwudziestu lat (jak dwaj tureccy studenci politechniki), ani też sześćdziesięciu (jak pewien kupiec, notowany w aktach gestapo z powodu swej nieposkromionej skłonności do hazardu). Oczywiście dane z urzędu meldunkowego i z konsulatu tureckiego, które miał mu dostarczyć Smolorz, mogły przynieść jakieś dodatkowe infromacje o Turkach, nie mających wątpliwej przyjemności znalezienia się w dokumentach policyjnych.

Kiedy zawiódł trop turecki, Anwaldt całą siłę intelektu włożył w obmyślanie szczegółów „imadła na barona". Koncentracji nie sprzyjały głośne protesty dziecka, które w pobliżu Anwaldta dochodziło swoich racji. Uniósł się na łokciu i słuchał dobrotliwego uspokajania starej bony i histerycznego głosiku malca.

– Ależ Klaus, powtarzam ci: pan, który wczoraj przyjechał, jest twoim tatusiem.

– Nie! Nie znam go! Mamusia mi mówiła, że nie mam tatusia! – rozzłoszczony kilkulatek tupał w wyschniętą ziemię.

– Mamusia mówiła ci tak, bo wszyscy myśleli, że twojego tatusia zabili dzicy Indianie w Brazylii.

– Mamusia nigdy mi nie kłamie! – załamywał się dyszkancik.

– No i nie okłamała cię. Powiedziała, że nie masz tatusia, bo myślała, że nie żyje. Teraz tatuś przyjechał... No, to wiadomo, że żyje... Teraz już masz tatusia – tłumaczyła piastunka z niewiarygodną cierpliwością.

131

Mały nie ustępował. Wyrżnął o ziemię drewnianym karabinem i wrzasnął:

– Kłamiesz! Mamusia nie kłamie! Dlaczego nie powiedziała mi, że to tatuś?!

– Nie zdążyła. Rano wyjechali do Trzebnicy. Wrócą jutro wieczorem, to ci wszystko powiedzą...

– Mamusiu!!! Mamusiu!!! – rozdarł się chłopiec i rzucił na ziemię waląc w nią rękami i nogami. Wzniecał przy tym tumany kurzu, który osiadał na jego świeżo odprasowanym marynarskim ubranku. Piastunka usiłowała podnieść go z ziemi. Skutek był taki, że Klaus wyrwał się i wbił zęby w jej pulchne przedramię.

Anwaldt wstał, złożył akta, zwinął pled i kuśtykając ruszył w stronę samochodu. Nie oglądał się, gdyż bał się, że wróci, chwyci Klausa za marynarski kołnierz i utopi w sadzawce. Morderczych myśli nie wywołał u policjanta krzyk dziecka, który jak lancet ciął poranioną głowę i sine ślady po użądleniach szerszeni; nie, to nie krzyk doprowadził go do furii, lecz bezmyślny głuchy upór, z jakim rozpieszczony bachor odrzucał nieoczekiwane szczęście: powrót rodzica, który zjawił się po latach. Nie wiedział nawet, że mówi sam do siebie:

– Jak wytłumaczyć takiemu uparciuchowi, że jego opory są idiotyczne? Należy mu przylać, a wtedy pozna swoją głupotę. Przecież niczego nie zrozumie, jeżeli podejdę do niego, wezmę na kolana i powiem: „Klaus, czy zdarzyło ci się kiedyś, że stałeś przy oknie z twarzą przyklejoną do szyby, obserwowałeś przechodzących mężczyzn i o każdym bez wyjątku mówiłeś: to jest mój tatuś, jest bardzo zajęty i dlatego oddał mnie do sierocińca, ale niedługo mnie stąd zabierze?".

VIII

WROCŁAW, SOBOTA 14 LIPCA 1934 ROKU.
WPÓŁ DO TRZECIEJ PO POŁUDNIU

Kurt Smolorz siedział na skwerze na Rehdigerplatz, wypatrywał Mocka i coraz bardziej martwił się stanem swojego raportu. Miał w nim zawrzeć wyniki inwigilacji Konrada Schmidta, silnorękiego z gestapo, zwanego przez klawiszów i więźniów „grubym Konradem". Wyniki te powinny były pomóc w znalezieniu skutecznego środka przymusu, czyli „imadła na Konrada", jak to metaforycznie określał Mock. Z informacji zdobytych przez Smolorza wynikało, że Schmidt był sadystą, u którego ilość komórek tłuszczowych była odwrotnie proporcjonalna do szarej substancji mózgowej. Zanim znalazł zatrudnienie w służbie więziennej, pracował jako hydraulik, atleta cyrkowy i strażnik w gorzelni Kani. Stamtąd trafił do więzienia za kradzież spirytusu. Wyszedł po roku i na tym urywała się chronologiczna ciągłość jego akt. Dalsze dotyczyły wyłącznie Konrada-klawisza. W tym też zawodzie pracował od roku w gestapo. Smolorz spojrzał na pierwszą notkę: „picie wódy" pod nagłówkiem „Słabe punkty" i skrzywił się ze złością. Zdawał sobie sprawę, że ta adnotacja nie zadowoli jego szefa. W końcu wódka mogła być jedynie „imadłem" na alkoholika, a tym gruby Konrad z pewnością nie był. Drugi zapis brzmiał: „łatwo daje się sprowokować do awantury". Smolorz nie wyobrażał sobie, jak ten fakt można by wykorzystać przeciwko Schmidtowi, ale to w końcu nie on był od myślenia. Z trzecią i ostatnią adnotacją: „jest chyba zboczeńcem seksualnym, sadystą" łączył nadzieję, że jego tygodniowa wytężona praca nie poszła na marne.

Był zły również na Mocka za zakaz zwykłej drogi służbowej, przez co on, Smolorz, zamiast popijać gdzieś teraz zimne piwo, zostawiwszy wcześniej raport na biurku swojego szefa, musiał warować pod jego domem, i to nie wiadomo, jak długo.

Okazało się, że niezbyt długo. Po kwadransie Smolorz siedział przy tak wymarzonym zapoconym kuflu w mieszkaniu Mocka i czekał z pewnym niepokojem na opinię szefa. Opinia była natury raczej stylistycznej.

– Co to, Smolorz, nie umiecie prawidłowo i urzędowo formułować myśli – śmiał się w głos Kriminaldirektor. – Przecież w piśmie urzędowym piszemy „skłonność do napojów wyskokowych", nie zaś „picie wódy". No dobrze, dobrze, jestem z was zadowolony. A teraz idźcie do domu, muszę się zdrzemnąć przed pewną ważną wizytą.

Nowo mianowany dyrektor Biblioteki Uniwersyteckiej doktor Leo Hartner przeciągnął swój kościsty korpus i po raz setny przeklął w myślach architekta, który zaprojektował barokowy klasztor augustianów, obecnie okazały gmach Biblioteki Uniwersyteckiej przy Neue Sandstrasse. Błąd architekta polegał – według Hartnera – na usytuowaniu reprezentacyjnego pomieszczenia służącego obecnie jako gabinet dyrektorski od północnej strony, dzięki czemu w pokoju panował chłód, przyjemny dla wszystkich oprócz gospodarza. Jego niechęć do temperatur niższych niż 20 stopni Celsjusza miała swoje uzasadnienie. Ten znakomity znawca języków orientalnych wrócił przed kilkoma tygodniami z Sahary, gdzie przebywał prawie trzy lata badając języki i zwyczaje pustynnych plemion. Teraz rozpalony latem Wrocław dostarczał mu ulubionego ciepła, które kończyło się – niestety – na progu jego gabinetu. Grube mury – kamienne termoodporne bariery irytowały go bardziej niż mroźne saharyjskie noce, kiedy głęboki sen izolował go od panującego zimna. Teraz zaś tutaj – w zamkniętej przestrzeni swojego gabinetu – musiał działać, podejmować decyzje i podpisywać mnóstwo dokumentów zgrabiałymi rękami.

Panujący w pomieszczeniu chłód zgoła odmiennie działał na dwóch mężczyzn wygodnie rozpartych w skórzanych fotelach. Obaj oddychali pełną piersią i zamiast żaru i pyłu ulicy wdychali bakterie i zarodniki pleśni zrodzone na pożółkłych stronicach woluminów.

Hartner spacerował nerwowo po pokoju. W rękach trzymał kawałek tapety z „wersetami śmierci":

– Dziwne... Pismo podobne jest do tego, jakie widziałem w Kairze w arabskich rękopisach z XI lub XII wieku – jego inteligentna szczupła twarz zastygła w namyśle. Krótko obcięte, siwe włosy jeżyły się na ciemieniu. – Ale nie jest to język arabski, jaki ja znam. Prawdę mówiąc, ten zapis wcale mi nie wygląda na semicki. No cóż, proszę mi to zostawić na kilka dni; możliwe, że złamię ten szyfr, kiedy pod pismo arabskie podłożę jakiś inny język.... Widzę, że panowie jeszcze coś dla mnie mają. Co to za fotografie, panie, panie...

– Anwaldt. Są to kopie zapisków doktora Georga Maassa, które zostały przez niego samego określone jako przekład kroniki arabskiej Ibn Sahima. Prosilibyśmy pana dyrektora o więcej informacji na temat tej kroniki, jej autora, a także na temat tego tłumaczenia.

Hartner szybko przebiegł oczami tekst Maassa. Po kilku minutach jego wargi wykrzywiły się w uśmiechu politowania.

– W tych kilku zdaniach widzę wiele cech charakterystycznych dla naukowego pisarstwa Maassa. Ale na razie wstrzymam się z uwagami na temat tego przekładu, dopóki nie poznam tekstu oryginalnego. Musicie wiedzieć, moi panowie, że Maass znany jest ze swego fantazjowania, tępego uporu i ze swoistej *idée fixe*, która w każdym tekście starożytnym każe mu doszukiwać się mniej lub bardziej ukrytych pierwowzorów starotestamentowych apokaliptycznych wizji. W jego naukowych publikacjach aż roi się od chorobliwych i gorączkowych obrazów zagłady, śmierci i rozkładu, które znajduje wszędzie, nawet w utworach miłosnych i biesiadnych. Widzę to również i w tym przekładzie, ale dopiero lektura oryginału pozwoli mi powiedzieć, czy te katastroficzne elementy pochodzą od tłumacza, czy od autora kroniki, którego, nawiasem mówiąc, nie znam.

Hartner był typowym uczonym gabinetowym, który odkryć dokonywał w samotności, wyniki badań powierzał specjalistycznym periodykom, a euforię pioniera wykrzykiwał pustynnym piaskom. Po raz pierwszy od wielu lat widział przed sobą audytorium, które – choć nieliczne – słuchało uważnie jego wywodów. On sam, również z przyjemnością, wsłuchiwał się w swój głęboki baryton.

– Znam dobrze Maassa, Andreae i innych uczonych analizujących zmyślone dzieła, tworzących nowe teoretyczne konstrukcje, lepiących swych bohaterów z gliny własnych wyobrażeń. Dlatego, aby wyeliminować fałszerstwo ze strony Maassa, musimy sprawdzić, nad czym on w tej chwili pracuje: czy faktycznie przekłada jakieś starożytne dzieło, czy też sam je tworzy w czeluściach swej wyobraźni. Otworzył drzwi i powiedział do swojego asystenta:

– Stählin, poproście do mnie dyżurnego bibliotekarza. Niech weźmie ze sobą rejestr wypożyczeń. Sprawdzimy – zwrócił się do swoich gości – co czyta nasz anioł zagłady.

135

Podszedł do okna i zasłuchał się przez chwilę w okrzyki kąpiących się w Odrze chłopców, którzy tłumnie wylegli na trawiastą kępę naprzeciw katedry. Potrząsnął głową – przypomniał sobie o gościach.

– Ależ proszę, drodzy panowie, częstować się kawą. Mocna, słodka kawa jest znakomita na upały, o czym doskonale wiedzą Beduini. Może cygaro? Proszę sobie wyobrazić, że jest to jedyna rzecz, za którą tęskniłem na Saharze. Podkreślam: rzecz, nie osoba. Owszem, zabrałem ze sobą cały kufer cygar, ale okazało się, że jeszcze większymi ich amatorami były ludy Tibbu. Zapewniam panów, że sam widok tych ludzi jest tak przerażający, że chętnie oddajemy im wszystko, byleby ich tylko nie oglądać. Ja natomiast przekupywałem ich cygarami po to, aby wysłuchiwać rodowych i plemiennych opowieści. Przydały mi się one jako materiał do rozprawy habilitacyjnej, którą niedawno oddałem do druku – Hartner wypuścił potężny kłąb dymu i już zabierał się do prezentacji tez swojej dysertacji, gdy nagle Anwaldt zadał mu szybkie pytanie:

– Czy jest tam dużo robactwa, doktorze?

– Tak, dużo. Niech pan sobie tylko wyobrazi: zimna noc, poszarpane urwiska, ostre kominy nagich skał, piasek wgryzający się wszędzie, w rozpadlinach okrutni ludzie o twarzy diabła, otuleni w czarne szaty, a w świetle księżyca pełzające węże i skorpiony...

– Tak wygląda śmierć...

– Co pan powiedział, inspektorze?

– Przepraszam, nic. Opowiada pan, doktorze, tak sugestywnie, że poczułem powiew śmierci...

– Ja też go wielokrotnie czułem na Saharze. Na szczęście nie zmiótł mnie i dane mi było jeszcze ich ujrzeć – tu wskazał na szczupłą blondynkę i siedmioletniego może chłopca, którzy niespodzianie weszli do gabinetu.

– Przepraszam bardzo, ale pukałam dwukrotnie... – powiedziała kobieta z wyraźnym polskim akcentem. Mock i Anwaldt podnieśli się z foteli. Hartner z czułością patrzył na swoich bliskich. Pogładził po głowie chłopca, który widocznie onieśmielony, chował się za matkę.

– Nic nie szkodzi moja droga. Pozwól, że ci przedstawię jego ekscelencję pana dyrektora Eberharda Mocka, szefa Wydziału Kryminalnego Prezydium Policji oraz jego asystenta pana Herberta...

Herberta...

– Anwaldta.

– Tak, pana asystenta kryminalnego Anwaldta. Panowie pozwolą, oto moja małżonka Teresa Jankewitsch-Hartner oraz mój syn Manfred.

Wymieniono ceremonialne ukłony. Panowie pochylili się nad piękną, smukłą dłonią pani Hartner. Chłopiec ukłonił się grzecznie i wpatrywał się w ojca, który przeprosiwszy swoich gości rozmawiał półgłosem z żoną. Pani Jankewitsch-Hartner budziła swą oryginalną urodą żywe, lecz nieco odmienne zainteresowanie obu mężczyzn: Mock kierował się instynktem Casanovy, Anwaldt – kontemplacją Tycjana. Nie była pierwszą Polką, która zrobiła na nim takie wrażenie. Czasami łapał się na absurdalnej myśli, że przedstawicielki tej nacji mają w sobie coś magicznego. „Medea była Słowianką" – myślał w takich momentach. Patrząc na jej delikatne rysy, zadarty nosek i związane w węzeł włosy, słuchając jej zabawnie miękkiego „bitte", starał się wypreparować z letniej sukienki szlachetny kontur ciała, zaokrągloną krzywiznę nogi, dumne wzniesienie piersi. Niestety, obiekt ich różnych, a może podobnych w gruncie rzeczy, westchnień pożegnał się i opuścił gabinet ciągnąc za sobą nieśmiałego chłopca. W drzwiach minęła się ze starym, zgarbionym bibliotekarzem, który obdarzył ją powłóczystym spojrzeniem, co nie uszło uwagi męża.

– Pokażcie no, Smetana, ten rejestr, który dźwigacie pod pachą – powiedział Hartner mało życzliwie. Bibliotekarz uczyniwszy to, co mu kazano, wrócił do swoich obowiązków, Hartner zaś zaczął studiować pochyłą gotycką kaligrafię Smetany.

– Tak, moi panowie... Maass od ponad tygodnia czyta wyłącznie czternastowieczny rękopis opatrzony tytułem *Corpus rerum Persicarum*. Jutro wezmę to dzieło do analizy i porównam sfotografowany przez panów przekład z oryginałem. Dziś zajmę się napisem z salonki i proroctwami tego nieszczęsnego Friedländera. Dowiem się też czegoś o owym Ibn Sahimie. Pojutrze może będę miał pierwsze informacje. Skontaktuję się z panem, Herr Kriminaldirektor, Hartner

137

włożył okulary i przestał interesować się swoimi rozmówcami. Dochodzenie do czystej prawdy całkowicie wytłumiło jego pasję oratorsko-dydaktyczną. Całą uwagę poświęcił krwawemu napisowi i mrucząc coś do siebie stawiał pierwsze intuicyjne hipotezy. Mock i Anwaldt wstali i pożegnali uczynnego uczonego. Nie odpowiedział nic, zajęty już tylko swoimi myślami.

– Bardzo uprzejmy ten doktor Hartner. Na takim stanowisku ma na pewno wiele obowiązków. Mimo to skłonny jest nam pomóc. Jak to możliwe? – zapytał Anwaldt, widząc, że pierwsze jego słowa wywołały na twarzy Mocka dziwny uśmieszek.

– Drogi Herbercie, ma on wobec mnie dług wdzięczności. I to taki, że – zaręczam panu – nie spłaci go nawet najbardziej pracochłonną naukową ekspertyzą.

IX

KĄTY WROCŁAWSKIE, NIEDZIELA 15 LIPCA 1934 ROKU. GODZINA ÓSMA WIECZOREM

Baron von Köpperlingk przechadzał się po dużym parku okalającym jego posiadłość. Zachodzące słońce zawsze wzbudzało u niego niepokojące przeczucia i niejasne tęsknoty. Irytowały go ostre, blaszane okrzyki pawi spacerujących wokół pałacu i pluskanie wody w basenie, gdzie swawolili jego przyjaciele. Denerwowało go ujadanie psów i nieposkromiona ciekawość wiejskich dzieci, których oczy śledziły wszystko, co działo się za pałacowym murem, nawet wieczorem i nocą, z drzew i z płotów jak ślepia zwierząt. Nienawidził tych bezczelnych, brudnych bachorów, które nigdy nie odwracały wzroku, a na jego widok zanosiły się szyderczym śmiechem. Spojrzał na mur otaczający pałac i zdawało mu się, że je widzi i słyszy. Mimo furii, jaka w nim zapłonęła, dystyngowanym krokiem udał się do pałacu. Ruchem dłoni zatrzymał starego kamerdynera Josefa.

– Gdzie jest Hans? – zapytał zimnym tonem.

– Nie wiem, jaśnie panie. Ktoś zatelefonował do niego i wybiegł z pałacu bardzo wzburzony.

– Dlaczego nie powiadomiłeś mnie o tym?

– Nie uważałem za stosowne niepokoić jaśnie pana podczas przechadzki.

Baron spokojnie spojrzał na starego sługę i policzył w myślach do dziesięciu. Z wielkim trudem opanował się i wysyczał:

– Josef, proszę przekazywać mi każdą, nawet najbardziej według ciebie nieistotną, informację o Hansie. Jeśli choć raz nie wykonasz tego polecenia, skończysz jako żebrak pod kościołem Bożego Ciała.

Baron wybiegł na podjazd i kilkakrotnie wykrzyknął w stronę zachodzącego słońca imię swego ulubionego kamerdynera. Z parkanu odpowiedziały mu nieprzyjazne spojrzenia. Rzucił się pędem w kierunku żelaznej bramy. Goniły go szydercze spojrzenia, gęstniało wieczorne powietrze, „Hans, gdzie jesteś", krzyczał baron; potknął się na równej drodze: „Hans, gdzie jesteś, nie mogę się podnieść". Gęstniało wieczorne powietrze, gęstniał ołów w ciele barona. Zza pałacowego muru błysnęły lufy pistoletów maszynowych. Pociski gwizdały na żwirowej alejce, wzbijały tumany kurzu, raniły delikatne ciało barona, nie pozwalały mu wstać ani upaść na ziemię, „gdzie jesteś, Hans".

Hans siedział obok Maxa Forstnera na tylnym siedzeniu mercedesa stojącego z zapalonym silnikiem. Płakał. Jego szloch wznosił się *crescendo*, kiedy do samochodu dobiegło dwóch ludzi z dymiącymi karabinami maszynowymi. Zajęli miejsca z przodu. Samochód ruszył z piskiem opon.

– Nie płacz, Hans – powiedział Forstner troskliwym tonem. – Po prostu uratowałeś swoje życie. Ja zresztą uratowałem też moje.

WROCŁAW, TEGOŻ 15 LIPCA 1934 ROKU.
GODZINA 8 WIECZOREM

Kurt Wirth i Hans Zupitza wiedzieli, że Mockowi nie mogą odmówić. Ci dwaj bandyci, przed którymi drżał cały przestępczy Wrocław, mieli wobec „dobrego wujka Eberharda" podwójny dług wdzięczności: po pierwsze, uchronił ich od stryczka, po drugie po-

139

zwolił uprawiać popłatny proceder, który stał w skrajnej sprzeczności z obowiązującym w Niemczech prawem. W zamian za to żądał od nich czasami tego, co umieli robić najlepiej.

Wirth poznał Zupitzę dwadzieścia lat temu, w 1914, na frachtowcu „Prinz Heinrich", kursującym pomiędzy Gdańskiem a Amsterdamem. Zaprzyjaźnili się bez zbędnych słów – Zupitza był niemową. Sprytny, o dziesięć lat starszy, niewysoki i szczupły Wirth wziął pod opiekę dwudziestoletniego, niemego olbrzyma i decyzji tej nie żałował już po miesiącu, kiedy Zupitza po raz pierwszy uratował mu życie. Było to w pewnej kopenhaskiej tawernie. Trzej pijani włoscy marynarze zapragnęli nauczyć małego, chudego Niemca dobrych manier, czyli picia wina. Ta kulturalna edukacja polegała na wlewaniu Wirthowi do gardła galonów kwaśnego duńskiego sikacza. Kiedy leżał już upojony, Włosi uznali, że i tak tego Szwaba nie ucywilizują i lepiej będzie, aby taki ordynus zniknął na zawsze z powierzchni ziemi. Zaczęli tę decyzję wprowadzać w życie za pomocą rozbitych butelek, i wtedy do knajpy wszedł Zupitza, który przed chwilą omal nie rozwalił drewnianego wychodka, gdzie dopadł jedną z licznych kopenhaskich pocieszycielek marynarzy. Nie stracił jednak całej swej energii w jej ramionach. Po kilku sekundach Włosi przestali się ruszać. Na drugi dzień przesłuchiwany przez policję ponury kelner, którego wygląd niejednego by odstraszył, trząsł się jak galareta, próbując oddać niewprawnym językiem trzask pękającej skóry, brzęk szkła, jęki i charczenie. Kiedy Wirth doszedł do siebie, rozważył wszystkie za i przeciw i w Amsterdamie porzucił raz na zawsze zawód marynarza. Na stały ląd zszedł również nieodłączny Zupitza. Nie zerwali jednak całkiem łączności z morzem. Wirth wymyślił nieznany wówczas w Europie sposób na życie: wymuszanie haraczu od portowych przemytników. Obaj tworzyli sprawnie działający mechanizm, w którym Wirth był mózgiem, Zupitza – siłą. Wirth prowadził z przemytnikami negocjacje; jeżeli okazywali się niepokorni – Zupitza ich porywał i mordował w wymyślony przez Wirtha sposób. Niebawem cała policja powojennej Europy szukała ich w dokach Hamburga i Sztokholmu, gdzie zostawiali okaleczone ciała ofiar, oraz w burdelach Wiednia i Berlina, gdzie wydawali góry coraz mniej wartych marek. Obaj czuli na plecach oddech pościgu. Przypadkowi wspólnicy coraz częściej zdradzali ich policji za nic nie warte obietnice. Wirth miał do wyboru: albo wyjechać do Ameryki, gdzie czekała na nich mafia, krwiożercza i bezwzględna konkurencja w procederze wymuszeń, albo znaleźć jakieś ciche i spokojne miejsce w Europie. To pierwsze było bardzo niebezpieczne, to drugie – prawie niemożliwe, zwłaszcza że wszyscy europejscy policjanci chowali w kieszeniach fotografie obu bandytów, marząc o wiekopomnej sławie.

Nikt jej nie zdobył, natomiast jeden człowiek świadomie się jej wyrzekł. Był to wrocławski policjant, Kriminalkommissar Eberhard Mock, któremu w połowie lat dwudziestych podlegały tzw. sprawy obyczajowe w dzielnicy Borek. Było to krótko po niezwykłym awansie, jaki go spotkał. Wszystkie gazety pisały o błyskotliwej karierze czterdziestojednoletniego policjanta, który z dnia na dzień stał się jednym z najważniejszych ludzi w mieście – zastępcą szefa Wydziału Kryminalnego wrocławskiej policji, Mühlhausa. 18 maja 1925 roku w trakcie rutynowej kontroli domu publicznego przy Kastanien-Allee, Mock trzęsąc się ze zdenerwowania zwerbował z ulicy jakiegoś posterunkowego i wpadł z nim do pokoju, w którym duet Wirth & Zupitza mieszał się z damskim tercetem. Mock, obawiając się nieposłuszeństwa ze strony aresztowanych dla pewności ich postrzelił, zanim zdążyli wydostać się spod dziewczyn. Następnie wraz z owym posterunkowym związali ich i wywieźli wynajętą furmanką na Karłowice. Tam na wałach przeciwpowodziowych Mock przedstawił obu związanym i wykrwawiającym się bandytom swoje warunki: nie postawi ich przed oblicze sądu, jeśli osiedlą się na stałe we Wrocławiu i będą mu bezwzględnie posłuszni. Propozycję tę przyjęli bez zastrzeżeń. Zastrzeżeń wobec całej sytuacji nie miał również ów posterunkowy, Kurt Smolorz. W lot pojął racje Mocka, zwłaszcza że odnosiły się one bardzo konkretnie także do jego kariery. Obaj bandyci znaleźli się w pewnym zaprzyjaźnionym burdelu, gdzie przykuci kajdankami do łóżek poddani zostali troskliwej opiece sanitarnej. Po tygodniu rekonwalescencji Mock sprecyzował swe warunki: zażądał sporej sumy tysiąca dolarów dla siebie i pięciuset dla Smolorza. Nie wierzył w niemiecką walutę trawioną wtedy śmiertelną chorobą inflacji.

W zamian zaproponował Wirthowi, że przymknie oko na wymuszanie haraczu od przemytników, którzy – spławiając swe trefne towary do Szczecina – zatrzymywali się we wrocławskim porcie rzecznym. Do bezwarunkowego przyjęcia tych propozycji skłonił Wirtha argument natury sentymentalnej. Otóż Mock postanowił rozdziclić nierozłącznych towarzyszy i zapewnił Wirtha, że – w wypadku niedostarczenia na czas pieniędzy – Zupitza zostanie oddany w ręce sprawiedliwości. Drugim ważnym argumentem była perspektywa spokojnego, ustatkowanego życia zamiast dotychczasowej tułaczki. Po dwóch tygodniach Mock i Smolorz byli ludźmi zamożnymi, natomiast wyrwani spod topora kata Wirth i Zupitza wkroczyli na ziemię nieznaną, ugór, który szybko zagospodarowali we właściwy sobie sposób.

Tego wieczora ochoczo pili ciepłą wódkę w knajpie Gustava Thiela przy Bahnhofstrasse. Mały człowieczek o lisiej, poprzecinanej bliznami twarzy i towarzyszący mu kwadratowy, milczący Golem tworzyli parę dość niezwykłą. Niektórzy z gości śmiali się z nich ukradkiem, jeden ze stałych bywalców zupełnie się nie krępował i otwarcie okazywał swe rozbawienie. Grubas o różowej, pomarszczonej skórze co chwilę wybuchał śmiechem i wyciągnął w ich stronę tłusty paluch. Ponieważ nie reagowali na jego zaczepki, uznał, że są tchórzami. A niczego tak nie lubił, jak dręczyć ludzi strachliwych. Wstał i ciężko wciskając stopy w wilgotne deski podłogi, ruszył ku swoim ofiarom. Stanął przy ich stoliku i roześmiał się chrapliwie:

– No co, mały... Napijesz się z dobrym wujkiem Konradem?

Wirth nawet na niego nie spojrzał. Spokojnie rysował palcem dziwne figury na mokrej ceracie. Zupitza w zamyśleniu obserwował ogórki kiszone pływające w mętnej zawiesinie. Wreszcie Wirth zwrócił oczy na Konrada. Nie z własnej woli: grubas ścisnął go za policzki i przytknął mu do ust butelkę wódki.

– Odchrzań się ode mnie, ty gruba świnio! – Wirth z trudem tłumił kopenhaskie wspomnienia.

Grubas zamrugał z niedowierzaniem i chwycił Wirtha za klapy marynarki. Nie zauważył olbrzyma podnoszącego się ze swego miejsca. Zadał cios głową, który jednak nie osiągnął swego celu, gdyż między głową napastnika a twarzą niedoszłej ofiary znalazła się otwarta dłoń Zupitzy, w którą trafiło atakujące czoło. Ta sama dłoń chwyciła grubasa za nos i pchnęłą na kontuar. Wirth tymczasem nie próżnował. Wskoczył za bar, chwycił przeciwnika za kołnierz i przycisnął jego głowę do lady mokrej od piwa. Ten moment wykorzystał Zupitza. Rozwarł ramiona i gwałtownie je zacisnął. Między jego pięściami znalazła się głowa napastnika, dwa ciosy z obu stron zmiażdżyły skronie, sadza zasypała oczy. Zupitza ujął pod pachy bezwładne ciało, Wirth zaś torował mu drogę. Obecni w knajpie oniemieli ze zgrozy. Nikt się już nie śmiał z osobliwej pary. Wszyscy wiedzieli, że Konrad Schmidt nie ulega byle komu.

WROCŁAW, TEGOŻ 15 LIPCA 1934 ROKU.
GODZINA 9 WIECZOREM

W celi nr 2 więzienia śledczego w Prezydium Policji ustawiono niecodzienny sprzęt – dentystyczny fotel, który na oparciu dla rąk i nóg zaopatrzony był w skórzane pasy z mosiężną sprzączką. W tej chwili pasy mocno opinały potężne, tłuste kończyny siedzącego w nim człowieka, który był tak przerażony, że omal nie połknął knebla.

– Czy wiecie, panowie, że każdy sadysta najbardziej boi się innego sadysty? – Mock spokojnie wypalał papierosa. – Spójrz, Schmidt, na tych ludzi – wskazał na Wirtha i Zupitzę – to są najokrutniejsi sadyści w Europie. A wiesz, co oni najbardziej lubią? Nie dowiesz się tego, jeśli będziesz ładnie odpowiadał na moje pytania.

Mock dał znak Smolorzowi, aby wyjął knebel z ust Konrada. Więzień oddychał ciężko. Anwaldt zadał mu pierwsze pytanie:

– Co zrobiłeś podczas przesłuchania Friedländerowi, że przyznał się do zabicia Marietty von der Malten?

– Nic, po prostu bał się nas i już. Powiedział, że ją zabił.

Anwaldt dał znak duetowi. Wirth pociągnął w dół żuchwę Konrada, Zupitza włożył w szczękę żelazny pręt. Górną jedynkę ścisnął małymi kombinerkami i złamał ją na pół. Konrad krzyczał prawie pół minuty. Potem Zupitza wyjął pręt. Anwaldt ponowił pytanie.

143

– Przywiązaliśmy do kozetki córkę Żyda. Walter powiedział, że ją zgwałcimy, jak się nie przyzna, że zaciukał tamtą w pociągu.

– Jaki Walter?

– Piontek.

– I przyznał się wtedy?

– Tak. Po cholerę on o to pyta? – Konrad zwrócił się do Mocka – Przecież to dla pana...

Nie zdążył dokończyć. Mock wpadł mu w słowo:

– A i tak zerżnąłeś tę Żydówkę, co Schmidt?

– Rozumie się – oczy Konrada utkwiły w fałdach skóry.

– A teraz powiedz nam, kim jest Turek, z którym torturowałeś Anwaldta?

– Tego nie wiem. Po prostu szef kazał mi z nim tego... no... – tu pokazał oczami na asystenta.

Mock dał znak Zupitzy. Pręt na powrót znalazł się w szczęce Konrada, a Zupitza pociągnął kombinerkami do dołu. Resztki ułamanego zęba zachrzęściły w dziąśle. Na kolejny znak Zupitza nadłamał drugą górną jedynkę. Konrad zachłystywał się krwią, rzęził i szlochał. Po minucie wyciągnęli mu pręt z zębów. Niestety, Schmidt nie mógł nic powiedzieć, gdyż jego szczęka wypadła z zawiasów. Nastawiał ją przez dłuższą chwilę Smolorz.

– Jeszcze raz pytam. Kim jest Turek? Jak się nazywa i co robi u was na gestapo?

– Nie wiem. Przysięgam.

Tym razem Schmidt zacisnął mocno szczęki, by uniemożliwić wprowadzenie pręta. Wtedy Wirth wyjął młotek i przyłożył do dłoni skrępowanego wielki gwóźdź. Uderzył młotkiem. Konrad krzyknął. Zupitza nie po raz pierwszy dzisiaj popisał się refleksem. Kiedy szczęki gestapowca się rozwarły, pręt znalazł się szybko między nimi.

– Będziesz mówił, czy chcesz tracić kolejne zęby? – zapytał Anwaldt. – Będziesz mówić?

Więzień skinął głową. Z ust wyjęto mu pręt.

– Kemal Erkin. Przyjechał do gestapo na naukę. Szef bardzo się z nim liczy. Nic więcej nie wiem.

– Gdzie mieszka?

– Nie wiem.

Mock był pewien, że Konrad powiedział wszystko. Niestety – nawet za dużo. Bo oto w urwanej, zduszonej frazie „przecież to dla pana..." dotknął mrocznej tajemnicy jego układu z Piontkiem. Na szczęście tylko ją musnął. Nie wiadomo, czy ktoś z obecnych mógł prawidłowo dopowiedzieć sobie dalszą część przerwanego w połowie zdania. Mock spojrzał na zmęczonego, lecz wyraźne poruszonego Anwaldta i na spokojnego, jak zwykle, Smolorza. (*Nie, chyba się nie domyślili*). Wirth i Zupitza patrzyli na Mocka wyczekująco.

– Panowie, już więcej niczego się od niego nie dowiemy – zbliżył się do Konrada i znów założył mu knebel. – Wirth, po tym człowieku ma nie być śladu, rozumiesz? Poza tym, doradzam wam wyjazd z Niemiec. Widziano was w knajpie, jak masakrujecie Schmidta. Gdybyście zachowali się jak fachowcy i poczekali aż wyjdzie na zewnątrz, moglibyście dalej bezpiecznie prowadzić swe interesy. Ale was poniosło. Musieliście go załatwić w knajpie? Nie wiedziałem, Wirth, że reagujesz tak gwałtownie, gdy ktoś cię poi wódką. Trudno. Jutro, kiedy Konrad nie przyjdzie do pracy... najdalej pojutrze, całe wrocławskie gestapo będzie szukało waszych charakterystycznych mord. Za trzy dni będziecie poszukiwani w całych Niemczech. Radzę wam wyjechać z kraju. Gdzieś daleko... Dług wobec mnie uważam za spłacony.

X

WROCŁAW, PONIEDZIAŁEK 16 LIPCA 1934 ROKU.
GODZINA DZIEWIĄTA RANO

Ciało Konrada Schmidta leżało na dnie Odry za Niskimi Łąkami już od dziesięciu godzin, kiedy Mock i Anwaldt zapalali wyborne cygara marki „Bairam" od Przedeckiego i wypijali pierwszy łyk mocnej, arabskiej kawy. Leo Hartner nie ukrywał zadowolenia. Był pewien, że zaskoczy i zainteresuje obu słuchaczy. Chodząc po gabinecie, budował w myślach plan swojej relacji, odpowiednio rozkładał punkty

145

zwrotne, komponował celne rekapitulacje. Widząc, że goście się niecierpliwią panującą ciszą, rozpoczął wykład od pozornej retardacji.

– Moi panowie, Wilhelm Grünhagen w swojej *Geschichte der persischen Litteratur* wspomina o pewnym zaginionym dziele historycznym z XIV wieku, opisującym wyprawy krzyżowe. Dzieło to, zatytułowane *Wojna wojsk Allaha z niewiernymi* miał jakoby napisać pewien wykształcony Pers, niejaki Ibn Sahim. Możecie, panowie, powiedzieć: cóż z tego? przecież przepadło wiele dzieł... ot... jeszcze jeden stary rękopis... To lekceważenie byłoby jednak nieuzasadnione. Gdyby bowiem praca Ibn Sahima dotrwała do naszych czasów, mielibyśmy jeszcze jedno źródło do fascynujących dziejów krucjat, źródło o tyle interesujące, że pisane przez człowieka z drugiej strony barykady – przez muzułmanina.

Mock i Anwaldt spełniali nadzieje wykładowcy. Obu niedoszłym filologom klasycznym nie przeszkadzało epickie opóźnianie narracji. Hartner był podekscytowany. Położył szczupłą dłoń na stosie papierów:

– Drodzy panowie, oto ziściło się marzenie wielu historyków i orientalistów. Przede mną leży to zaginione dzieło Ibn Sahima. Kto dokonał tego odkrycia? Tak, tak – Georg Maass. Nie wiem doprawdy, skąd się dowiedział, że ten rękopis znajduje się we wrocławskiej Bibliotece Uniwersyteckiej, czy sam znalazł jakąś wskazówkę, czy ktoś mu jej udzielił. A niełatwo jest odkryć manuskrypt, który – tak jak ten – został oprawiony wraz z dwoma innymi, mniejszymi. Krótko mówiąc, to odkrycie przyniesie Maassowi światową sławę... Tym bardziej, że opracowując dzieło, jednocześnie tłumaczy je na niemiecki. I to, muszę przyznać, tłumaczy wiernie i bardzo pięknie. Odbitki fotograficzne, które od panów otrzymałem, są dosłownym przekładem pewnego bardzo interesującego fragmentu owej kroniki. Mowa w nim jest o makabrycznym mordzie, jakiego dokonało w roku 1205 dwóch ludzi – Turek i krzyżowiec – na dzieciach Al-Szausiego, przywódcy sekty jezydów. Ludzie znający dzieje krucjat byliby zdziwieni – wszak w 1205, w czasie czwartej krucjaty krzyżowcy nie wyszli poza Konstantynopol! Ale nie można wykluczyć pojedynczych wypadów nielicznych choćby oddziałów na odległe nawet obszary Anatolii czy też Mezopotamii. Ci poszukiwacze przygód i bogactw łupili, co się dało, niekiedy w znakomitej komitywie z muzułmanami. Jezydzi często stawali się celem ich ataku...

Anwaldt siedział zasłuchany. Mock spojrzał na zegarek i otworzył usta, aby uprzejmie poprosić Hartnera o przejście do rzeczy. Ten opatrznie jednak zrozumiał jego intencje:

– Tak, tak, ekscelencjo, już wyjaśniam, kim byli jezydzi. Tę dość tajemniczą sektę, która powstała w XII wieku i istnieje do dziś, powszechnie uważa się za satanistyczną. Jest to duże uproszczenie. Owszem, jezydzi czczą szatana, ale już pokutującego za swoje grzechy. Mimo pokuty jest jednak ciągle wszechmocny. Zwą oni tego boga zła Malak-Taus, przedstawiają go w postaci pawia i wierzą, że rządzi światem przy pomocy sześciu lub siedmiu aniołów, również przedstawianych pod postacią żelaznych lub brązowych pawi. Krótko mówiąc, religia jezydów to mieszanina islamu, chrześcijaństwa, judaizmu i mazdaizmu, czyli wszystkich wyznań, których przedstawiciele przeszli przez góry w środku Mezopotamii, na zachód od Mosulu, zostawiając okruchy swych wierzeń. Na co dzień jezydzi są bardzo spokojnym, uczciwym i schludnym – co wyraźnie podkreśla angielski XIX-wieczny podróżnik i archeolog Austen Henry Layard – ludem, który był przez całe wieki tępiony przez wszystkich: krzyżowców, Arabów, Turków i Kurdów. Niech zatem panów nie zdziwi, że przeciwko jezydom zawierali sojusze nawet zwalczający się wzajemnie na przykład krzyżowcy i Saraceni. Dla wszystkich tych prześladowców kult boga zła był kamieniem obrazy usprawiedliwiającym najokrutniejsze rzezie. Dziesiątkowani jezydzi rewanżowali się wrogom w ten sam sposób, przekazując nakaz zemsty rodowej z pokolenia na pokolenie. Do tej pory żyją oni na pograniczu Turcji i Persji, zachowując swe niezmienione zwyczaje i dziwną wiarę...

– Doktorze Hartner – nie wytrzymał zniecierpliwiony Mock. – To bardzo interesujące, co pan mówi, ale proszę nam powiedzieć, czy ta ciekawa historia sprzed wieków – oprócz tego, że Maass wydobył ją na światło dzienne – ma z naszą sprawą coś więcej wspólnego?

– Tak. Bardzo wiele wspólnego – Hartner uwielbiał niespodzianki. – Ale uściślijmy, drodzy panowie: nie Maass wydobył tę kronikę na światło dzienne, lecz ktoś, kto zamordował Mariettę von der Malten – delektował się zdziwionymi minami słuchaczy. – Z całą odpowiedzialnością twierdzę: napis na ścianie salonki, w której znaleziono tę nieszczęsną dziewczynę, pochodzi właśnie z tej perskiej kroniki. Brzmi on w przekładzie: „A skorpiony w ich wątpiach pląsały". Spokojnie, zaraz postaram się odpowiedzieć na wszelkie pytania... Teraz przekażę panom jeszcze jedną ważną informację. Pewne anonimowe źródło z końca XIII wieku, które wyszło spod pióra jakiegoś Franka, podaje, że nastoletnie dzieci przywódcy jezydów, Al-Szausiego, zamordował jakiś „germański rycerz". W czwartej krucjacie uczestniczyło zaledwie dwóch naszych rodaków. Jeden z nich zginął w Konstantynopolu. Drugim był Godfryd von der Malten. Tak, drodzy panowie, przodek naszego barona.

Mock zakrztusił się kawą, na jasny garnitur prysnęły czarne kropelki. Anwaldt wzdrygnął się i poczuł działanie pewnego hormonu odpowiedzialnego za jeżenie się włosów na ludzkim ciele. Obaj palili w milczeniu. Obserwując wrażenie, jakie wywarł na swoich słuchaczach, Hartner nie posiadał się z radości, która dość dziwnie kontrastowała z ponurymi dziejami jezydów i krzyżowców. Mock przerwał panujące milczenie:

– Brak mi słów, aby podziękować panu dyrektorowi za tak wnikliwą ekspertyzę. Wraz z moim asystentem jesteśmy głęboko poruszeni, zważywszy, że cała ta historia rzuca nowe światło na naszą zagadkę. Pozwoli pan, dyrektorze, że zadamy panu kilka pytań? Nieuniknione będzie przy tym zdradzenie kilku sekretów śledztwa, które pan dyrektor raczy zachować tylko dla siebie.

– Oczywiście. Słucham.

– Z pana ekspertyzy wynika, że zabójstwo Marietty von der Malten było zemstą po wiekach. Świadczy o tym ten krwawy napis w salonce, zaczerpnięty z nieznanego nikomu dzieła, które powszechnie uważano za zaginione. Pierwsze pytanie: czy profesor Andreae, znający przecież wschodnie pisma i języki, mógł z jakichś powodów nie zrozumieć tego cytatu? Bo jeśli pan to wykluczy, będzie jasne, że świadomie wprowadził nas w błąd.

148

– Drogi panie, Andreae nie zrozumiał tego napisu. To oczywiste: ten uczony jest przede wszystkim turkologiem i – o ile mi wiadomo – nie zna żadnego wschodniego języka poza tureckim, arabskim, hebrajskim, syryjskim i koptyjskim. Kronika Ibn Sahima jest natomiast napisana po persku. Jezydzi mówili po persku, dziś posługują się kurdyjskim. Proszę spróbować dać znawcy – nie wiem, jak znakomitemu – języka hebrajskiego tekst w jidysz zapisany literami hebrajskimi. Gwarantuję panu, że – nie znając jidysz – będzie bezradny. Andreae znał pismo arabskie, gdyż teksty tureckie były do niedawna zapisywane tylko po arabsku. Ale nie zna perskiego, co wiem na pewno jako jego były student. Zobaczył zatem tekst pisany w znanym mu arabskim alfabecie, lecz prawie nic z tego tekstu nie zrozumiał. Ponieważ za wszelką cenę stara się ratować swój prestiż naukowy, zmyślił po prostu przekład z niby starosyryjskiego. A zmyślał – nawiasem mówiąc – nie raz. Wymyślił raz nawet jakieś koptyjskie inskrypcje, na podstawie których napisał pracę habilitacyjną...

– Jeżeli Maass jest odkrywcą kroniki – tym razem doszedł do głosu Anwaldt – której fragment znalazł się na ścianie salonki, to znaczy, że on jest mordercą. Chyba że ktoś inny, kto wcześniej miał do czynienia z tym tekstem, podsunął go z jakichś powodów Maassowi. Panie dyrektorze, czy ktoś przed Maassem korzystał z któregoś z tych trzech razem oprawionych rękopisów?

– Sprawdziłem dokładnie rejestr wypożyczeń do czytelni z ostatnich dwudziestu lat i odpowiedź moja brzmi: nie, nikt przed Maassem od 1913 roku, bo od tej daty rozpoczyna się owa ewidencja, nie korzystał z żadnego z tych współoprawnych manuskryptów.

– Drogi Herbercie – zadudnił głos Mocka. – Maass ma żelazne alibi: 12 maja 1933 roku wygłosił dwa wykłady w Królewcu, co potwierdziło sześciu jego słuchaczy. Chociaż z pewnością ma coś wspólnego z mordercami. Bo dlaczego oszukał nas i zupełnie inaczej przetłumaczył tekst z salonki? A poza tym, skąd wiedział, że ten rękopis tutaj się znajduje? Może badając „nekrolog Marietty" wpadł na ślad owej perskiej kroniki? Ale, przepraszam, są to pytania do Maassa. Panie dyrektorze – zwrócił się znowu do Hartnera – Czy jest możliwe, aby ktoś czytał ten manuskrypt bez śladu w ewidencji?

149

– Żaden bibliotekarz nie wypożyczy rękopisu bez adnotacji w zeszycie, a poza tym tylko naukowcy z odpowiednimi referencjami z uczelni mogą korzystać z czytelni rękopisów.

– Chyba że bibliotekarz byłby w zmowie z czytelnikiem i nie zrobiłby stosownej adnotacji.

– Takiej zmowy wykluczyć nie mogę.

– Czy zatrudnia pan kogoś po studiach orientalistycznych?

– W tej chwili nie. Przed dwoma laty pracował u mnie pewien bibliotekarz arabista, który przeniósł się do Marburga, gdzie otrzymał katedrę na uniwersytecie.

– Nazwisko?

– Otto Specht.

– Nurtuje mnie jedno pytanie – cicho powiedział Anwaldt zapisując w notesie to nazwisko. – Dlaczego zabójstwo Marietty von der Malten było tak wymyślne? Czy może dlatego, że w podobnie okrutny sposób zostały zabite dzieci tego – że się tak wyrażę – archijezydy? Czyżby sposób pomszczenia musiał dokładnie odpowiadać zbrodni sprzed wieków? Jak to właściwie wyglądało? Co na ten temat pisze ten kronikarz?

Hartner zatrząsł się z chłodu i nalał sobie kolejną filiżankę parującej kawy.

– Bardzo dobre pytanie. Oddajmy głos perskiemu kronikarzowi.

XI

MEZOPOTAMIA, GÓRY DŻABAL SINDŻAR, TRZY DNI KONNEJ JAZDY NA ZACHÓD OD MOSULU.
DRUGI SAFAR SZEŚĆSET PIERWSZEGO ROKU HIDŻRY

To mówi Ibn Sahim, syn Husajna, niech Allah się nad nim zmiłuje. Ten rozdział zawiera wiadomości o pomście sprawiedliwej, jakiej dopuścił się żołnierz Allaha na dzieciach szatańskiego pira, niech jego imię będzie przeklęte na wieki...

150

Wieczorne słońce zsuwało się coraz niżej po błękitnym firmamencie. Kontury gór stawały się ostrzejsze, a powietrze bardziej przejrzyste. Ponad stromym urwiskiem powoli posuwał się orszak jeźdźców. Na jego czele jechali dwaj dowódcy: krzyżowiec i wojownik turecki. Gdy dojechali do skraju górskiej przełęczy, za którą rozciągało się łagodne zbocze, zatrzymali swe konie i z wyraźnym zadowoleniem rozciągnęli się w cieniu kamiennych załomów skalnych przypominających wieże katedr. Około czterdziestu towarzyszących im jeźdźców, w połowie chrześcijan, w połowie muzułmanów, uczyniło to samo. Krzyżowiec z ulgą zdjął hełm zwany saladą – wydłużona z tyłu część odcisnęła na mokrym karku czerwony, napuchnięty pasek. Spod misiurki wydostawały się strumyczki potu i spływały na opończę zdobioną krzyżami maltańskimi. Jego wierzchowiec zakuty w misternej roboty nachrapnik oddychał swobodnie – zsuwały się z niego białe płachty piany.

Zmęczenie zdawało się nie dokuczać aż tak bardzo rycerzowi tureckiemu, który z zaciekawieniem oglądał kuszę krzyżowca. Miał na sobie, podobnie jak jego żołnierze, misiurkę, szyszak owinięty białym kawałkiem materiału, kolczugę, białe sięgające nieco za kolana spodnie i czarne wysokie buty. Uzbrojenie Turka i jego ludzi składało się z rogowych łuków i kołczanów ze strzałami o pierzyskach z trzech ptasich piór, i z arabskich szabel zwanych *saif*. Dowódca dzierżył ponadto żelazny czekan inkrustowany srebrem układającym się w arabskie ornamenty.

Po upływie chwili chrześcijański rycerz przestał ocierać pot, Saracen stracił zainteresowanie kuszą. Obaj bacznie obserwowali dolinę rozciągającą się za skalnym zboczem. Wśród zielonych palm stała niewysoka, lecz obszerna świątynia. W jej ścianach wykuto małe nisze, w których płonęły kaganki oliwne okopcając wszystko dokoła. Co chwilę ktoś zbliżał się do ognia, kilkakrotnie przesuwał prawą dłoń nad płomieniem, a potem ową osmaloną ręką dotykał swej prawej brwi. Obaj dowódcy mniejszą uwagę zwracali na to dziwne zachowanie; bardziej interesowała ich liczba ludzi w dolinie. Z dużym wysiłkiem, niezależnie od siebie, liczyli i doszli do podobnych wyników: w obrębie świątyni i przylegających doń domostw kłębiło się około dwustu osób obojga płci i w różnym wieku. Uwagę zwracali zwłaszcza mężczyźni ubrani w obcisłe włosiennice i czarne turbany – dbali oni, aby nie zgasł ani jeden kaganek. Kiedy któryś już się dopalał, maczali w oliwie świeże knoty i płomień sycząc strzelał na nowo. Na ziemię spadła noc. W świetle kaganków rozpoczęły się obrzędy – dzikie, gwałtowne pląsy. Nad dolinę wzbił się śpiew pełen pasji. Gardłowe okrzyki rozdzierały powietrze. Krzyżowiec był pewien, że jest świadkiem orgii królowej Babilonu Semiramidy, Turek czuł bolesne podniecenie. Spojrzeli po sobie i wydali rozkazy żołnierzom. Powoli, ostrożnie zjechali po łagodnym stoku góry. W powietrzu wibrowały imiona siedmiu aniołów: „Dżibrail", „Muchail", „Rufail", „Azrail", „Dedrail", „Azrafil", „Szamkil". Huk bębnów, fletów i tamburynów rozsadzał dolinę. Kobiety wpadały w trans. Mężczyźni jak zahipnotyzowani kręcili się dookoła własnej osi. Kapłani składali właśnie w ofierze owce i ich kończyny, a mięsem karmili biedaków. Czekający na swoją kolej podgryzali sznury suszonych fig.

Zagrzmiał huk końskich kopyt, wierni w przerażeniu odwrócili twarze od świętego ognia. Rozpoczęło się. Opancerzone i okryte krzyżami konie tratowały i przeskakiwały żywe bariery. Krzyżowiec, rozłupując mieczem ludzkie kadłuby, upajał się słodkim poczuciem sprawiedliwości: oto pod jego wiernym narzędziem chwały Boga giną czciciele szatana i siedmiu upadłych aniołów, których imiona tak dumnie przed chwilą brzmiały w powietrzu. Turek siał strzałami w dymy ognisk i kaganków. Krew lała się na jaskrawo barwione kurtki i kolorowe zawoje. Nieliczni z napadniętych wyciągali zza pasów swój fantastycznie powyginany oręż i próbowali stawić czoła rozwścieczonym napastnikom. Syk i świst cięciw kusz tworzyły dziwną muzykę. Strzały przeszywały miękkie ciała, zgrzytały na kościach, rozrywały napięte włókna mięśni. Za chwilę pasja napastników obróciła się przeciw ocalałym jedynie kobietom. W uścisku stalowych ramion bladły brązowe twarze, ścinały się piękne, regularne rysy, pod wpływem gwałtownych ruchów rozsypywały się misternie uplecione warkoczyki, więdły kwiaty zdobiące włosy, brzęczały złote i srebrne monety na skroniach, stukały szlifowane kamienie przykrywające czoła, pękały szklane koraliki. Niektóre kobiety chowały się w niszach i skalnych rozpadlinach. Krzyżowcy i Saraceni wyciągali je stamtąd i posiadali w szalonych drgawkach. Ci, których nie spotkała jeszcze ta nagroda, dorzynali nielicznych żywych mężczyzn. Branki pokornie godziły się ze swym losem. Wiedziały, że zostaną wystawione na sprzedaż na targu niewolników. Nad doliną powoli zapadała cisza, z rzadka przerywana jękami bólu lub rozkoszy.

Obaj dowódcy stali na dziedzińcu świątyni przed wejściem do domostwa człowieka, którego od dawna szukali: świętego pira, Al-Szausiego. Na ścianie domu wyrytych było pięć symboli: wąż, topór, grzebień, skorpion i niewielka ludzka figurka. Obok widniał misternie wyrzeźbiony arabski napis: „Bóg. Nie ma bóstwa prócz Niego, Żywego, Wiecznego. Wszystko do Niego należy, co jest w niebiesiech i na ziemi".

Turek spojrzał na krzyżowca i powiedział po arabsku:
– To werset Tronu Drugiej Sury Koranu.

Krzyżowiec znał ten słynny fragment. Słyszał go z ust zarzynanych Saracenów, słuchał wieczorami z ust rozmodlonych branek arabskich. Nie przejął się jednak wzniosłą świętą inskrypcją, która miała chronić i błogosławić dom Al-Szausiego, tak jak nie przejął się przed rokiem bizantyjskim Bogiem, kiedy w poszukiwaniu łupów bezcześcił i brukał świątynie w Konstantynopolu.

Weszli do domu. Dwaj żołnierze tureccy zatarasowali drzwi, aby nikt się nie mógł wymknąć, pozostali ruszyli na poszukiwanie świętego starca. Zamiast niego przynieśli dwa zwinięte dywany, które poruszały się gwałtownie. Rozwinęli je i pod nogami dowódców ukazała się zrozpaczona trzynastoletnia może dziewczynka i nieco starszy od niej młodzieniec – dzieci poszukiwanego, który zbiegł na pustynię. Dowódca krzyżowców bez słowa rzucił się na dziewczynkę powalił ją na nierównej, kamiennej posadzce i po krótkiej chwili zdobył swój kolejny wojenny łup. Brat dziewczynki powiedział coś o ojcu i zemście. Gwałciciel widział w świetle kaganka kilka skorpionów, które wypełzły z jakiejś rozbitej glinianej stągwi. Nie bał się ich, przeciwnie – obecność tych groźnych stworzeń rozpalała dodatkowo jego namiętność. Wokół krzyczeli podnieceni mężczyźni, śmierdziała oliwa, tańczyły cienie na ścianach. Nasycony krzyżowiec podjął decyzję: dzieci najwyższego kapłana szatańskiej sekty zostaną przykładnie ukarane. Kazał obnażyć brzuch chłopca i dziewczyny. Uniósł swój miecz, swego wiernego towarzysza w walce *ad maiorem Dei gloriam* i uderzył nim pewnie i niezbyt mocno. Ostrze zatoczyło pólkole i swym czubkiem rozorało aksamitny brzuch dziewczynki i pokryty pierwszym zarostem brzuch chłopca. Rozstąpiła się skóra odsłaniając wnętrzności. Krzyżowiec zdjął hełm i bardzo sprawnie za pomocą sztyletu wrzucił doń kilka skorpionów. Następnie przechylił jak naczynie ofiarne nad trzewiami obu ofiar. Rozzłoszczone, wyginające się skorpiony znalazły się wśród ciepłych jelit. Kąsały na oślep ostrym kolcem odwłoka i ślizgały się we krwi. Ofiary żyły jeszcze długo i nie spuszczały płonących oczu ze swego oprawcy.

XII

WROCŁAW, PONIEDZIAŁEK 16 LIPCA 1934 ROKU.
GODZINA CZWARTA PO POŁUDNIU

Upał wzmógł się w poobiedniej porze, ale, o dziwo, ani Mock, ani Anwaldt zdawali się go nie odczuwać. Temu drugiemu dokuczał natomiast ból dziąsła, z którego przed godziną dentysta wyrwał korzeń. Obaj siedzieli w Prezydium Policji w swoich gabinetach. Łączyło ich jednak nie tylko miejsce – myśli obu zaprzątała również wspólna sprawa. Znaleźli mordercę – był nim Kemal Erkin. Obaj potwierdzili swoje pierwsze, jeszcze intuicyjne, podejrzenia, powzięte pod wpływem prostej asocjacji: skorpion wytatuowany na dłoni Turka – skorpiony w brzuchu baronówny – Turek jest mordercą. Ten wniosek po ekspertyzie Hartnera zyskiwał coś, bez czego każde śledztwo byłoby błądzeniem we mgle – motyw: zabijając Mariettę von der Malten Turek pomścił zbrodnię sprzed siedmiu wieków, którą na dzieciach Al--Szausiego, przywódcy sekty jezydów, popełnił w roku 1203 przodek barona, krzyżowiec Godfryd von der Malten. Jak powiedział Hartner nakaz zemsty przekazywano z pokolenia na pokolenie. Rodziła się jednak wątpliwość: dlaczego dokonano jej dopiero teraz, po siedmiu set latach? Aby ją rozwiać i zamienić podejrzenia w niezachwianą

154

pewność, należało odpowiedzieć na pytanie, czy Erkin był jezydą? Pozostawało ono, niestety, bez odpowiedzi, dopóki o Erkinie nie było wiadomo nic więcej poza nazwiskiem, narodowością i bełkotem grubego Konrada „on się u nas uczy". To mogło oznaczać, że Turek odbywa we wrocławskim gestapo coś w rodzaju stażu, praktyki. Jedno było pewne: domniemanego mordercę należało ująć, używając wszelkich możliwych środków. I przesłuchać. Też przy zastosowaniu wszelkich możliwych środków.

W tym momencie zgodne refleksje obu policjantów napotykały poważną barierę: gestapo strzeże swych tajemnic. Z całą pewnością Forstncr, uwolniony z „imadła" po śmierci barona von Köpperlingka, nie będzie chciał współpracować ze znienawidzonym przez siebie Mockiem. Zatem zdobycie podstawowych danych Erkina sprawiało wielką trudność, nie mówiąc już o doszukaniu się dowodów jego przynależności do tajnych organizacji i sekt. Mock nawet nie próbował wytężać pamięci, aby wiedzieć, że nie spotkał nigdy w Prezydium Policji nikogo podobnego do Erkina. Nie było w tym zresztą nic dziwnego. Dawny Wydział Polityczny Prezydium Policji, zajmujący zachodnie skrzydło budynku przy Schweidnitzer Stadtgraben 2/6, stanowił teren, na który po upadku Piontka i supremacji Forstnera nie sięgały macki Mocka. Infiltrowany od dawna przez hitlerowców, po lutowym dekrecie Göringa opanowany przez nich oficjalnie, był niezależnym i tajemniczym organizmem, którego liczne agendy mieściły się w zupełnie niedostępnych dla nikogo z zewnątrz, wynajętych willach w pięknej dzielnicy Borek. Erkin mógł pracować właśnie w jednej z takich willi, a jedynie bywać w „Brunatnym Domu" przy Neudorferstrasse. W dawnych czasach Mock zwracał się po informacje po prostu do szefa konkretnego wydziału Prezydium Policji. Teraz zupełnie nie wchodziło to w grę. Wrogi mu szef gestapo Erich Kraus, prawa ręka osławionego szefa wrocławskiego SS Udo von Woyrscha, prędzej przyznałby się do żydowskiego pochodzenia, niż przekazałby najbłahszą nawet plotkę poza swój wydział.

Zdobycie danych o Erkinie, a następnie aresztowanie go było punktem, w którym rozdzielały się identyczne dotąd zamiary Mocka i Anwaldta. Myśli dyrektora poszybowały w stronę szefa wrocławskiej

Abwehry, Rainera von Hardenburga, nadzieje Anwaldta skupiły się wokół doktora Georga Maassa.

Pamiętając o otrzymanej dziś rano przestrodze, że jedna z telefonistek jest kochanką zastępcy Krausa, Dietmara Föbego, Mock wyszedł z budynku policji i przez Schweidnitzer Stadtgraben udał się na skwer koło domu towarowego Wertheima. Dusząc się od gorąca w przeszklonej budce telefonicznej wykręcił numer von Hardenburga.

W tym czasie Anwaldt, krążąc po budynku Prezydium, nadaremnie starał się odszukać szefa. Zniecierpliwiony, postanowił podjąć decyzję na własną rękę. Otworzył drzwi do pokoju asystentów kryminalnych. Kurt Smolorz zrozumiał w lot i wyszedł za nim na korytarz.

– Niech pan weźmie jednego człowieka Smolorz i pójdziemy po Maassa. Może i jego posadzimy na fotelu dentystycznym.

I Mock, i Anwaldt jednocześnie odczuli, że upał zrobił się tropikalny.

WROCŁAW, TEGOŻ 16 LIPCA 1934 ROKU.
GODZINA PIĄTA PO POŁUDNIU

W mieszkaniu Maassa panował nieopisany bałagan. Anwaldt i Smolorz, zmęczeni pośpieszną rewizją, siedzieli w bawialni i ciężko sapali. Smolorz co chwilę podchodził do okna i zerkał na pijaka, który przyklejony do ściany kamienicy wodził dokoła dziwnie przytomnym wzrokiem. Maass nie nadchodził.

Anwaldt wpatrywał się w leżącą przed nim ręcznie zapisaną kartę papieru maszynowego. Było to coś w rodzaju nieukończonego planu raportu, dwa chaotyczne zdania. Na górze kartki wypisano: „Hanne Schlossarczyk, Rawitsch. Matka?". Poniżej: „Śledztwo w Rawitsch. Na firmę detektywistyczną »Adolf Jenderko« wydano 100 marek". Anwaldt nie zwracał już uwagi, ani na upał, ani na dźwięki pianina z mieszkania powyżej, ani na lepiącą się do ciała przyciasną koszulę, ani nawet na rwący ból po usunięciu korzenia zęba. Wbijał wzrok w kartkę i rozpaczliwie usiłował przypomnieć sobie, gdzie zupełnie niedawno spotkał się z nazwiskiem „Schlossarczyk". Spojrzał na Smolorza, który nerwowo przewracał czyste kartki leżące na okrągłym talerzu do ciasta, i wydał okrzyk Archimedesa. Już wiedział: to nazwisko widniało w dossier służby von der Maltena, które wczoraj przeglądał. Odetchnął z ulgą: Hanne Schlossarczyk nie będzie niewiadomą jak Erkin. Mruknął do siebie:

– Wszystkiego dowiem się od firmy „Adolf Jenderko".

– Słucham? – Smolorz odwrócił się od okna.

– Nic takiego, po prostu głośno myślałem.

Smolorz podszedł do Anwaldta i spojrzał mu przez ramię. Uważnie przeczytał notatkę Maassa i parsknął śmiechem.

– Z czego się śmiejecie?

– Zabawne nazwisko Schlossarczyk.

– Gdzie leży to miasto Rawicz?

– W Polsce, z pięćdziesiąt kilometrów od Wrocławia, tuż za granicą.

Anwaldt zawiązał poluzowany krawat, włożył kapelusz i zerknął z niesmakiem na swoje zakurzone buty.

– Pan, Smolorz, i pański pseudo-pijak będziecie na zmianę siedzieć w mieszkaniu Maassa, dopóki nic przyjdzie. Gdy nasz uczony się zjawi, proszę go zatrzymać, a potem zawiadomić Mocka lub mnie.

Anwaldt zamknął ostrożnie drzwi za sobą. Po chwili wrócił i spojrzał na Smolorza z ciekawością:

– Powiedzcie no mi, dlaczego tak was rozśmieszyło nazwisko Schlossarczyk?

Smolorz uśmiechnął się z pewnym zakłopotaniem.

– To mi się skojarzyło ze słowem Schlosser – „ślusarz". Proszę pomyśleć: kobieta ma na nazwisko „Ślusarz". Cha, cha... co to za ślusarz bez klucza albo wytrycha... cha... cha...

WROCŁAW, TEGOŻ 16 LIPCA 1934 ROKU.
GODZINA SZÓSTA PO POŁUDNIU

Teichäcker Park[12] za Dworcem Głównym kipiał o tej porze życiem. Ochłody szukali w nim podróżni przesiadający się we Wrocławiu, urzędnicy z Dyrekcji Kolei Żelaznej pracujący po godzinach

---

[12] Nieistniejący od czasu wojny, na terenie dzisiejszego dworca PKS.

przed wymarzonym urlopem w Sopocie lub Stralsundzie, przy kioskach z lodami hałasowały dzieci, na ławkach służące rozpychały się wielkimi zadami, półleżeli lżej chorzy ze szpitala Bethesda, dymili cygarami ojcowie rodzin odświeżeni prysznicem w łaźniach natryskowych i lekturą gazet w czytelni przy Teichäckerstrasse, łypiąc na leniwie przechadzające się prostytutki. Pod kościołem Zbawiciela beznogi weteran grał na klarnecie. Widząc dwóch spacerujących elegancko ubranych mężczyzn w średnim wieku, zagrał jakiś operetkowy kuplet, spodziewając się od nich większej jałmużny. Minęli go obojętnie. Usłyszał tylko urywek wypowiedzi wygłaszanej pewnym, dość wysokim głosem: „Dobrze, Herr Krimininaldirektor, sprawdzimy tego Erkina". Weteran poprawił tablicę z napisem „Verdun – pomścimy" i przestał grać. Mężczyźni usiedli na ławce zwolnionej przez dwóch wyrostków. Patrzyli przez chwilę na oddalających się uzbrojonych w saperki chłopców w brunatnych koszulach. Rozmawiali. Muzyk-
-żebrak wytężył słuch. Falset bardzo dystyngowanego wysokiego pana przeplatał się z basowymi pomrukami niższego, krępego mężczyzny w garniturze z jasnego kortu. Genialny słuch weterana łatwo wyłapywał przebijające się przez uliczny hałas wysokie kwestie, basowe zaś ginęły w stukocie dorożek, warkocie aut i zgrzycie tramwajów łomocących na rogu Sadowa – i Bohrauer Strasse:

– Jeśli pan sobie życzy, dowiem się, czy nasz poszukiwany mówi po... Jakiemu? Aha, dobrze... Po kurdyjsku.

– ...

– Mein lieber Kriminaldirektor, już nasz nieodżałowany cesarz Wilhelm nazywał Turcję „swoim wschodnim przyjacielem".

– ...

– Tak, tak. Kontakty wojskowe były zawsze żywe. Proszę sobie wyobrazić, że mój ojciec był członkiem misji wojskowej generała von der Goltza, który pomógł zorganizować chyba w latach osiemdziesiątych nowoczesną armię turecką. Po nim do Turcji triumfalnie wkroczył Deutsche Bank i wybudował nowy odcinek Kolei Bagdadzkiej.

– ...

– I dziś my, Niemcy, pamiętamy o tym, że najwyższy duchowy przywódca islamski w 1914 roku ogłosił „świętą wojnę" przeciw na-

szym wrogom. Nic zatem dziwnego, że wyżsi tureccy oficerowie
szkolą się u nas. Ja sam znałem takich przed wojną, kiedy byłem
w Berlinie.

– ...

– Proszę być tego pewnym. Nie wiem kiedy, ale na pewno podam
panu na tacy tego Erkina.

– ...

– Nie ma za co, Herr Kriminaldirektor. Pozostaję w nadziei na
uprzejmy rewanż.

– ...

– Do zobaczenia w znanym nam obu przyjemnym miejscu.

Weteran przestał się interesować dwoma mężczyznami, którzy
podawali sobie właśnie ręce. Zobaczył bowiem zbliżającą się grupę
podpitych wyrostków z gumowymi pałkami. Kiedy go mijali, zagrał
„Horst-Wessel-Lied". Nic to nie dało. Do podziurawionej francuski-
ni kulami czapki nie spadł ani jeden fenig.

W tym samym czasie na Freiburgestrasse 3 Franz Huber, współ-
właściciel agencji detektywistycznej „Adolf Jenderko", przestał być
nagle nieufny i uparcie odmawiać współpracy. Błyskawicznie stracił
chotę zobaczenia legitymacji policyjnej Anwaldta, nie chciał już
zwonić do Prezydium Policji, aby potwierdzić jego tożsamość, prze-
tał egzaminować detektywa ze składu osobowego Wydziału Krymi-
alnego, z rozmieszczenia 18 komisariatów podległych wrocławskiej
Kriminalpolizeileitstelle. Franz Huber stał się nagle bardzo uczynny
uprzedzająco grzeczny. Patrząc w czarny wylot lufy odpowiadał wy-
zerpująco na wszystkie pytania:

– O co dokładnie chodziło Maassowi? Jakie panu zlecił zadanie?

– Dowiedział się od starego woźnego barona o nieślubnym dziec-
u, które Olivier von der Malten zrobił jakiejś pokojówce. Jedyna ko-
ieta służąca kiedyś u barona mieszka teraz w Polsce, w Rawiczu.
azywa się Hanne Schlossarczyk. Zadanie moje polegało na ustale-
iu, czy rzeczywiście miała ona z baronem dziecko i co się z tym
zieckiem dzieje.

– Był pan w Rawiczu osobiście?

– Nie, wysłałem jednego z moich ludzi.

– I co?

– Znalazł Hanne Schlossarczyk.

– W jaki sposób ją przekonał, aby zaczęła mówić? Przecież ludzie niechętnie się przyznają do takich grzechów.

– Schubert, mój człowiek, wystąpił jako adwokat, który szuka spadkobierców po rzekomo zmarłym baronie. Tak to sobie wymyśliłem.

– Sprytnie. I czego się dowiedział pański człowiek?

– Starsza, bogata dama, po usłyszeniu o czekającym ją wielkim spadku, przyznała się bez wahania do swego grzechu młodości, po czym tak się rozszlochała, że Schubert ledwo ją uspokoił.

– Czyli żałowała za grzech.

– Niezupełnie. Wściekała się sama na siebie, że nic nie wie o swoim synu, który byłby spadkobiercą barona. Dlatego płakała.

– Czyli miała wyrzuty sumienia?

– Na to wygląda.

– A więc baron ma z nią nieślubnego syna. To fakt. Jak się nazywa, ile ma lat i gdzie mieszka?

– Schlossarczyk służyła u barona od dziewięćsetnego pierwszego do drugiego. Wtedy chyba zaszła w ciążę. Potem baron Ruppert von der Malten, ojciec Olivera, nie przyjął już żadnej kobiety, nawet kucharki. Czyli jej syn ma 31 lub 32 lata. Jak się nazywa? Nie wiadomo. Na pewno nie tak jak baron. Jego matka otrzymała za milczenie tyle, że do dziś dobrze sobie żyje. Gdzie ten bękart teraz mieszka? Też nie wiadomo. A co wiadomo? Że do pełnoletności mieszkał w jakimś berlińskim sierocińcu, dokąd trafił jako niemowlę z rąk kochającej mamusi.

– Do którego sierocińca?

– Sama nie wie. Zawiózł go tam jakiś polski kupiec, jej znajomy.

– Nazwisko tego kupca?

– Nie chciała podać. Mówiła, że on nie ma nic do rzeczy.

– Pański człowiek uwierzył w to wszystko?

– A dlaczego niby miałaby bujać? Mówiłem, że płakała, że nie zna adresu syna. Gdyby go znała, to by się cieszyła. Przecież dostał spadek.

Anwaldt machinalnie zadał kolejne pytanie:

– Dlaczego oddała go do sierocińca? Przecież z pieniędzy barona mogła żyć dostatnio wraz z dzieckiem.

– O to mój człowiek nie zapytał.

Detektyw schował pistolet do kieszeni. Oddychał z trudem przez zaschniętą od upału krtań. Dziąsło rwało i puchło. Odezwały się też ukąszenia szerszeni. Otworzył usta i nie rozpoznał swojego głosu:

– Czy Maass był z was zadowolony?

– Połowicznie. Bo też i my to zadanie wykonaliśmy połowicznie. Mój człowiek ustalił, że Hanne Schlossarczyk miała z baronem dziecko. Nie ustalił natomiast ani jego nazwiska, ani adresu. Dostaliśmy więc od Maassa jedynie połowę.

– Ile?

– Stówę.

Anwaldt zapalił kupione na hali przy Gartenstrasse tureckie cygaro. Ostry dym odebrał mu na chwilę oddech. Opanował skurcz płuc i wypuścił pod sufit kantoru wielką kulę dymu. Rozpiął koszulę i poluzował krawat. Zrobiło mu się głupio: przed chwilą trzymał tego człowieka na muszce, a teraz kurzy u niego cygaro jak u starego znajomego. (*Niepotrzebnie dałem się ponieść nerwom i sterroryzowałem tego człowieka. Przecież mój pistolet otworzył mu jedynie usta. Tylko to zdziałał. Nie zagwarantował prawdomówności. Huber mógł to wszystko po prostu wyssać z palca*). Spojrzał na wiszące na ścianie dyplomy i zdjęcia. Na jednym z nich Franz Huber ściskał dłoń jakiemuś wysokiemu rangą oficerowi w pikielhaubie. Pod fotografią widniał napis wycięty z gazety: „Policjant, który uratował dziecko, Franz Huber, przyjmuje powinszowania od generała Freiherra von Campenhausena. Bytom 1913". Anwaldt uśmiechnął się pojednawczo. Był zrezygnowany.

– Panie Huber, przepraszam, że wyjąłem tę pukawkę. Był pan gliniarzem (jak to wy, wrocławianie mówicie? *Schkulle*), a ja pana potraktowałem jak wspólnika podejrzanego. Nic dziwnego, że był pan wobec mnie nieufny, tym bardziej, że nie mam przy sobie legitymacji. Tyle zdziałałem, że wychodzę od pana nie wiedząc, czy pan mnie okłamał, czy też nie. Mimo tej niepewności zadam panu jeszcze jed-

161

no pytanie. Bez rewolweru. Jeśli pan mi odpowie, może będzie to prawda. Mogę mówić?

– Mów pan.

– Nie wydaje się panu dziwne, że Maass tak łatwo zrezygnował z pańskich usług? Przecież jasne jest, że szuka tego hrabiowskiego syna z nieprawego łoża. Dlaczego zatrzymał się w połowic drogi, zapłacił połowę honorarium i nie próbował go dalej szukać korzystając z usług pana firmy?

Franz Huber zdjął marynarkę i nalał sobie wody sodowej. Milczał przez chwilę i patrzył na oprawione fotografie i dyplomy.

– Maass wyśmiał mnie i moje metody. Uważał, że skrewiłem, że mogłem starą przycisnąć. Postanowił, że wszystkiego się dowie sam. Wiedziałem, że lubi się przechwalać, więc zapytałem, jak znajdzie tego poszukiwanego. Powiedział, że przy pomocy swojego znajomego przywróci pamięć starej jędzy i ona mu powie, gdzie jest jej synalek. – Huber otworzył usta i głośno westchnął. – Posłuchaj mnie, synu. Nie wystraszyłem się twojej pukawki. Mam w dupie tego żydłaka Maassa i ciebie – sapnął gniewnie. – Nie okłamałem cię, bo tak mi się podobało. A wiesz, dlaczego? Zapytaj o to Mocka. Ja zapytam go o ciebie. I lepiej wyjedź stąd, jeśli się okaże, że Mock cię nie zna.

XIII

WROCŁAW, TEGOŻ 16 LIPCA 1934 ROKU.
GODZINA ÓSMA WIECZOREM

Anwaldt rzeczywiście wyjeżdżał z Wrocławia, lecz nie z powodu pogróżek Hubera. Siedział w wagonie pierwszej klasy, palił papierosa za papierosem i obojętnie patrzył na monotonny, dolnośląski pejzaż w pomarańczowym świetle zachodu. (*Muszę odnaleźć tego potomka von der Maltenów. Jeśli rzeczywiście nad potomstwem barona ciąży jakaś klątwa, to grozi mu śmiertelne niebezpieczeństwo ze strony Erkina. Ale właściwie po co go szukam? Przecież znaleźliśmy* z Mockiem mordercę. Nie, nie znaleźliśmy, jedynie zidentyfikowaliśmy. Erkin działa poprzez Maassa, jest ostrożny, wie, że go szukamy; to niewątpliwie Erkin jest tym „znajomym, który wyciśnie informacje od Schlossarczyk". Szukając zatem syna Schlossarczyk, szukam Erkina. Cholera, może on już jest w Rawiczu? Ciekawe, w którym berlińskim sierocińcu był. Może go znałem?). Zamyślony, poparzył sobie palce papierosem. Zaklął już nie w myślach i rozejrzał się po przedziale. Wszyscy podróżni tego nocnego pociągu usłyszeli to grube słowo. Ośmioletni może chłopiec, pucołowaty i bardzo nordycki, ubrany w granatowe ubranko stał przed nim i trzymał w ręku jakąś książkę. Powiedział coś po polsku i położył książkę na jego kolanie. Odwrócił się gwałtownie, pobiegł do matki, młodej otyłej kobiety, i usiadł jej na kolanach. Anwaldt spojrzał na tytuł książki i zobaczył, że jest to szkolne wydanie *Króla Edypa* Sofoklesa. Nie była to książka malca – widocznie jakiś gimnazjalista jadący na wakacje zostawił ją w wagonie. Chłopiec i matka patrzyli na niego wyczekująco. Anwaldt pokazał gestem, że nie jest to jego książka. Zapytał o nią współpasażerów. W przedziale siedzieli oprócz pani z dzieckiem student i młody mężczyzna o wybitnie semickim wyglądzie. Nikt nie przyznał się do książki, a student, widząc grecki tekst, zareagował: „broń Boże". Anwaldt uśmiechnął się i podziękował chłopcu uchylając kapelusza. Otworzył książkę na chybił trafił i ujrzał znajome greckie litery, które niegdyś tak kochał. Był ciekaw, czy po latach jeszcze potrafi coś zrozumieć. Przeczytał półgłosem i przetłumaczył 685. wiersz: „Padł głos ciemnych podejrzeń, które wgryzają się w serce". (*Dobrze jeszcze pamiętam grekę; dwóch słówek nie znałem, dobrze, że na końcu książki jest słowniczek*). Przewrócił kilka kartek i przeczytał wiersz 1068. – wypowiedź Jokasty. Z tłumaczeniem nie miał najmniejszych kłopotów: „Nieszczęsny, niechbyś nie wiedział, kim jesteś". Sentencjonalność tych zdań przypomniała mu pewną grę, w jaką bawił się niegdyś z Erną: tak zwane wróżby biblijne. Otwierali Biblię gdzie popadnie i wskazywali palcem pierwszy lepszy wers. Wybrane w ten sposób zdanie miało być proroctwem. Śmiejąc się bezgłośnie, zamknął i ponownie otworzył Sofoklesa. Tę zabawę przerwał mu polski strażnik, żądając paszportu. Przejrzał dokładnie

163

dokumenty Anwaldta, dotknął palcem daszka czapki i wyszedł z przedziału. Policjant powrócił do swoich wróżb, lecz nie mógł się skupić na tłumaczeniu z powodu nieruchomego i upartego wzroku chłopca, który go obdarował *Królem Edypem*. Malec siedział i wpatrywał się w niego nie mrugnąwszy powiekami. Pociąg ruszył. Chłopiec patrzył się dalej. Anwaldt raz opuszczał wzrok ku książce, raz piorunował chłopca wzrokiem. Nie pomagało. Chciał zwrócić uwagę matce, ale spała w najlepsze. Wyszedł zatem na korytarz i otworzył okno. Wyciągając kartonowe pudełko z papierosami z ulgą namacał nową legitymację policyjną, którą odebrał z działu kadr Prezydium Policji po wyjściu od Hubera. (*Jeśli z równowagi może cię wyprowadzić jakiś gówniarz, to źle z twoimi nerwami*). Za jednym pociągnięciem spaliła się prawie ćwiartka papierosa. Pociąg wjechał na jakąś stację. „Rawicz" – głosił wielki napis.

Anwaldt pożegnał współpasażerów, schował Sofoklesa do kieszeni i wyskoczył na peron. Wyszedł z dworca i stanął koło kilku zadbanych klombów z kwiatami. Otworzył notes i przeczytał: „Ulica Rynkowa 3". W tym momencie podjechała dorożka. Anwaldt ucieszył się i pokazał dorożkarzowi kartkę z nazwą ulicy.

Rawicz był ładnym, czystym, pełnym kwiatów miasteczkiem, nad którym górowały wieżyczki wartownicze czerwonoceglastego więzienia. Zapadający zmierzch zapraszał ludzi na ulicę. Wylegały zatem gromady hałaśliwych wyrostków zaczepiających dumnie spacerujące dziewczyny, w bielonych wapnem sieniach domów siedziały kobiety na niskich stołeczkach, pod restauracjami stali wąsaci mężczyźni w opiętych kamizelkach, którzy – racząc się spienionymi kuflami – prowadzili polską politykę zagraniczną.

Koło takiego właśnie zgromadzenia zatrzymała się dorożka. Anwaldt rzucił fiakrowi kilkadziesiąt fenigów i spojrzał na numer domu. „Rynkowa 3".

Wszedł do bramy i rozejrzał się dookoła, wypatrując jakiegoś stróża. Zamiast niego pojawiło się dwóch mężczyzn w kapeluszach. Obaj mieli bardzo zdecydowane miny. Zapytali o coś Anwaldta. Rozłożył ręce i wyłożył po niemiecku cel swojego przybycia. Wymienił oczywiście nazwisko Hanne Schlossarczyk. To podziałało na mężczyzn zgoła osobliwie. Nic nie mówiąc zagrodzili mu dostęp do wyjścia i wyraźnie zaprosili na górę. Anwaldt niepewnie wszedł po solidnych, drewnianych schodach i znalazł się na pierwszym piętrze, gdzie znajdowały się dwa małe mieszkania. Jedno było otwarte, oświetlone i zatłoczone kilkoma mężczyznami, którym z oczu wyzierała pewność siebie. Anwaldta nie omylił instynkt: tak wyglądają policjanci pod każdą szerokością geograficzną.

Jeden z aniołów stróżów popchnął delikatnie Anwaldta w stronę oświetlonego mieszkania; kiedy się tam znaleźli, wskazał ręką podłużną kuchnię. Anwaldt przysiadł na drewnianym stołku i zapalił papierosa. Nie zdążył się nawet rozejrzeć, gdy do kuchni wszedł niewysoki, elegancki mężczyzna w towarzystwie nieco umorusanego wąsacza dzierżącego w ręce miotłę. Wąsacz spojrzał na Anwaldta, następnie na eleganta, pokręcił przecząco głową i wyszedł. Elegant zbliżył się do stołka i rzekł poprawną niemczyzną:

– Dokumenty. Imię i nazwisko. Cel przybycia.

Anwaldt wręczył mężczyźnie swój paszport i odpowiedział:

– Asystent kryminalny Herbert Anwaldt z Prezydium Policji we Wrocławiu...

– Macie jakiegoś krewnego w Poznaniu?

– Nie.

– Cel przybycia?

– Ścigam dwóch podejrzanych o morderstwo. Wiem, że chcieli odwiedzić Hanne Schlossarczyk. Teraz ja chciałbym wiedzieć,· kto mnie przesłuchuje.

– Komisarz Ferdynand Banaszak z poznańskiej policji. Proszę o legitymację służbową.

– Proszę – Anwaldt starał się nadać swojemu głosowi twarde brzmienie. – A poza tym co to za przesłuchanie? Czy ja o coś jestem oskarżony? Czy nie mogę zobaczyć się z Hanne Schlossarczyk w sprawie prywatnej?

Banaszak roześmiał się w głos.

– Mów, w jakiej sprawie chciałeś się z nią zobaczyć albo zaprosimy cię do pewnego gmachu, który rozsławił nasze miasto w całej Polsce – mówiąc to nie przestawał się uśmiechać.

Anwaldt zrozumiał, że jeśli w małej mieścinie pojawił się policjant z głównego miasta zachodniej Polski, to sprawa, w którą jest wmieszana Schlossarczyk, musi być poważna. Bez zbędnych wstępów opowiedział wszystko Banaszakowi, zatajając tylko motywy, dla których Erkin i Maass poszukują nieślubnego syna Schlossarczyk. Komisarz spojrzał na Anwaldta i odetchnął z ulgą.

– Pytał się pan, czy może rozmawiać z Hanną Ślusarczyk. Odpowiadam panu: nie, nie może pan rozmawiać z Hanną Ślusarczyk. Została dziś rano porąbana siekierą przez pewnego mężczyznę, którego dozorca opisał jako mówiącego po niemiecku Gruzina.

POZNAŃ, WTOREK 17 LIPCA.
GODZINA 3 NAD RANEM

Anwaldt rozciągnął zdrętwiałe członki. Oddychał z ulgą w chłodnym pokoju przesłuchań w poznańskim Prezydium Policji przy ulicy 3 Maja. Banaszak prawie skończył tłumaczenie na niemiecki akt sprawy Hanny Ślusarczykówny i szykował się do wyjścia. Po przyjeździe z Rawicza do Poznania pół nocy zajęło im sporządzanie protokołu, zgodnie z którym śledztwo w sprawie zabójstwa kobiety zostało rozdzielone między Prezydium Policji we Wrocławiu reprezentowane przez asystenta kryminalnego Herberta Anwaldta a Prezydium Policji Państwowej w Poznaniu, w imieniu którego działa komisarz Ferdynand Banaszak. Uzasadnienie było długie i zawiłe, a opierało się na zeznaniach Anwaldta.

Protokół ten i jego tłumaczenie na niemiecki przez Banaszaka i podpisane przez obu miały czekać do rana na podpis prezydenta poznańskiej policji. Banaszak zapewnił, że jest to czysta formalność i podał Anwaldtowi małą, mięsistą dłoń. Był wyraźnie zadowolony z takiego obrotu sprawy.

– Nie ukrywam, Anwaldt, że z radością zrzuciłbym na pana barki całą tę śmierdzącą sprawę. Ale nie muszę tego robić. Ona i tak jest waszą sprawą, sprawą niemiecko-turecką. I to przede wszystkim wy będziecie prowadzić śledztwo. Żegnam pana. Naprawdę ma pan zamiar siedzieć nad tym do rana? Mnie zostało do przetłumaczenia jeszcze pół strony. Przetłumaczę ją panu jutro. Dziś jestem już bardzo senny. Zdąży się pan jeszcze nacieszyć tym śledztwem! W korytarzu grzmiał długo jego śmiech. Anwaldt wypił wystygłą już mocną kawę i rozpoczął czytanie akt sprawy. Krzywił się przy tym, czując w ustach kwaśnawy smak – nadmiar kawy i papierosów dawał się we znaki. Komisarz Banaszak płynnie mówił po niemiecku, ale pisał fatalnie. Opanował jedynie fachowe policyjne terminy i sformułowania (od 1905 do wybuchu wojny służył, jak się przyznał Anwaldtowi, w pruskiej policji kryminalnej w Poznaniu), pozostałe słownictwo było bardzo ubogie, co wraz z niezliczonymi błędami gramatycznymi tworzyło zabawną mieszankę. Anwaldt z prawdziwym rozbawieniem czytał krótkie, toporne zdania. Machnął ręką na stylistykę. Najważniejsze, że akta były dla niego zrozumiałe. Wynikało z nich, że Walenty Mikołajczak, stróż kamienicy, w której mieszkała denatka, został ok. 9 rano dnia 16 lipca br. zapytany po niemiecku przez nieznajomego mężczyznę „eleganckiego, podobnego do Gruzina" (co oznaczało według dozorcy czarne włosy i oliwkową cerę) o mieszkanie Hanny Ślusarczykówny. Dozorca udzielił mu informacji i wrócił do swej roboty (naprawiał klatki, w których lokatorzy trzymali króliki). Wizyta niecodziennego gościa nie dawała mu jednak spokoju – Ślusarczykówna była samotniczką. Co chwilę podchodził do drzwi jej mieszkania i nadsłuchiwał. Jednak niczego podejrzanego ani nie usłyszał, ani nie zobaczył. Około 10 zachciało mu się pić i wstąpił do pobliskiego baru „Ratuszowego" na piwo. Wrócił ok. 11.30 i zapukał do drzwi Ślusarczykówny. Zdziwiony widokiem otwartego okna – stara panna, dziwaczka, nigdy nie otwierała okna, bojąc się panicznie przeciągów i morderców. Tych ostatnich ze względu na famę „bogaczki", jaką się cieszyła. Według Mikołajczaka „wszyscy wiedzieli, że panna Ślusarczykówna ma wincyj niż sam burmistrz". Ponieważ nikt nie odpowiadał na pukanie, dozorca otworzył drzwi zapasowym kluczem. Znalazł poćwiartowane zwłoki w drewnianej balii. Zamknął drzwi i zawiadomił policję. Po trzech godzinach do Rawicza przybył komisarz Ferdynand Banaszak z pięcioma wywiadowcami. Stwierdzili, że zgon nastąpił wskutek wykrwawienia. Nie znaleziono niczego, co wskazywałoby na rabunkowy motyw zbrodni. Z mieszkania – oprócz albumu z fotografiami – nic nie zniknęło, co potwierdziła pani Aniela Sikorowa, przyjaciółka zmarłej. Zeznał ponadto, że zmarła nie miała żadnych krewnych i żadnych – poza Sikorową – przyjaciółek. Korespondowała jedynie z jakimś kupcem z Poznania, ale jego nazwisko utrzymywała w tajemnicy (sąsiadka podejrzewała, że jest to dawny ukochany Ślusarczykówny).

Anwaldt poczuł wielkie zmęczenie. Aby je odpędzić, wytrząsnął z paczki ostatniego papierosa. Zaciągnął się i spojrzał znów na staranne zapiski Banaszaka. Nic z nich nie rozumiał, była to bowiem do połowy zapisana po polsku strona, której komisarz nie przetłumaczył na niemiecki. Anwaldt przyglądał się polskiemu tekstowi z jakś fascynacją. Zawsze zastanawiały go zagadkowe znaki diakrytyczne: zawijasy pod „a" i „e", mała fala nad „l", ukośne akcenty nad „s", „z" i „o". Wśród tych liter znalazł dwukrotnie zapisane swoje nazwisko. Nie to go zdziwiło – wszak w uzasadnieniu przejęcia śledztwa przez niemiecką policję Banaszak często powoływał sie na jego ustalenia – ale błąd w jego nazwisku. Napisano je bez „t". Schylił się nad kartką, aby dopisać „t", ale cofnął rękę. Ze stalówki spłynęła mała kropla atramentu i rozprysła się na zielonym suknie pokrywającym stół. Anwaldt nie mógł oderwać oczu od swojego nazwiska, pływającego wśród polskich zakrętasów, ukośnych kresek i łagodnych fal. Jedynie nazwisko było jego. Imię już nie: brzmiało nieznanie, obco, dumnie – polskie imię „Mieczysław".

Wstał, otworzył drzwi i wszedł do głównego pomieszczenia komisariatu, gdzie za drewnianą barierką kiwał się senny posterunkowy. Jego pomocnik, stary policjant krótko przed emeryturą, przekomarzał się z jakąś królewną nocy ubraną w kwiecistą sukienkę. Anwaldt podszedł do niego i dowiedział się, że stary mówi po niemiecku. Powołując się na komisarza Banaszaka, poprosił go o przełożenie polskiego tekstu. Weszli z powrotem do pokoju przesłuchań. Stary policjant zaczął dukać

– Podług zeznań Walentego Mikołajczaka... nosił listy Ślusarczykówny do urzędu poczty... Czytał i zamyślił nazwisko adresarza... nie... jak to się mówi?

– Adresata. Co to znaczy „zamyślił"?

– Tak... adresata. „Zamyślił" to znaczy, że ma w rozumie, że wie

– Adresat: Mieczysław Anwald, Poznań, ul. Mickiewicza 2. Walenty Mikołajczak dziwował się, że wysyła listy na adres sklepu. Nazwisko firmy głosi...

– Chyba „brzmi".

– Tak. Brzmi. Nazwisko firmy brzmi „Towary Bławatne. Mieczysław Anwald i Spółka". Dalej jest... no... ja wiem... coś o jakimś fotograficznym album... No, ale co to panu? Zasnął... śpi...

Stary policjant z radością porzucił obowiązki tłumacza, wyszedł z pokoju i zostawił Anwaldta samego. Zamykając drzwi, spojrzał z troską na zmęczonego niemieckiego policjanta, który oparł czoło na szorstkim zielonym suknie.

Mylił się. Anwaldt wcale nie spał. Z zamkniętymi oczami łatwiej przenosił się w czasie i w przestrzeni. Teraz siedział w kantorze Franza Hubera i trzymał na muszce starego detektywa. W obitym drewnem kantorze unosiły się drobinki kurzu, kładły się sypkim dywanem na grubych segregatorach i na szybkach, za którymi żółciły się stare fotografie. Franz Huber stukał w blat biurka rzeźbioną cygarniczką i powoli cedził słowa:

– Schlossarczyk służyła u barona od dziewięćsetnego pierwszego do drugiego. Wtedy chyba zaszła w ciążę. Potem baron Ruppert von der Malten, ojciec Oliviera, nie przyjął już żadnej kobiety, nawet kucharki. Czyli jej syn ma 31 lub 32 lata. Jak się nazywa? Nie wiadomo. Na pewno nie tak jak baron. Jego matka za milczenie otrzymała tyle, że do dziś dobrze sobie żyje. Gdzie ten bękart teraz mieszka? Nie wiadomo. Wiadomo tylko, gdzie mieszkał do pełnoletności. W jakimś berlińskim sierocińcu, dokąd trafił jako niemowlę z rąk kochającej mamusi.

– Do którego sierocińca? – Anwaldt usłyszał swój głos.

– Sama nie wie. Zawiózł go tam jakiś jej znajomy polski kupiec.

-- Nazwisko tego kupca?

– Nie chciała podać. Mówiła, że on nie ma nic do rzeczy. (*Jestem lepszy od Schuberta, detektywa z firmy Hubera. Wiem, jak nazywał się ów kupiec. Tak samo jak ja, tylko bez „t". Berliński sierociniec i poznański kupiec bławatny Mieczysław Anwald. Dwa miasta, dwoje ludzi, jedno nazwisko, jeden wyrok śmierci*).

Skład tkanin bławatnych Mieczysława Anwalda na ulicy Północnej koło Dworca Towarowego dudnił już o tej porze życiem. Robotnicy nosili bele materiału, do rampy podjeżdżały furmanki i samochody dostawcze, jakiś Żyd pchał zbity z desek wózek, przedstawiciel handlowy wrocławskiej firmy „Bielschowsky" wymachiwał wizytówką przed nosem kierownika, w kantorze stukały liczydła, komisarz Banaszak pykał małą fajkę z kości słoniowej, a Anwaldt powtarzał sobie w duchu: „to czysty przypadek, że syn Schlossarczyk i barona von der Maltena wychował się, tak jak ja, w berlińskim sierocińcu, to czysty przypadek, że oddał go tam człowiek noszący, takie jak ja nazwisko, ja nie jestem synem barona, to czysty przypadek, że syn Schlossarczyk i barona wychował się...".

– Słucham panów – potężnie zbudowany pięćdziesięciolatek ściskał pomiędzy palcami grube cygaro. – Czego ode mnie chce nasza kochana policja?

Banaszak wstał i spojrzał niechętnie na nieogolonego Anwaldta, który szeptał coś do siebie. Wyjął legitymację i tłumiąc ziewanie powiedział:

– Komisarz Banaszak, a to asystent kryminalny Klaus Überweg z wrocławskiej policji. Czy znał pan Hannę Ślusarczykównę z Rawicza?

– Nie... nie znam... skąd... – kupiec spojrzał na kasjerki, które nagle zaczęły wolniej rachować. – Proszę panów do mieszkania. Tu jest za duży hałas.

Mieszkanie było duże i wygodne. Od strony kantoru wchodziło się do niego przez kuchenne drzwi. Dwie służące zalotnie spojrzały na młodego człowieka, dla którego noc za szybko się skończyła; pod wpływem piorunującego spojrzenia pana natychmiast wróciły do skubania tłustej kaczki. Zastukały buty mężczyzn po posadzce z piaskowca. Kupiec zaprosił policjantów do biblioteki, w której złociły się grzbiety dziewiczych książek, a swe miękkie wnętrza rozkładały stojące pod palmą zielone fotele. Przez otwarte okno dochodził mdlący

170

słodkawy zapach rzeźni. Mieczysław Anwald nie czekał, aż Banaszak ponowi pytanie.

– Tak, znam Hannę Ślusarczykównę.

– Czy mówi pan po niemiecku? – komisarzowi zatkała się fajka.

– Tak.

– Może przejdziemy zatem na ten język. Oszczędzi to nam czasu, gdyż asystent Überweg nie zna polskiego.

– Bardzo proszę.

Banaszak przedmuchał w końcu fajkę, biblioteka napełniła się wonnym dymem.

– Panie Anwald, bądźmy ściśli: raczej znał pan. Wczoraj rano pańska znajoma została zabita.

Mieczysław Anwald skrzywił się boleśnie. Słownej reakcji nie było. Anwaldt przestał powtarzać swoje mantry i przystąpił do zadawania pytań:

– Panie Anwald, czy to pan oddał do berlińskiego sierocińca panieńskie dziecko Hanny Schlossarczyk?

Kupiec milczał. Banaszak poruszył się niespokojnie i powiedział po polsku:

– Drogi panie, jeżeli pan chce, aby pańska rodzina dowiedziała się o pańskim romansie z kobietą złej sławy, jeżeli pan chce wyjść ze swej firmy na komisariat prowadzony przez dwóch mundurowych, to proszę dalej milczeć.

Gospodarz spojrzał na nieogolonego mężczyznę o płonących oczach i odpowiedział po niemiecku ze śląskim akcentem:

– Tak. To ja oddałem to dziecko do sierocińca w Berlinie.

– Dlaczego pan to zrobił?

– Hanna mnie o to poprosiła. Sama nie była w stanie rozstać się dzieckiem.

– To po co się w ogóle z nim rozstawała?

– Panie asystencie – Banaszak w ostatniej chwili ugryzł się w język, aby nie powiedzieć „panie asystencie Anwaldt". Był zły sam na siebie, że przystał na tę dziwną prośbę Anwaldta o przedstawianie go pod zmyślonym nazwiskiem. – Proszę wybaczyć, ale to pytanie nijak się ma do sprawy. Po pierwsze należy je skierować do nieboszczki, po drugie, nie uzyska pan dzięki odpowiedzi na nie tego, czego pan szuka: adresu jej syna.

– Panie komisarzu, nie będę przyjeżdżać ponownie do Poznania, aby zadać jakieś pytanie, którego teraz pan zadać mi nie pozwoli.

Anwaldt patrzył przez żółte szybki na książki i podziwiał duży zbiór przekładów z literatury greckiej. W uszach huczał mu werset z *Króla Edypa*: „Strasznym to, panie, lecz póki ów świadek/ Prawdy nie wyzna, trwaj jeszcze w nadziei".

– Była młoda. Chciała jeszcze wyjść za mąż.

– Do którego sierocińca zawiózł pan to dziecko?

– Nie wiem. Na pewno do jakiegoś katolickiego.

– Jak to, to był pan w końcu w Berlinie czy nie? Pojechał pan tam z dzieckiem na ślepo, nie wiedząc, gdzie je zostawi? Skąd pan wiedział, że w ogóle gdzieś je panu przyjmą?

– Na dworcu czekały na dziecko dwie siostry zakonne. To było ustalone przez rodzinę ojca dziecka.

– Jaką rodzinę? Nazwisko!

– Nie wiem. Hanna trzymała to w ścisłej tajemnicy i nikomu o tym nie mówiła. Przypuszczam, że hojnie zapłacono jej za milczenie.

– Czy jeszcze coś ustalono?

– Tak. Rodzina ojca dziecka zapłaciła z góry za wykształcenie chłopca w gimnazjum.

Anwaldt poczuł nagle bolesny skurcz w piersi. Wstał, przeszedł się po pokoju i postanowił zniszczyć ból przez jego przyczynę. Zapalił zatem kolejnego papierosa, ale skutek był taki, że chwycił go suchy kaszel. Kiedy się uspokoił, zacytował Sofoklesa: – „Strasznym to, panie, lecz póki ów świadek/ Prawdy nie wyzna, trwaj jeszcze w nadziei".

– Co proszę? – zapytali jednocześnie i Anwald, i Banaszak patrząc na wrocławskiego policjanta jak na wariata. Ten zbliżył się do fotela Mieczysława Anwalda i wyszeptał:

– Jakie nazwisko otrzymało to dziecko?

– Ochrzciliśmy chłopca w Ostrowie Wielkopolskim. Dobroduszny ksiądz uwierzył nam na słowo, że jesteśmy małżeństwem. Tylko ode mnie zażądał paszportu. Rodzicami chrzestnymi byli jacyś przypadkowi ludzie, którym za to zapłaciłem.

– Mów, do cholery, jak się nazywa to dziecko?!
– Tak, jak ja: Anwald. Na imię daliśmy mu Herbert.

POZNAŃ, TEGOŻ 17 LIPCA 1934 ROKU.
GODZINA DRUGA PO POŁUDNIU

Herbert Anwaldt siedział wygodnie rozparty na pluszowej kanapie w salonce. Czytał *Króla Edypa* i nie zwracał najmniejszej uwagi na zatłoczony poznański peron. Nagle zjawił się konduktor i uprzejmie zapytał, czego szanowny pan życzy sobie do jedzenia podczas podróży. Anwaldt nie odrywając oczu od greckiego tekstu zamówił golonkę i butelkę polskiej wódki Baczewskiego. Konduktor ukłonił się i wyszedł. Pociąg do Wrocławia ruszył.

Anwaldt wstał i przejrzał się w lustrze.

– Ładnie sobie poczynam z pieniędzmi. Ale niech tam. Czy wiesz – powiedział do swojego odbicia. – że mój tatuś ma dużo forsy? Jest bardzo dobry. Opłacił mi najlepsze berlińskie gimnazjum klasyczne.

Wyciągnął się na kanapie, a twarz nakrył rozłożoną książką. Z przyjemnością poczuł nikły zapach drukarskiej farby. Zamknął oczy, aby łatwiej przywołać zamgloną przyszłość, jakiś obraz, natrętnie kołaczący na progu świadomości, uparcie podskakujący jak zdjęcie w fotoplastikonie, które nie chce wejść we właściwą ramkę. To była jedna z tych chwil, kiedy szum w uszach i zawrót głowy zwiastował Anwaldtowi, że oto następuje epifania, sen proroczy, błysk jasnowidza, transformacja szamana. Otworzył oczy i z zainteresowaniem rozejrzał się po sklepie kolonialnym. Czuł piekący ból. Pulsowały ranki po użądleniach os. Tęgi sprzedawca opasany brudnym fartuchem roześmiał się podając mu łupinę cebuli. Uśmiech nie znikał z jego twarzy. Ty świnio, krzyknął Anwaldt, mój tatuś cię zabije. Sprzedawca rzucił się przez ladę na chłopca, który schował się za wchodzącego właśnie do sklepu wychowawcę. Patrzył na Anwaldta bardzo przyjaźnie. (*Panie wychowawco, proszę zobaczyć, jaką wieżę zbudowałem z tych klocków. Tak, bardzo ładną wieżę zbudowałeś, Herbercie – wychowawca poklepał go po ra-*

mieniu. Znowu. I jeszcze raz). – Proszę szanownego pana, oto wódka i golonka. – Anwaldt odrzucił książkę, usiadł i odkorkował butelkę. Drgnął; krzyczało jakieś dziecko. Mały Klaus w Waschteich Park jak przewrócony, otruty karaluch walił nogami o ziemię. „On nie jest moim tatusiem!". Koła miarowo stukały. Zagłuszyły krzyk Klausa. Anwaldt przechylił butelkę. Palący płyn szybko zadziałał w pustym żołądku, rozjaśnił umysł, uspokoił nerwy. Policjant z przyjemnością wbijał zęby w trzęsące się różowe mięso. Po kilku chwilach na talerzu leżała gruba kość. Wyciągnął się wygodnie na kanapie. Alkohol sprawił, że w jego mózgu wyświetlił się obraz ciemnozielonego lasu i wykrzywionych figurek wygnanych dzieci Chaima Soutine'a. Nie wszystkie są wygnane, tłumaczył sobie w myślach, na przykład tego małego Polaka z pociągu do Rawicza nikt nigdy i nigdzie nie wypędzi. Ty też jesteś Polakiem. Twoja matka była Polką. Usiadł i wypił po rząd dwie szklanki wódki. Butelka była pusta. (*Gorący piasek pustyni osiadał na kamiennej posadzce. Do zrujnowanego grobowca zajrzał dziki kozioł. Ślady racic na piasku. Wiatr wdmuchiwał piasek w zygzakowate szpary ścian. Z sufitu spadały małe ruchliwe skorpiony. Otaczały go i wznosiły jadowite odwłoki. Eberhard Mock deptał je metodycznie. Zginę, tak jak zginęła moja siostra. Sofokles: „Nieszczęsny, niechbyś nie wiedział, kim jesteś")*.

XIV

WROCŁAW, WTOREK 17 LIPCA 1934 ROKU.
GODZINA SIÓDMA WIECZOREM

Eberhard Mock siedział bez koszuli w swoim mieszkaniu prz Rehdigerplatz i odpoczywał po ciężkim i nerwowym dniu. Rozłoży szachownicę, rozstawił figury i usiłował zagłębić się w lekturę *Puła pek szachowych* Überbranda. Analizował pewną mistrzowską parti Jak zwykle postawił się w sytuacji obrońcy i znalazł ku swemu zad woleniu rozwiązanie, które doprowadziło do pata. Spojrzał jeszcz raz na szachownicę i zamiast białego króla, który nie jest szachow ny, lecz nie może zrobić ruchu, zobaczył siebie, dyrektora krimina nego Eberharda Mocka. Stał cofnięty pod obstrzałem czarnego skoczka z twarzą Oliviera von der Maltena i czarnego hetmana przypominającego szefa gestapo Ericha Krausa. Biały goniec o wyglądzie Smolorza stał bezużyteczny w rogu szachownicy, a biały hetman-Anwaldt kulił się gdzieś na biurku, poza szachownicą. Mock nie odbierał telefonu, który uparcie dzwonił już po raz czwarty tego wieczoru. Spodziewał się, że usłyszy zimny głos barona wzywający go do raportu. Co miał powiedzieć von der Maltenowi? Że Anwaldt gdzieś zniknął? Że do mieszkania Maassa wszedł właściciel kamienicy z nowym lokatorem i zastał tam Smolorza? Tak, mógł oczywiście powiedzieć, że znalazł mordercę. Ale gdzie jest ten morderca? Czy wc Wrocławiu? Czy w Niemczech? Czy może w górach Kurdystanu? Telefon dzwonił uparcie. Mock liczył sygnały. Dwanaście. Wstał i przeszedł się po pokoju. Telefon przestał dzwonić. W tym momencie rzucił się do słuchawki. Przypomniał sobie telefoniczną zasadę von Hardenburga: czekam do dwunastego sygnału. Poszedł do kuchni i wyjął ze spiżarni pęto suchej kiełbasy. Dzisiaj służba miała wolne. Urwał zębami spory kawał. Następnie zjadł łyżeczkę ostrego chrzanu. Przeżuwając, łzawił obficie – chrzan był ostry – i myślał o młodym berlińczyku, który poniżony i sponiewierany w kazamatach gestapo, uległ groźbom oprawców i wyjechał z tego rozpalonego i złego miasta. Telefon znów zadzwonił. (Gdzie może być Anwaldt?). Drugi dzwonek telefonu. (Ja jeszcze załatwię tego przeklętego Forstnera!). Trzeci. (Nerwowy dzień, a nic się przecież nie działo). Czwarty. (To właśnie dlatego). Piąty. (Szkoda Anwaldta, dobrze by było mieć takiego u siebie). Szósty. (No trudno, i on znalazł się w „imadle"). Siódmy. Muszę sprowadzić sobie jakąś dziwkę. Wtedy się uspokoję). Ósmy. Nie mogę przecież odebrać z pełnymi ustami). Dziewiąty. (Tak, zadzwonię do madame). Dziesiąty. (Może to von Hartenburg?). Teleon zadzwonił po raz jedenasty. Mock rzucił się do przedpokoju podniósł słuchawkę po dwunastym sygnale. Jego ucho usłyszało piacki bełkot. Brutalnie przerwał potok niezrozumiałych usprawiedliwień.

– Gdzie jesteś, Anwaldt?
– Na dworcu.

– Czekaj na mnie na pierwszym peronie. Zaraz po ciebie przyjadę. Powtórz – na którym peronie?
– Na... pieeerwszym.

Mock nie znalazł Anwaldta ani na pierwszym peronie, ani na żadnym innym. Wiedziony intuicją, poszedł na posterunek Bahnschutzu. Anwaldt leżał w areszcie i spał, głośno chrapiąc. Mock pokazał zdumionemu dyżurnemu swoją legitymację i uprzejmie poprosił o pomoc Dyżurny skwapliwie rzucił kilka słów swoim ludziom. Ci chwycili pijanego pod pachy i zanieśli do samochodu. Mock podziękował usłużnemu dyżurnemu i jego ludziom, zapuścił motor i po kwadransie by z powrotem na Rehdigerplatz. Na skwerku wszystkie ławki były zajęte Ludzie odpoczywający po całodziennym upale ze zdziwieniem patrzyl na krępego mężczyznę z wydatnym brzuchem, który głośno sapiąc wyciągał z tylnego siedzenia czarnego adlera bezwładnego człowieka.

– Ale się ugotował – roześmiał się jakiś przechodzący wyrostek.

Mock zdjął pijanemu zabrudzoną wymiocinami marynarkę, zwinął ją i wrzucił na przód samochodu. Następnie przełożył jego lew rękę przez swój spocony kark, prawą objął go wpół i na oczach śmiejącej się gawiedzi wtaszczył do bramy. Stróża, jak na złość, nigdzi nie było. „Każdy może wejść do bramy, a ten idiota pewnie pije piw u Kohla" – mruczał wściekły. Posuwał się powoli, stopień po stopniu Ocierał się policzkiem o brudną, przepoconą koszulę Anwaldta wzdrygał się co chwilę owiany kwaśną chmurą oddechu, przystawa na półpiętrach i klął ordynarnie, nie przejmując się sąsiadami. Wła śnie jeden z nich, adwokat doktor Fritz Patschkowsky, wychodz z psem na spacer. Przystanął zdziwiony, a duży szpic o mało nie ze rwał się ze smyczy. Mock spojrzał na niego mało przyjaźnie i nie od powiedział na wyniosłe „dzień dobry". Dotarł w końcu do swoic drzwi i postawił przy nich Anwaldta. Jedną ręką go przytrzymywa drugą mocował się z opornym zamkiem. Po minucie znalazł si w mieszkaniu. Anwaldt leżał na posadzce w przedpokoju. Mock od dychał ciężko siedząc na mahoniowej toalecie. Zamknął drzwi i wy palił spokojnie papierosa. Następnie chwycił Anwaldta za kołnier koszuli i pociągnął w stronę bawialni. Ujął go pod pachy i umieścił r nieco pochyłym szezlongu. Przeszukał kieszenie. Nic. (Jakiś doliniarz już go obrobił). Poluzował mu krawat, rozpiął koszulę i zdjął buty. Garderoba Anwaldta była w fatalnym stanie, pobrudzona tłuszczem i popiołem. Na chudych policzkach dwudniowy zarost kładł się cieniem. Mock przypatrywał się przez chwilę podwładnemu, po czym wyszedł do kuchni i rozejrzał się uważnie po zielonych słoikach stojących na najwyższej półce w spiżarni. Każdy z nich posiadał pergaminową czapę obwiązaną jasną gumką. Znalazł w końcu słoik z suszonymi liśćmi mięty.Wsypał dwie garście ziół do dzbanka, a następnie, nie bez trudności, rozpalił ogień pod kuchnią. Grzebał dłuższą chwilę wśród fajerek, aż znalazł odpowiednią. Postawił na niej błyszczący wypucowany czajnik. Z łazienki wyniósł blaszaną miednicę i postawił ją na wszelki wypadek koło posłania Anwaldta. Wrócił do kuchni. Uniósł parujący czajnik i napełnił wrzącą wodą dzbanek z liśćmi. Nie wiedząc, jak zagasić ogień, zalał go po prostu wodą z kranu. Potem wziął chłodną kąpiel i przebrał się w szlafrok. Usiadł przy biurku i zapalił grube tureckie cygaro, jedno z tych, które trzymał na specjalne okazje. Spojrzał na szachownicę. Pat dalej paraliżował króla-Eberharda Mocka. Zagrażali mu dalej skoczek-von der Malten i hetman-Kraus. Ale oto na szachownicy pojawił się odzyskany skądś biały hetman-Anwaldt i przyszedł w sukurs królowi.

WROCŁAW, ŚRODA 18 LIPCA 1934 ROKU.
GODZINA ÓSMA RANO

Anwaldt otworzył zapuchnięte oczy i od razu ujrzał stojący na stoliku dzbanek i szklankę. Trzęsącymi się dłońmi napełnił ją przecedzoną miętą i uniósł do ust.

– Co, może dać ci nóż, abyś rozdzielił jedną wargę od drugiej? – Mock wiązał krawat, rozsiewał korzenny zapach dobrej wody kolońskiej i uśmiechał się dobrotliwie. – Wiesz co, nawet nie jestem na ciebie wściekły. Bo jak można się wściekać na kogoś, kto cudem się odnalazł. Pstryk, był Anwaldt i nie ma Anwaldta. Pstryk, i znowu jest Anwaldt – Mock przestał się uśmiechać. – Kiwnij głową, jeżeli miałeś ważny powód, aby zniknąć mi z oczu.

Anwaldt skinął. Pod sklepieniem czaszki rozpaliły się sztuczne ognie. Nalał sobie znowu mięty. Mock stał na szeroko rozstawionych nogach i obserwował skacowanego policjanta. Splótł dłonie na brzuchu i zakręcił kciukami młynek.

– Dobrze. Widzę, że chce ci się pić. To znaczy, że nie będziesz rzygał. Przygotowałem ci kąpiel. W łazience leży jedna z moich koszul i twoje wyczyszczone i odprasowane ubranie. Nieźle je wczoraj załatwiłeś. Słono zapłaciłem żonie stróża za jej starania. Siedziała nad tym pół nocy. Wyczyściła również twoje buty. Pieniądze oddasz mi, jak będziesz miał. Wczoraj ktoś cię okradł. Ogól się, bo wyglądasz jak pener. Użyj mojej brzytwy – Mock był szorstki i zdecydowany. – A teraz posłuchaj mnie uważnie. Za trzy kwadranse masz tu siedzieć naprzeciw mnie i opowiadać swoje przygody. Krótko i konkretnie. Potem pojedziemy do katedry Jana Chrzciciela. Tam ma na nas czekać o dziewiątej piętnaście doktor Leo Hartner.

Siedzieli w chłodnych ciemnościach. Impet słońca zatrzymywał się na kolorowym filtrze witraży, mury z ciosowego kamienia tłumiły huk i zamęt spoconego miasta, książęta śląscy spali w cichych niszach, a łacińskie napisy na ścianach wzywały do rozmyślań o wieczności. Zegarek Mocka wskazywał dziewiątą dwadzieścia. Zgodnie z umową siedzieli w pierwszej ławie i rozglądali się za Hartnerem. Zamiast niego podszedł do nich niewysoki i ostrzyżony na jeża ksiądz w srebrnooprawnych okularach. Bez słowa wręczył Mockowi kopertę i prędko odszedł. Anwaldt chciał pójść za nim, ale Mock go powstrzymał. Wyjął z koperty napisany na maszynie list i podał go asystentowi.

– Czytaj ty. Ja tu słabo widzę, a nie będziemy wychodzić na ten przeklęty upał – po wygłoszeniu tej kwestii Mock zdał sobie sprawę, że mówi per ty synowi barona von der Maltena. (*Jeżeli mówiłem ty Marietcie, mogę i jemu*).

Anwaldt spojrzał na kartkę sygnowaną złotym herbem Bibliotek Uniwersyteckiej, pod którym widniały eleganckie czcionki dyrektorskiej maszyny do pisania.

„Drogi ekscelencjo. Przepraszam, że nie mogę osobiście stawić się na umówione spotkanie, ale względy rodzinne skłoniły mnie do nagłego wyjazdu wczoraj wieczorem. Dzwoniłem do WE kilkakrotnie, ale był pan poza domem. Niech przemówię zatem tym listem, a mam do powiedzenia kilka ważnych rzeczy. Wszystko, co teraz powiem, opiera się na znakomitej książce Jeana Boyé *Les Yesîdîs* wydanej przed dziesięcioma laty w Paryżu. Autor, znany francuski etnograf i podróżnik, przebywał wśród jezydów cztery lata. Był przez nich lubiany i szanowany tak bardzo, że dopuszczano go do niektórych świętych obrzędów. Wśród wielu interesujących opisów religijnego kultu tej tajemniczej sekty jeden jest szczególnie znamienny. Otóż nasz autor przebywał gdzieś na pustyni (nie mówi, gdzie dokładnie) wraz z kilkoma ze starszyzny jezydów. Odwiedzili tam starego pustelnika mieszkającego w grocie. Ten wiekowy eremita często tańczył i wpadał w trans tak jak tureccy derwisze. Głosił przy tym jakieś proroctwa w niezrozumiałym języku. Boyé długo, jak pisze, musiał prosić jezydów, aby mu wyjaśnili te profetyczne okrzyki. Zgodzili się w końcu i wytłumaczyli. Pustelnik ogłaszał, że oto nastąpił czas zemsty za zabite dzieci Al-Szausiego. Boyé, znający dobrze historię jezydów, wiedział, że dzieci te zginęły na przełomie XII i XIII wieku. Zdziwił się zatem, że ci urodzeni mściciele czekali aż tyle na spełnienie swej świętej powinności. Jezydzi wyjaśnili mu, że według ich prawa zemsta tylko wtedy jest ważna, gdy dokładnie odpowiada zbrodni, którą ma pomścić. A zatem, jeśli komuś wyłupiano sztyletem oko, to jego mściciel musi zrobić to samo zbrodniarzowi albo jego potomkowi, i to nie zwykłym nożem, ale właśnie sztyletem i to najlepiej tym samym. Pomsta za zabite dzieci Al-Szausiego byłaby tylko wtedy zgodna z ich prawem, jeśli dzieci potomka mordercy zginęłyby w ten sam sposób. Ale nie mogło się to spełnić przez wieki, do chwili, kiedy pustelnikowi objawiło się bóstwo Malak-Taus i oznajmiło, że oto nadeszła oczekiwana pora. Pustelnicy ci cieszą się u jezydów wielką czcią i uważani są za strażników tradycji. A do świętej tradycji należy powinność pomszczenia. Kiedy zatem eremita ogłosi właściwy czas, zgromadzenie wybiera mściciela, którego prawą dłoń tatuują symbolem zemsty. Jeśli ów mściciel nie wykona swojego zadania, wieszają go na oczach wszystkich. Tyle Boyé.

Drogi ekscelencjo, ja również, niestety, nie potrafię odpowiedzieć na pytanie, które tak nurtowało Jeana Boyé. Przejrzałem całą genealogię rodziny von der Maltenów i wydaje mi się, że wiem, dlaczego zemsta jezydów przez tyle wieków nie mogła być dokonana. Von der Maltenowie podzielili się w XIV wieku na trzy gałęzie: śląską, bawarską i niderlandzką. W XVIII wieku te dwie ostatnie uschły. Gałąź śląska krzewiła się niezbyt obficie – w tej znanej junkierskiej rodzinie najczęściej rodzili się sami chłopcy-jedynacy, a zemsta – przypominam – mogła tylko wtedy być uznana za ważną, kiedy dokonano by jej na rodzeństwie. W całej historii tej rodziny tylko pięć razy pojawiło się rodzeństwo. W dwóch wypadkach jedno z dzieci zmarło w niemowlęctwie, w dwóch innych chłopcy zginęli w niewiadomych okolicznościach. W ostatnim ciotka Oliviera von der Maltena, siostra jego ojca Rupperta, dokonała żywota w ściśle zamkniętym pustelniczym klasztorze, a zatem dokonanie na niej zemsty było utrudnione.

Drogi ekscelencjo, napisałem, że wiem, dlaczego zemsta nie została dokonana. Niestety nie wiem, dlaczego ów święty starzec doznał iluminacji i uroczyście ogłosił nadejście chwili wypełnienia pomsty. Jedyny żyjący obecnie męski potomek Godfryda von der Maltena, Olivier, nie miał w chwili iluminacji pustelnika żadnych innych dzieci poza nieszczęsną Mariettą. Zatem jej straszliwy mord jest tragiczną pomyłką obłędem starego szamana, wywołanym, być może, przez tak popularny tam haszysz.

Kończę już mój przydługi list i przepraszam, że nie zweryfikowałem przekładu Maassa dwóch ostatnich proroctw Friedländera. Uniemożliwił mi to i brak czasu, którego wiele zużyłem na badanie klątwy jezydów, i skomplikowane sprawy rodzinne, które nieoczekiwanie przyśpieszyły mój wyjazd. – Pozostaję z poważaniem, dr Leo Hartner".

Mock i Anwaldt spojrzeli na siebie. Oni wiedzieli, że proroctwa świętego starca z pustyni nie są narkotycznym bredzeniem obłąkanego szamana. Wyszli z katedry i wsiedli bez słowa do adlera zaparkowanego w cieniu ogromnego kasztanowca, jakich wiele rosło na placu Katedralnym.

– Nie martw się, synu – Mock spojrzał ze współczuciem na Anwaldta. Nie przejęzyczył się. Słowo „syn" wypowiedział świadomie. Przypomniał sobie barona uczepionego okna pociągu i wykrzykującego: „On jest moim synem". – Teraz zawiozę cię do mnie do domu. W twoim mieszkaniu może nie być bezpiecznie. Wyślę tam Smolorza po rzeczy. Ty siedź u mnie, dobrze się wyśpij, nie odbieraj telefonów i nikomu nie otwieraj. Wieczorem zabiorę cię gdzieś, gdzie zapomnisz o swoim tatusiu i o wszelkim robactwie.

XV

WROCŁAW, ŚRODA 18 LIPCA 1934 ROKU.
GODZINA ÓSMA WIECZOREM

Środowe igraszki w salonie madame le Goef utrzymane były w stylu antycznym. Wieczorem goły, pomalony na mahoń niewolnik uderzał w wielki gong, podnosiła się kurtyna i oczom widzów ukazywała się dekoracja: fronton rzymskiej świątyni, a na jej tle nagie ciała, tańczące wśród sypiących się z sufitu płatków róży. Te bachanalia, podczas których tancerze i tancerki tylko imitowali prawdziwy seks, trwały około dwudziestu minut, po czym następowało tyleż minut przerwy. W tym czasie niektórzy goście udawali się do dyskretnych pokojów, inni zaś posilali się i pili. Po przerwie niewolnik znów uderzał w gong i na scenie pojawiało się kilkoro „Rzymian" i „Rzymianek" ubranych w zwiewne tuniki, które zresztą szybko z siebie zrzucali. Sypały się różane płatki, na sali robiło się duszno, bachanalia były tym razem autentyczne. Po pół godzinie takich zabaw aktorzy i aktorki schodzili zmęczeni ze sceny, sala pustoszała, pękały za to w szwach pokoje.

Tego wieczoru Rainer von Hardenburg, Eberhard Mock i Herbert Anwaldt siedzieli na galeryjce i z góry obserwowali wstępną imitację bachicznej orgii. Już na samym początku przedstawienia Anwaldt był wyraźnie poruszony. Mock, widząc to, wstał i poszedł do gabinetu madame. Przywitał się z nią wylewnie i przedstawił swoją prośbę. Madame zgodziła się bez wahania i podniosła słuchawkę telefonu. Mock wrócił na miejsce. Anwaldt schylił się ku niemu i wyszeptał:

– Od kogo się tu bierze klucze do pokojów?

– Poczekaj chwilę. Gdzie ci się tak śpieszy? – roześmiał się Mock rubasznie.

– Niech pan spojrzy: co ładniejsze już zabierają.

– Tu wszystkie są ładne. O popatrz, na przykład te, które idą w naszym kierunku.

Do ich stolika podeszły dwie dziewczyny ubrane w gimnazjalne mundurki. Obaj policjanci znali je doskonale, natomiast dziewczyny udawały, że widzą ich po raz pierwszy. Obie wpatrywały się z zachwytem w Anwaldta. Nagle ta podobna do Erny dotknęła jego dłoni i uśmiechnęła się. Wstał, objął ich szczupłe plecy, odwrócił się do Mocka i powiedział „dziękuję". Cała trójka oddaliła się do pokoju, na środku którego stał okrągły stół z pięknie inkrustowaną szachownicą. Von Hardenburg spojrzał z uśmiechem na Mocka. W salonie madame le Goef rozluźniał się i nie przestrzegał tak pedantycznie tytułów.

– Wiedział pan, jak sprawić przyjemność temu chłopakowi. Kto to jest?

– Mój bliski krewny z Berlina. Też policjant.

– Poznamy zatem opinię berlińczyka na temat najlepszego wrocławskiego klubu. Właściwie podwrocławskiego.

– Co tam berlińczycy. Oni i tak zawsze będą się z nas naśmiewać. Ale nie mój krewniak. Jest zbyt dobrze wychowany. Wie pan, oni muszą jakoś leczyć swoje kompleksy. Zwłaszcza ci, którzy pochodzą z Wrocławia. Zna pan przysłowie „prawdziwy berlińczyk musi być z Wrocławia".

– Tak, niech pan weźmie na przykład Krausa – von Hardenburg poprawił monokl. – W Berlinie mieszkał dwa lata, po czym po upadku Heinesa, Brücknera i Piontka von Woyrsch przeniósł go do Wrocławia na stanowisko szefa gestapo. Kraus zrozumiał ten awans jako kopniak w górę. Aby ukryć rozczarowanie, wysoko zaczął zadzierać głowę nasz złośliwy i tępy nadgorliwiec. I oto dwuletni berlińczyk na każdym kroku krytykuje śląski prowincjonalizm. Sprawdziłem – wie pan, skąd on pochodzi? Z dolnośląskich Ząbkowic.

Mężczyźni roześmiali się głośno i stuknęli się kielichami z winem. Aktorki na scenie kłaniały się, hojnie obdarowując widzów widokiem swych wdzięków. Mock wyjął tureckie cygara i poczęstował nimi von Hardenburga. Wiedział, że szef Abwehry nie lubi pośpiechu i z własnej woli, w stosownym momencie wyjawi wszystkie informacje o Erkinie, jakie udało mu się zdobyć. Mock spodziewał się usłyszeć coś więcej, niż wydedukował z ekspertyzy i listu Hartnera. Chciał poznać adres Kemala Erkina.

– Ludzie typu Krausa nie mogą ścierpieć naszej tradycji szlacheckiej, rodzinnej i kulturowej – von Hardenburg kontynuował śląski temat. – Wszystkich tych von Schaffgotschów, von Carmerów i von Donnersmarcków. Dlatego poprawiają sobie samopoczucie wyszydzając junkierskie skostnienie i węglowych baronów. Niech się śmieją...

Zapadło milczenie. Von Hardenburg oglądał „występy", Mock zastanawiał się, czy dzisiejszy frywolny wieczór jest dobrą okazją, aby poruszać ważne, życiowe sprawy. Po dłuższym namyśle zdecydował się:

– A propos Krausa... mam do pana prośbę...

– Panie Eberhardzie – von Hardenburg stawał się coraz bardziej poufały. – Jeszcze nie spełniłem pana pierwszej prośby, turecko-kurdyjskiej, a pan ma już drugą... No, no, to był żart. Proszę mówić.

– Panie hrabio – Mock w odróżnieniu od swego rozmówcy stał się bardzo oficjalny. – Chciałbym podjąć pracę w Abwehrze.

– O, a to dlaczego? – monokl von Hardenburga odbijał błyski świec i dyskretnie przyciemnionych stolikowych lampek.

– Dlatego, że mój wydział infiltrują kanalie Krausa – bez wstępów odpowiedział Mock. – On już patrzy na mnie z góry, niedługo zacznie wydawać mi polecenia służbowe. Stanę się malowanym szefem, figurantem, marionetką zależną od nieokrzesanych zbirów, barbarzyńców z gestapo. Panie hrabio, pochodzę z ubogiej, rzemieślniczej rodziny z Wałbrzycha. Ale mimo to, a może dlatego, chcę być *integer vitae scelerisque purus*[13].

---

[13] Horacy, *Pieśni* 1, 22, 1: „Człek czysty, przez zbrodnie nie sklęty" (przeł. K.K. Baczyński).

– O, Eberhardzie, pan – mimo swego pochodzenia – jest prawdziwym arystokratą ducha. Ale zdaje pan sobie chyba sprawę, że pracując u nas nie jest rzeczą łatwą postępować wedle tej maksymy Horacego.

– Drogi panie hrabio, dziewicą nie jestem od dawna, a w policji pracuję od osiemset dziewięćdziesiątego dziewiątego z przerwą wojenną, kiedy walczyłem w Rosji. Widziałem niejedno, ale zgodzi się pan chyba ze mną, że jest różnica między obrońcą państwa stosującym nie zawsze konwencjonalne metody a pomocnikiem kata.

– Wie pan – monokl zabłysnął rozbawieniem – że nie mógłbym zaproponować panu żadnego kierowniczego stanowiska.

– Odpowiem zmieniając sens słynnego zdania Napoleona: „Lepiej być drugim, a nawet piątym, dziesiątym w Paryżu niż pierwszym w Lyonie".

– Nie mogę w tej chwili niczego panu obiecać – von Hardenburg pilnie przeglądał menu. – To nie zależy tylko ode mnie. O, zamówię żeberka w sosie grzybowym. A teraz druga sprawa. Mam dla pana kilka informacji o Kemalu Erkinie. Po pierwsze, jest Kurdem. Pochodzi z bogatej kupieckiej rodziny. W roku 1913 ukończył elitarną szkołę kadetów w Istambule. Uczył się bardzo dobrze, a najpilniej przykładał się do niemieckiego. Nasz język był wówczas, tak jak i dzisiaj, obowiązkowym przedmiotem w każdej tureckiej szkole handlowej i wojskowej. Podczas wojny walczył na Bałkanach i w Armenii. Tam też owiała go ponura sława kata i sadysty w czasie rzezi Ormian. Mój turecki informator nie był skłonny do bardziej szczegółowych informacji na temat tej niezbyt ciekawej karty i w życiu Erkina, i w historii Turcji. W roku 1921 jako młody oficer tureckiego wywiadu Erkin został wysłany na dwuletnie studia uzupełniające do Berlina. Tam zawarł liczne przyjaźnie. Po powrocie wspinał się coraz wyżej w tureckiej policji politycznej. Nagle, w roku 1924, w przeddzień awansu na szefa tejże policji w Smyrnie, poprosił o przeniesienie do konsulatu niemieckiego w Berlinie, gdzie właśnie zwolniło się stanowisko zastępcy doradcy wojskowego. Erkin, podobnie jak pan, wolał być drugim w Paryżu niż pierwszym w Lyonie. Przychylono się do jego prośby i ambitny Turek od 1924 roku przebywa w Niemczech.

Mieszkał cały czas w Berlinie, gdzie prowadził cichy i jednostajny urzędniczo-dyplomatyczny żywot, urozmaicany jedynie wycieczkami do Wrocławia. Tak, tak, panie Mock, interesowało go bardzo nasze miasto. W ciągu sześciu lat był tu dwadzieścia razy. Od początku mieliśmy go na oku. Jego teczka jest gruba, ale jej zawartość rozczarowałaby pana. Erkin mianowicie oddawał się w naszym mieście rozrywkom, można by rzec, artystycznym. Pilnie chadzał na koncerty, regularnie odwiedzał muzea i biblioteki. Nie gardził też burdelami, w których zasłynął z szalonego wręcz wigoru. Mamy zeznanie pewnej prostytutki, która twierdziła, że Erkin w ciągu dwóch kwadransów odbył z nią dwa stosunki, nie opuszczając – że się tak wyrażę – jej ciała. Zaprzyjaźnił się nawet z pewnym bibliotekarzem z Biblioteki Uniwersyteckiej, ale zapomniałem nazwiska. W grudniu 1932 roku poprosił o możliwość odbycia stażu w Staatspolizeileitstelle w Opolu. Proszę sobie wyobrazić: mając ciepłą posadę w Berlinie, nagle postanawia przenieść się na głuchą prowincję i uczyć się od śląskich prowincjuszy! Wygląda na to, że woli być dziesiąty w Opolu niż drugi w Berlinie!

Von Hardenburg przetarł monokl i zamówił u przechodzącej właśnie kelnerki żeberka. Postukał papierosem w wierzch złotej papierośnicy z wygrawerowanym herbem i spojrzał uważnie na Mocka.

– A może właśnie pan wyjaśni mi tę dziwną miłość Kemala Erkina do pięknej, śląskiej ziemi, do naszej Szwajcarii Północy?

Mock milcząc podał mu ogień. Na scenie rozpoczęły się obrzędy ku czci Bachusa. Von Hardenburg założył monokl i uważnie śledził widowisko: – Niech pan spojrzy na tę rudą po prawej. Prawdziwa artystka!

Mock nie spojrzał. Całą swoją uwagę skupiał na iskierkach błykających w ciemnoczerwonym winie. Głęboki namysł uzewnętrzniał się w poziomych bruzdach na czole. Von Hardenburg odwrócił wzrok od sceny i uniósł kielich.

– Kto wie, może pańskie wyjaśnienie pomogłoby i mnie, i moim przełożonym w Berlinie w podjęciu korzystnej dla pana decyzji? Po tym słyszałem, że ma pan całkiem sporą kartotekę charakterystyk różnych osób...

Do stolika podeszła mocno zbudowana dziewczyna i uśmiechnęła się do von Hardenburga. Mock również się do niego uśmiechnął i uniósł swój kieliszek. Stuknęli się prawie bezgłośnie.

– A zatem może spotkamy się jutro w moim biurze? A teraz proszę mi wybaczyć. Byłem umówiony z tą menadą. Bachus mnie wzywa na swe misteria.

Tego wieczoru Mock nie grał w szachy ze swoimi dziewczętami z tej prostej przyczyny, że szachy były ich działalnością uboczną, a podstawową wykonywały teraz w zacisznych buduarach z innymi, umówionymi wcześniej klientami. Mock nie zagrał zatem w królewską grę, co nie znaczy, że nie zaspokoił innych, pozaszachowych potrzeb. O północy pożegnał się z tęgą brunetką i poszedł do buduaru, który zwykle zajmował w piątkowe wieczory. Zastukał kilkakrotnie, lecz nikt nie odpowiedział. Uchylił zatem drzwi i rozejrzał się po pokoju. Anwaldt, zupełnie nagi, leżał na tapczanie wśród mauretańskich poduszek, gimnazjalistki tymczasem powoli się ubierały. Mock jednym gestem przyśpieszył ich ruchy. Zakłopotany Anwaldt również naciągnął na siebie koszulę i spodnie. Kiedy chichoczące dziewczęta zniknęły za drzwiami, Mock postawił na stole butelkę wina reńskiego i kieliszki. Odczuwający jeszcze skutki kaca Anwaldt, pośpiesznie wychylił dwa kieliszki, jeden po drugim.

– Jak się czujesz? Najstarsza i najlepsza terapia na depresję poskutkowała?

– Ten środek przeciwbólowy działa bardzo krótko.

– Czy wiesz, że szczepionka przeciwko jakiejś chorobie, to nic innego, jak wirus wywołujący tę chorobę? – Mockowi wyraźnie podobała się ta medyczna metafora. – A zatem zainfekuję cię ostatecznie von Hardenburg potwierdził nasze podejrzenia – Erkin jest jezydą który przybył do Wrocławia ze zbrodniczą misją. Połowicznie wypeł nił ją *par excellence*.

Anwaldt zerwał się z krzesła, zawadzając kolanami o szachowy stolik. Kieliszki zatańczyły na swych cienkich nóżkach.

– Panie Mock, pan bawi się tutaj w retoryczne igraszki, ale to, co na de mną zawisło, nie jest zabawą. Gdzieś niedaleko mnie, może nawe w tym burdelu, czai się fanatyk, który chce nafaszerować mnie skorpionami! Niech pan spojrzy, jak ta tapeta ładnie się nadaje do wypisania moją krwią perskich wersetów! Pan mi zaleca burdelową terapię... Ale jaka terapia może pomóc człowiekowi, dla którego posiadanie ojca – największe marzenie – stało się w jednej chwili największym przekleństwem.

Słowa się załamały, pomieszała składnia – Anwaldt rozpłakał się jak dziecko. Jego sponiewierana i pożądlona twarz krzywiła się w szarpiącym szlochu. Mock otworzył drzwi na korytarz i rozejrzał się dookoła. Pijany klient awanturował się między stolikami na dole. Zamknął drzwi i podszedł do okna, aby je szerzej otworzyć. Ogród buchał ciepłym zapachem lip. Jakaś bachantka jęczała za ścianą.

– Nie przesadzaj, Anwaldt – ugryzł się w język (chciał powiedzieć: „nie maż się, jesteś przecież mężczyzną"). Był zirytowany, co wyraziło się głośnym sapnięciem. – Nie przesadzaj; wystarczy, że będziesz się dobrze pilnował, dopóki nie złapiemy Erkina. I wtedy klątwa się nie spełni.

Młody człowiek siedział z suchymi już oczami. Unikał wzroku Mocka, nerwowo wyłamywał palce ze stawów, pocierał małe zacięcie na brodzie, strzygł oczami na boki.

– Nie przejmuj się, Herbercie – Mock doskonale rozumiał jego stan. – Kto wie, czy nasze neurozy nie są spowodowane wstrzymywaniem łez. Przecież herosi Homera też płakali. I to rzewnymi łzami!

– A pan... czy pan czasami płacze? – Anwaldt spojrzał z nadzieją na Mocka.

– Nie – skłamał.

Anwaldta ogarnęło wzburzenie. Wstał i wykrzykiwał: – No tak... bo dlaczego niby miałby pan płakać? Nie wychował się pan w sierocińcu... Nikt nie kazał panu jeść własnych odchodów, kiedy nie mógł pan przełknąć szpinaku! Nie miał pan matki kurwy a ojca przeklętego pruskiego arystokraty, który wszystko co zrobił dla swojego dziecka, to umieścił go w katolickim sierocińcu i w gimnazjum klasycznym! Nie budzi się pan z radością, że przeżył pan jeszcze jeden dzień, bo oto nikt wczoraj jakoś nie rozerwał panu bębna i nie nawrzucał robactwa w bebechy! Człowieku, oni czekali siedem wieków, aż będzie chłopak i dziewczy-

187

na... Mieliby teraz przepuścić taką okazję? Ich opętany szaman doznaje w tej chwili objawienia... Bóstwo się zbliża...

Mock nie słuchał. Gorączkowo przeszukiwał zwoje pamięci, jak ktoś, kto na sztywnym, oficjalnym przyjęciu nie może znieść ciszy przy stole i stara się odszukać w myślach jakiś dowcip, dykteryjkę, kalambur... Anwaldt krzyczał. Ktoś pukał do drzwi. Anwaldt się darł. Pukanie się wzmogło. Udawany jęk rozlegał się za ścianą i przez otwarte okno rozchodził się po ogrodzie. Anwaldt wpadł w histerię. Ktoś walił w drzwi.

Mock wstał i zamachnął się. Mała dłoń odbiła się na policzku krzyczącego asystenta. Cisza. Nikt nie walił do drzwi, menada obok zbierała z podłogi rozrzucone rzeczy, Anwaldt zastygł, Mock znalazł w mroku zagubioną myśl. Słyszał w głowie swój głos: „Nie przesadzaj; wystarczy, że będziesz się dobrze pilnował, dopóki nie złapiemy Erkina. I wtedy klątwa się nie spełni.... klątwa się nie spełni... klątwa się nie spełni...".

Stał bardzo blisko Anwaldta i patrzył mu w oczy: – Posłuchaj, Herbercie, doktor Hartner napisał, że zemsta jest nieważna, jeśli nie zostanie dokonana dokładnie w takich samych okolicznościach, jak zbrodnia, która ma być pomszczona. Zobacz, jezydzi czekali przez wieki na to, aby w rodzinie von der Maltenów urodzili się syn i córka... Ale przecież już było kiedyś różnopłciowe rodzeństwo w tej rodzinie. Ciotka Oliviera von der Maltena i jego ojciec Ruppert. Dlaczego jezydzi wtedy ich nie pozabijali, nie zgwałcili i nie zaszyli skorpionów we wnętrznościach? Hartner podejrzewa, że zemsty nie można było dokonać w zamkniętym klasztorze. – Mock zamknął oczy i poczuł do siebie wstręt. – Nie sądzę. Wiesz, dlaczego? Dlatego, że nie żył już ich ojciec. Te bliźnięta urodziły się po śmierci swojego ojca, który zginął pod Sadową. Wiem o tym doskonale. Opowiadał mi o swoim dziadku-bohaterze mój kolega z uniwersyteckiej ławy Olivier von der Malten. Klątwa zatem się nie spełniła... Gdyby zatem zginął von der Malten...

Anwaldt podszedł do stołu, chwycił butelkę wina i przechylił. Mock patrzył, jak wino leje mu się po brodzie i barwi koszulę. Wypił do dna. Schował twarz w rozłożone dłonie i wysyczał:

– Dobrze, zrobię to. Zabiję barona.

Mock dławił się wstrętem do samego siebie.

– Nie możesz tego zrobić. Przecież to twój ojciec.

Oczy Anwaldta zabłysły spośród palców:

– Nie. To pan jest moim ojcem.

WROCŁAW, CZWARTEK 19 LIPCA.
GODZINA CZWARTA NAD RANEM

Czarny adler zatrzymał się przed pałacem von der Maltenów. Wysiadł z niego mężczyzna i chwiejnym krokiem ruszył w stronę bramy. Nocną ciszę rozdarł gwałtowny dzwonek. Adler ruszył z piskiem opon. Kierujący nim mężczyzna spojrzał w lusterko i kontempował przez chwilę swoje odbicie.

– Jesteś ostatnim skurwysynem – powiedział do zmęczonych oczu. – Pchnąłeś tego chłopaka do zbrodni. On stał się narzędziem w twoich rękach. Narzędziem, za pomocą którego usunąłeś ostatniego świadka twojej masońskiej przeszłości.

Baron Olivier von der Malten stał na progu ogromnego hallu. Wyglądał, jakby w ogóle się nie kładł. Otulał się wiśniowym szlafrokiem i patrzył surowo na chwiejącego się Anwaldta.

– Co pan sobie wyobraża, młody człowieku? Że to jest komisariat, noclegownia pijaków?

Anwaldt uśmiechnął się i – aby ukryć nieco bełkotliwą mowę – powiedział jak najciszej:

– Mam dla pana barona nowe, ważne informacje...

Gospodarz wszedł do hallu i dał Anwaldtowi znak, aby uczynił to samo, po czym odprawił zaspanego służącego. Przestronne, obite bozerią pomieszczenie obwieszone było portretami von der Maltenów. Anwaldt, nie dostrzegał w nich surowości i powagi, raczej przebiegłość i pychę. Rozejrzał się – na próżno – za krzesłem. Baron jakby tego nie dostrzegł.

– Co pan mi chce powiedzieć nowego o tej sprawie? Jadłem dziś obiad z radcą Mockiem, jestem więc raczej na bieżąco. Co mogło się wydarzyć wieczorem?

Anwaldt zapalił papierosa i z braku popielniczki strzepnął popiół na wypolerowaną pasadzkę.

– A zatem radca Mock mówił panu baronowi o zemście jezydów. Czy wspomniał, że ta zemsta nie została do końca spełniona?

– Tak. „Pomyłka obłąkanego szamana" – zacytował Hartnera. Młody człowieku, czy przychodzi pan do mnie pijany o trzeciej w nocy, aby mnie wypytywać o moje rozmowy z Mockiem?

Anwaldt przyjrzał się uważnie baronowi i dostrzegł sporo niedociągnięć w jego garderobie: guzik koszuli, tasiemki ineksprymabli wymykające się spod szlafroka. Parsknął śmiechem i trwał przez chwilę w dziwnej pochylonej pozycji. Wyobraził sobie: starszy pan siedzi na muszli klozetowej i wydusza z siebie ciężkie westchnienia, a tu pijany synalek burzy święty spokój nobliwej rezydencji. Śmiech wykrzywiał mu jeszcze wargi, kiedy wyrzucał z siebie napęczniałe gniewem słowa:

– Drogi tatusiu, obaj wiemy, że objawienia derwisza są zaskującc zgodne z familijnymi realiami. Oczywiście z tymi nieoficjalnymi W końcu bóg jezydów zniecierpliwił się i uwzględnił bękarty. Z drugiej strony, jak to się stało, że w tej rycerskiej rodzinie żaden wojownik nie zapłodnił branki, żaden ziemianin nie dopadł w stogu siana dorodnej chłopki? Wszyscy byli wstrzemięźliwi i wierni przysiędze małżeńskiej. Nawet mój drogi tatuś. W końcu spłodził mnie przec swoim ślubem.

– Nie żartowałbym w twojej sytuacji, Herbercie – ton barona by niezmiennie wyniosły, natomiast twarz się skurczyła. W jednej chwil z dumnego junkra zmienił się w nieco wystraszonego starca. Staran nie zaczesane włosy zsunęły się na boki, wargi zapadły się ujawniają brak protezy.

– Nie życzę sobie, aby pan mówił mi po imieniu – Anwaldt prze stał się śmiać. – Dlaczego nie powiedział mi pan o wszystkim na po cząntku?

Ojciec i syn stali naprzeciwko siebie. Do hallu zaczęły się wkra dać delikatne smugi jutrzenki. Baron przypomniał sobie czerwcow noce 1902 roku, kiedy wkradał się do służbówki, i mokre od pot prześcieradła, kiedy z niej wychodził, pamiętał razy dyscypliny, któr

Ruppert von der Malten osobiście oćwiczył swego dwudziestoletniego syna, pamiętał wylęknione spojrzenia Hanne Schlossarczyk, kiedy opuszczała magnacką rezydencję, dosłownie wykopana przez służących. Przerwał dzwoniącą ciszę rzeczową odpowiedzią.

– O klątwie jezydów dowiedziałem się dzisiaj. A o naszym bliskim pokrewieństwie chciałem panu powiedzieć, kiedy śledztwo stanęłoby w miejscu. To powinno było pana zdopingować.

– Bliskie pokrewieństwo... (*Masz jakiegoś krewnego, pytał wychowawca, nawet dalekiego? Szkoda, choć raz mógłbyś spędzić święta poza sierocińcem*). Nawet teraz jest pan zakłamany. Nie nazywa pan rzeczy po imieniu. Nie wystarczyło panu, że porzucił mnie w jakimś przytułku, płacąc dziewięcioletnie czesne w gimnazjum – ofiarę za spokój swej duszy. Ile zapłacił pan poznańskiemu kupcowi Anwaldowi za jego nazwisko? Ile płacił pan mojej matce za jej niepamięć? Ile marek kosztuje korupcja sumienia? Ale ono w końcu odezwało się. Krzyknęło: wezwij Anwaldta do Wrocławia. Brzyda się. Przypadkiem jest policjantem, niech więc poprowadzi śledztwo w sprawie zabójstwa swojej siostry. Ale o więzach rodzinnych powiem mu po to, aby go uaktywnić, czy tak? Sumienie sumieniem, a praktycyzm praktycyzmem. Tak było zawsze u von der Maltenów?

– To, co pan nazywa praktycyzmem – baron wzniósł dumnie oczy ku portretom przodków – określiłbym dumą rodową. Wezwałem pana, aby ujął pan mordercę swojej siostry i pomścił ten ohydny mord. Jako brat miał pan do tego pełne prawo...

Anwaldt wyjął pistolet, odbezpieczył go i wymierzył w głowę pierwszego w galerii przodków. Nacisnął spust. Rozległ się suchy trzask iglicy. Zaczął gorączkowo szukać po kieszeniach. Baron chwycił go lekko za ramię, lecz szybko cofnął dłoń. Policjant spojrzał na niego zmętniałymi oczami.

– Nie wytrzymam, pomsta... niemiecki jezyda...

Baron wyprężył się jak struna. Stali dalej naprzeciwko siebie w zamglonej pomarańczowej poświacie.

– Proszę zachowywać się odpowiednio i posłuchać mnie do końca. Powiedziałem panu o dumie rodowej. Ona wynika z wieków tradycji, z dzieł naszych przodków. To wszystko przestałoby istnieć. Wraz z moją śmiercią nastąpiłby koniec rodu, wyschnięcie ostatniej śląskiej odnogi von der Maltenów – chwycił Anwaldta za ramiona i obrócił nim tak, że zawirowały wokół nobliwe, syfilityczne oblicza. - A tak oto nasz ród istnieć będzie dalej w osobie Herberta von der Maltena.

Podbiegł nagle do ściany i zdjął z niej wyszczerbiony nieco miecz ze złotą rękojeścią inkrustowaną macicą perłową. Trzymając go w wyprostowanych rękach, zbliżył się do Anwaldta. Patrzył na niego przez chwilę, hamując wzruszenie. Po męsku. Po rycersku.

– Synu, wybacz mi – pochylił głowę. – Spójrz na to wszystko do około. Jesteś tego dziedzicem. Przyjmij nasz herb i święty symbol rodo wy – miecz naszego pradziada Bolka von der Maltena, rycerza wojn trzydziestoletniej. Zatop ją w sercu mordercy. Pomścij swoją siostrę.

Anwaldt uroczyście odebrał miecz. Stanął na szeroko rozstawio nych nogach i pochylił głowę jak przed namaszczeniem. Z jego us wydobył się cienki, drwiący chichot.

– Drogi ojcze, rozśmiesza mnie twój patos. Von der Maltenowi zawsze tak przemawiali? Ja mówię o wiele prościej: nazywam si Herbert Anwaldt, nie mam z tobą nic wspólnego i gwiżdżę na was panteon, który ty zamykasz. Tak, ty. Ja natomiast zaczynam mój wła sny. Daję mu początek, ja, bękart polskiej pokojówki i nieznanego oj ca. Cóż z tego? Po siedmiu wiekach nikt o tym nie będzie wiedzia a sprzedajni kronikarze napiszą uładzone życiorysy. Ale muszę żyć żebym rozpoczął swój własny ród. A moje życie, to zarazem wyga śnięcie rodu von der Maltenów. Rozkwitnie ono na waszych gruzacł Podoba ci się ta metafora?

Uniósł miecz i uderzył. Baronowi pękła skóra na głowie odsłania jąc nagą kość czaszki. Krew zlepiła starannie uczesane włosy. Rzuc się na schody z krzykiem „policja!".

– Ja jestem policjantem – Anwaldt wchodził na schody w ślad z ojcem. Starzec potknął się i upadł. Zdawało mu się, że leży na mc krym prześcieradle w dusznej służbówce. Beżowy dywan pokrywają cy schody wssysał brunatnoczerwoną posokę. Żałosne tasiemki kale sonów wiły się wokół skórzanych pantofli.

192

– Błagam nie zabijaj mnie... Pójdziesz do więzienia... a tu masz fortunę...

– „Jestem nieubłagana i nieprzekupna" – odpowiada śmierć. – Anwaldt oparł ostrze miecza pod żebrem barona. – Znasz ten traktat? Powstał wtedy, gdy dziadek Godfryd krajał swym Durendalem brzuchy arabskich dziewic. – Poczuł, że ostrze natrafiło na przeszkodę. Zorientował się, że ugrzęzło w dywanie. Już za plecami barona. Zostawił na schodach drgający miecz i skulone ciało i odwrócił się do starego służącego, który w niemym przerażeniu oglądał ten spektakl.

– Patrz, stary, oto rycerz Heribert Niezłomny von Anwaldt ukarał wszetecznika, wyznawcę szatana, jezydę... Daj no skorpionów, to wypełnimy odwieczne proroctwo... Nie ma ich tutaj?... Poczekaj no...

Kiedy więc Anwaldt chodził na czworakach i szukał na posadzce skorpionów, szofer barona, Hermann Wuttke, pojawił się w hallu niewiele myśląc chwycił za ciężki, srebrny świecznik. Wschodziło słońce. Wrocławianie patrzyli w niebo i przeklinali kolejny upalny dzień.

XVI

OPOLE, WTOREK 13 LISTOPADA 1934 ROKU.
GODZINA DZIEWIĄTA WIECZOREM

Pociąg relacji Wrocław–Opole spóźnił się dwie minuty, co Mockowi, przyzwyczajonemu do punktualności niemieckich kolei, wydało się karygodne. (*Nic dziwnego, że w państwie, którym rządzi austriacki eldfebel, wszystko się psuje*). Pociąg powoli wjeżdżał na peron. Mock zobaczył w oknie wagonu człowieka, który śmiał się i szeroko machał ręką, nie wiadomo, do kogo. Spojrzał na Smolorza. On także dostrzegł owego wesołka. Rzucił się w stronę poczekalni z wysokim zdobnym sklepieniem. Pociąg zatrzymał się. Mock ujrzał w tymże oknie Kemala Erkina, a zaraz za nim owego uśmiechniętego człowieka, który pomagał jakiejś damie wynosić ciężką walizę. Erkin wysko-

193

czył żwawo z wagonu i ruszył do poczekalni. Wesołek grubiańsko rzucił na peron sakwojaż niemile zaskoczonej damy i szybko podążył za nim.

W poczekalni było kilku zaledwie podróżnych. Turek skierował się do podziemnego tunelu prowadzącego do miasta. Zejście było przedzielone wzdłuż żelazną barierką. Szedł prawą stroną. Po latach pobytu w Niemczech zdążył już poznać pruski „Ordnung", zatem na widok człowieka, który – idąc z naprzeciwka – wchodził pod prąd także po prawej stronie barierki, instynktownie włożył rękę do wewnętrznej kieszeni, gdzie trzymał rewolwer. Po chwili cofnął ją. Człowiek zbliżał się do Erkina tak manewrując ciałem, aby nie zboczyć z linii prostej. Równolegle do pijaka, już po właściwej stronie barierk szło czterech esamanów i jakiś zakapeluszony, zgarbiony urzędniczyna. Pijak zbliżył się do Erkina i zastąpił mu drogę. Kiwając się na wszystkie strony usiłował włożyć do ust wykrzywionego papierosa Turek śmiejąc się w duchu ze swoich podejrzeń powiedział, że nie ma ognia i chciał go wyminąć, a wtedy poczuł uderzenie w brzuch tak silne, że musiał się zgarbić. Kątem oka dostrzegł, jak przez barierkę przeskakują esamani. Nie zdążył oprzeć się o ścianę, kiedy już zaszli go od tyłu. Z poczekalni nadchodziła ciągnąc ciężką walizę złorzecząca dama. Brutalnie odepchnął ją krępy mężczyzna w opiętym płaszczu i kapeluszu. W ręku trzymał rewolwer. Erkin włożył rękę do kieszeni, ale to był ostatni ruch, który zdążył zrobić. Silnie pchnięty poleciał na barierkę i zawisł na niej przez moment. Dwaj esaman przycisnęli go do niej, a urzędniczyna wymierzył straszliwy cios gumową pałką. Erkin nie stracił przytomności, lecz stał się bezwładny Widział idącego powoli krępego mężczyznę w przyciasnym płaszczu uspokajającego funkcjonariusza Bahnschutzu unoszoną wysoko legitymacją. Uśmiechał się szeroko. Urzędnik z gumową pałką wyraźnie rozzłoszczony miernymi skutkami swego pierwszego uderzenia zagryzł usta i wziął drugi, potężny zamach.

OPOLE, ŚRODA 14 LISTOPADA 1934 ROKU.
GODZINA PIERWSZA W NOCY

Wiatr dmuchał przez szpary w drzwiach garażu. Chłód przywrócił Erkinowi przytomność. Spoczywał w nienaturalnej półsiedzącej
pozycji. Obie ręce miał przypięte kajdankami do wystających ze ściany żelaznych uchwytów. Zatrząsł się z zimna. Był nagi. Krew zakrze-
pła mu na oczach. Przez czerwoną mgłę zobaczył krępego mężczyznę. Mock podszedł do niego i powiedział cicho:
– Nadszedł w końcu ten dzień, Erkin. Kto pomści biedną Mariet-
ę von der Malten? Ja. Rozumiesz to dobrze – wszak zemsta jest wa-
szym świętym obowiązkiem. W kwestii zemsty bardzo mi się podoba-
ą wasze obyczaje. – Mock przeszukał kieszenie i zrobił rozczarowa-
ną minę.
– Nie mam przy sobie szerszeni ani skorpionów. Jakoś zapomniałem. Ale wiesz, choć w jednym twoja śmierć będzie przypomina-
a śmierć Marietty. Przestaniesz być dziewicą... – spojrzał w bok.
Z ciemności wynurzył się jakiś mężczyzna. W pokrytej krostami twa-
zy płonęły małe oczy. Turkiem wstrząsnął dreszcz. Targnął nim
eszcze raz, kiedy usłyszał szczęk sprzączek pasa i odgłos zsuwanych
podni.

„Schlesische Tageszeitung" z 22 lipca 1934 roku s. 1:
NĘDZNA ŚMIERĆ MASONA

*„Wczoraj nad ranem został zabity we własnej rezydencji przy
ichen-Alle 24 we Wrocławiu baron Olivier von der Malten, jeden
założycieli i członków loży masońskiej „Horus". Zabójcą jest jego
ieślubny syn Herbert Anwaldt z Berlina. Według świadka, Mattiasa
öringa, kamerdynera barona, Anwaldt przyszedł w nocy do rezyden-
i von der Maltenów, aby przekazać baronowi jakąś ważną wiado-
ość. Wedle naszego informatora właśnie tego dnia dowiedział się, że
st nieślubnym synem barona i na ten właśnie temat chciał z nim po-
zmawiać o tak niecodziennej porze. Rozpacz odrzuconego dziecka,
lne emocje wzgardzonego podrzutka wzięły górę nad rozsądkiem
Anwaldt po ostrej sprzeczce zakłuł swojego ojca-nieojca sztyletem, po*

195

czym został unieszkodliwiony przez H. Wuttkego, szofera barona, który omal nie zatłukł zabójcy świecznikiem. Oskarżonego w bardzo ciężkim stanie przewieziono do kliniki uniwersyteckiej, gdzie przebywa pod dozorem policji.

Z tej smutnej historii płynie jeden wniosek: masoni są moralnie brudni. Powinni być wyeliminowani ze społeczeństwa".

„Tygodnik Ilustrowany" z 7 grudnia 1934 roku s. 3 (fragm. artykułu *Otchłań głupoty*).

„...Nasi zachodni sąsiedzi wykorzystują w swej propagandowej nagonce na Żydów i masonerię wszystko, nawet najbardziej odrażające zbrodnie kryminalne. Oto przykład. W minionym miesiącu pewien psychicznie chory policjant zamordował we Wrocławiu ogólnie szanowanego arystokratę, członka loży masońskiej „Horus", którego uważa za własnego ojca. Gazety-szczekaczki w typie „Völkischer Beobachter" aż zanoszą się od antymasońskiej histerii. Rzekomego ojca (o matce nie piszą ani słowa) przedstawia się jako wykolejeńca, który wrzucił do kloaki własne dziecko, owego zaś nieszczęśnika wszyscy zgodnym chórem uważają za sprawiedliwego, który pomścił własne krzywdy. Skutek jest taki, że obłąkany nożownik po sądowej farsie dostaje karę dwóch lat pozbawienia wolności".

„Breslauer Neueste Nachrichten" z 29 listopada 1934 roku s. 1.
OJCOBÓJCA SKAZANY NA DWA LATA WIĘZIENIA
„Po trwającym blisko cztery miesiące procesie były asystent kryminalny Herbert Anwaldt – zwany przez lud bękartem-mścicielem – został skazany na karę dwóch lat pozbawienia wolności, a po wyjściu z więzienia na przymusowe leczenie psychiatryczne za zabójstwo swego ojca, barona Oliviera von der Maltena. Sąd w uzasadnieniu wyroku wskazał na palącą krzywdę, jaką wyrządził swojemu wychowanemu w sierocińcu dziecku znany arystokrata i liberał propagujący działalność charytatywną. Ten dysonans pomiędzy słowami a czynami barona, jego krzycząca haniebna niesprawiedliwość, wydały się sądowi częściowym usprawiedliwieniem zbrodni w afekcie, jaką popełnił cierpiący na zaburzenia nerwowe Anwaldt...".

„Breslauer Zeitung" z 17 grudnia 1934 roku.
POŻEGNANIE SZEFA WYDZIAŁU KRYMINALNEGO WRO-
CŁAWSKIEJ POLICJI EBERHARDA MOCKA. ZASŁUŻONY POLI-
CJANT PRZECHODZI NA INNE STANOWISKO PAŃSTWOWE.

„Dziś we wrocławskim Prezydium Policji uroczyście pożegnano przy
dźwiękach marszów, odegranych przez orkiestrę garnizonową, radcę
Eberharda Mocka, który obejmuje inną posadę rządową. Wzruszony
Mock żegnał instytucję, z którą był związany od młodości. Nieoficjalnie
dowiedzieliśmy się, że nie opuści miasta, które mu tyle zawdzięcza...".

„Schlesische Tageszeitung" z 18 września 1936 roku s. 1.
MŚCICIEL OPUSZCZA DZIŚ WIĘZIENIE
„Duża grupa wrocławian czekała dziś pod więzieniem na Kletschkau Strasse na Herberta Anwaldta, sprawcę pamiętnej zemsty na ma-
sonie Olivierze von der Maltenie, swoim nieprawym ojcu. Niektórzy
z uczestników tego powitania trzymali transparenty z antymasońskimi
hasłami. To chwalebne, że ludność naszego miasta tak żywo reaguje
na jawną niesprawiedliwość, jaką okazał jakiś sędzia-kryptomason,
skazując tego prawego człowieka aż na dwa lata więzienia.

Anwaldt wyszedł o dwunastej i natychmiast odjechał czekającym
na niego samochodem do – jak się dowiedzieliśmy – pewnej kliniki,
gdzie zgodnie z werdyktem sądu czeka go teraz obowiązkowa hospita-
lizacja. Trzeba zmienić ten wyrok! Likwidator masonów zasługuje na
medal, nie na szpital psychiatryczny. Swoim czynem dowiódł właśnie
przytomności umysłu. Żydzi i masoni! nie róbcie wariata z tego uczci-
wego Niemca!".

XVII

WROCŁAW, PIĄTEK 12 PAŹDZIERNIKA 1934 ROKU.
GODZINA DZIESIĄTA RANO

Monstrualny, modernistyczny biurowiec na rogu Rynku
Blücherplatz, w którym mieściła się dyrekcja wielu miejskich urzę-
dów oraz bank, wyposażony był w niezwykłą windę. Składała się ona

z wielu miałych jednoosobowych kabin znajdujących się jedna nad drugą, nanizanych jakby na sznurek. Ten ciąg bez przerwy się poruszał, toteż ludzie wchodzili do małych otwartych kabin i wychodzili z nich podczas jazdy. Jeśli ktoś się zagapił i nie zdążył wysiąść, najzupełniej bezpiecznie przejeżdżał przez strych albo piwnicę. Pasażer doznawał wówczas niezapomnianego uczucia. Oto nagle zapadała ciemność absolutna, a kabina trzęsąc się i zgrzytając przesuwała poziomo za pomocą potężnych łańcuchów, po czym znów znajdowała się we właściwym pionie. Winda ta od razu po wybudowaniu żelbetowego potwora budziła ogromne emocje, zwłaszcza u dzieciarni zaludniającej w nadmiarze okoliczne brudne uliczki i odrapane podwórka. Toteż woźni mieli ręce pełne roboty, a małe łobuzy głowy pełne pomysłów na ich przechytrzenie.

Tego dnia woźny Hans Barwick był szczególnie czujny, gdyż od rana kilku urwisów usiłowało podjąć ekscytującą podróż przez piętra, strych i piwnicę. Uważnie patrzył na każdego wchodzącego klienta. Oto przed chwilą wsiadł do windy jakiś człowiek w nasuniętym na czoło kapeluszu i skórzanym płaszczu. Barwick chciał go wylegitymować, ale szybko się rozmyślił: kontakt z takim osobni kiem wróżył nieuchronne kłopoty. Po kilku minutach woźnego mi nął znany mu policjant Max Forstner. Barwick poznał go podczas składania zeznań w sprawie ubiegłorocznego nieudanego napadu na bank i od tego czasu kłaniał się z wielką atencją. Czynił to co piątek, wtedy bowiem regularnie ów funkcjonariusz odwiedzał bank w nieznanym Barwickowi celu.

Forstner wsiadł do windy, tracąc z oczu uniżonego portiera Winda jechała powoli. Minęła pierwsze piętro i znalazła się między kondygnacjami. Forstner nie lubił tych chwil. Cieszył się, kiedy poziom podłogi windy zrównywał się z poziomem piętra; wtedy sprężyście wyskakiwał z uśmiechem światowca. Kiedy winda zbliżała się d drugiego piętra, Forstner najpierw się zdziwił, a potem wściekł. Ot na progu piętra stał ubrany w skórzany płaszcz mężczyzna, który naj wyraźniej nie zamierzał się odsunąć, aby umożliwić policjantowi wyj ście z kabiny.

– Z drogi – krzyknął Forstner i rzucił się na zawalidrogę. Jego impet był jednak nieporównanie mniejszy i słabszy niż siła, z jaką wskoczył do windy ów natręt. Wtłoczył Forstnera w głąb kabiny i mocno przycisnął do ściany. Winda wjeżdżała na trzecie piętro. Forstner próbował wydobyć rewolwer. Wtedy poczuł bolesne ukłucie w szyję. Winda wjeżdżała na dziewiąte piętro. Wrażenia zmysłowe, takie jak stukot maszynerii i kołysanie kabiny już nie dotarły do Forstnera. Winda przejechała przez strych w całkowitej ciemności i znów znalazła się na dziewiątym piętrze. Wtedy mężczyzna w skórzanym płaszczu wysiadł z windy i zszedł schodami.

Hans Barwick usłyszał nagle wycie mechanizmu i wysoki pisk łańcuchów. Huk był tak przejmujący, że Barwickowi przyszła do głowy jedyna, ponura myśl: „cholera, znowu komuś zmiażdżyło nogę" Zatrzymał windę i pokonywał schodami piętro za piętrem, lecz dopiero na samej górze stwierdził, że jego przypuszczenia były zbyt optymistyczne. Między sufitem windy a progiem dziewiątej kondygnacji drgało nienaturalnie wygięte ciało Maxa Forstnera.

DREZNO, PONIEDZIAŁEK 17 LIPCA 1950 ROKU.
GODZINA W PÓŁ DO SIÓDMEJ PO POŁUDNIU

Na skwerze koło Japońskiego Pałacu, niedaleko Karl-Marx-Platz, roiło się od ludzi, psów i wózków z rozkrzyczanymi dziećmi. Ci, którym udało się zająć ławkę w cieniu, mogli mówić o dużym szczęściu. Do szczęśliwców należeli zatem dyrektor kliniki psychiatrycznej Ernst Bennert i jakiś starszy mężczyzna zagłębiony w lekturze gazety. Siedzieli na przeciwległych krańcach jednej ławki. Starszy mężczyzna nie okazał najmniejszego zdziwienia, gdy Bennert zaczął mówić coś do siebie półgłosem. Ale kiedy zbliżyła się do nich jakaś młoda kobieta z małym dreptającym obok niej chłopczykiem i uprzejmie zapytała, czy może się przysiąść, mężczyźni spojrzeli po sobie i zgodnym chórem odmówili. Odeszła mamrocząc coś o starych dziadach, a Bennert natychmiast zaczął na nowo swój monolog. Starszy mężczyzna wysłuchał go do końca, odsłonił zza gazety swą pooraną bliznami twarz i w cichych słowach podziękował lekarzowi.

***

Fragment tajnego raportu agenta wywiadu USA w Dreźnie – M-234 7 maja 1945 roku.

„...podczas bombardowania Drezna zginął m.in.... były szef Wydziału Kryminalnego policji we Wrocławiu, następnie wiceszef Wydziału Wewnętrznego Abwehry, Eberhard Mock. Opiekował się nim agent GS-142, z którego meldunków wynika, że Mock w latach 1936–1945 przyjeżdżał co dwa miesiące do Drezna i odwiedzał swojego krewnego Herberta Anwaldta leczącego się w różnych szpitalach. Według informacji uzyskanych przez agenta GS-142, od roku 1936 Anwaldt przebywał w szpitalu psychiatrycznym przy Marien-Allee. Po likwidacji szpitala, dokonanej przez SS w lutym 1940, Anwaldt nie podzielił losu innych chorych, rozstrzelanych gdzieś w lasach w okolicy wsi Rossendorf, lecz trafił do szpitala dla weteranów wojennych przy Friedrichstrasse. Oficjalna karta szpitalna zawiera fikcyjne informacje o udziale Anwaldta w kampanii przeciwko Polsce. Pseudo-weteran przeżył bombardowanie Drezna w tymże szpitalu. Od marca br. przebywa znów w szpitalu psychiatrycznym przy Marien-Allee. Agentowi GS-142 nie udało się ustalić stopnia pokrewieństwa między Anwaldtem a Mockiem, gdyż informacje udzielane przez szpitalny personel były plotkarsko-skandalizujące: z powodu częstych odwiedzin jedni twierdzili, że Anwaldt jest nieślubnym synem Mocka, inni – że jego kochankiem".

***

DREZNO, PONIEDZIAŁEK 17 LIPCA 1950 ROKU.
PÓŁNOC

Dyrektor Bennert schodził w zupełnej ciszy boczną klatką schodową, której używano jedynie podczas pozornych ewakuacji, jakie ostatnio zarządzano – na szczęście – niezbyt często. Snop światła latarki przecinał gęstą ciemność. Te wąskie schody od czasów bombar dowania miasta napełniały go przejmującym strachem. Pamiętnego trzynastego dnia lutego 1945 roku, w chwili, gdy rozległ się huk pierwszej bomby, Bennert zbiegał po nich do piwnicy zamienionej na prowizoryczny schron. Wykrzykiwał imię swej córki i na darmo szukał jej wzrokiem wśród tłoczących się na schodach. Jego krzyk ginął w huku bomb i przeraźliwym zawodzeniu chorych.

Odrzucił przykre wspomnienia i otworzył drzwi wychodzące na przyszpitalny park. Stał w nich major Mahmadow. Poklepał jowialnie Bennerta po ramieniu, minął go i ruszył na górę. Po chwili jego kroki ucichły. Bennert nie zamknął drzwi na klucz. Wlókł się powoli na górę. Na półpiętrze wyjrzał przez okno. Przez zalany światłem księżyca trawnik szybko szedł starszy mężczyzna w mundurze. Bennert do końca życia będzie pamiętał ten chód. Znów usłyszał huk bomb, zawodzenic chorych i zobaczył przez to właśnie okno starszego mężczyznę z iskrami ognia we włosach i poparzoną twarzą, który niósł w ramionach jego nieprzytomną córkę.

Pielęgniarz Jürgen Kopp usiadł przy stoliku z dwoma kolegami Frankem i Voglem i zaczął rozdawać karty. Skat był namiętnością, której oddawał się cały niższy personel szpitalny. Kopp zalicytował wino i wyszedł dupkiem żołędnym, aby ściągnąć tromfy. Nie zdążył jednak zabrać sztychu, gdy usłyszeli nieludzki ryk dobiegający przez ciemny dziedziniec.

– Ciekawe, który to drze ryja? – zamyślił się Vogel.

– To Anwaldt. Właśnie przed chwilą zapaliło się u niego światło – roześmiał się Kopp. – Pewnie znów zobaczył karalucha.

Kopp miał połowiczną rację. Krzyczał rzeczywiście Anwaldt. Lecz nie z powodu karalucha. Po podłodze jego sali, śmiesznie podrygując długimi odwłokami spacerowały cztery dorodne, czarne, pustynne skorpiony.

PIĘĆ MINUT PÓŹNIEJ

Skorpiony chodziły po wojskowych spodniach i po dłoniach pokrytych ciemnymi, gęstymi włoskami. Jeden z nich wyprostował odwłok i wspiął się na podbródek. Zakiwał się na półotwartych ustach i stanął na łagodnym szczycie pyzatego policzka. Inny, zbadawszy małżowinę ucha, spacerował wśród gęstych czarnych włosów. Jeszcze inny szybko sunął po parkiecie jakby uciekając przed kałużą krwi, która wylewała się z rozciętego gardła majora Mahmadowa.

BERLIN, 19 LIPCA 1950 ROKU.
GODZINA ÓSMA WIECZÓR

Anwaldt przebudził się w ciemnym pokoju. Przed oczami miał sufit, po którym tańczyły wodne refleksy. Wstał i chwiejnym krokiem zbliżył się do okna. W dole płynęła rzeka. Na barierce siedziała czule obejmująca się para. Z oddali błyskały światła wielkiego miasta. Anwaldt znał skądś to miasto, ale pamięć odmawiała mu posłuszeństwa. Środki uspokajające do zera ograniczały szybkość skojarzeń. Rozejrzał się po pokoju. Szarość podłogi przecinała żółta smuga światła dochodząca poprzez uchylone drzwi. Anwaldt otworzył je na oścież i wszedł do pustego prawie pokoju. Jego surowy, ascetyczny wystrój stanowiły stół, dwa krzesła i pluszowa kanapa. Na podłodze i na kanapie walały się części garderoby. Zainteresował się nimi i po dłuższej chwili wyraźnie posegregował je w myślach, przyjmując płeć za kryterium rozstrzygające. Z jego analizy wynikało, że mężczyzna, który rozrzucił dookoła swe ubranie, powinien zostać w jednej skarpetce i w kalesonach, kobieta natomiast w pończochach. Dojrzał parę siedzącą przy stole i ucieszył się precyzją swej analizy. Niewiele się pomylił: pulchna blondynka faktycznie miała na sobie jedynie pończochy, natomiast starzec z czerwoną, pokiereszowaną twarzą – tylko kalesony. Anwaldt wpatrywał się w niego przez chwilę i po raz kolejny przeklął słabość swej pamięci. Przeniósł wzrok na środek stołu i przypomniał sobie pewien częsty motyw greckiej literartury: *anagnorismos* – motyw rozpoznania. Oto czyjś zapach, pukiel włosów jakiś przedmiot rozplątywał cały łańcuch skojarzeń, przywracał zatarte podobieństwo rysom, generował minone sytuacje. Patrząc na stojącą na środku stołu szachownicę, naciągnął cięciwę pamięci i przeżył swój *anagnorismos*.

BERLIN, TEGOŻ 19 LIPCA 1950 ROKU.
GODZINA JEDENASTA WIECZÓR

Anwaldt obudził się w pustym pokoju na pluszowej kanapie. Dziewczyna zniknęła wraz ze swoją wykwintną garderobą. Koło kanapy siedział stary mężczyzna, obejmując niezdarnie filiżankę parującego bulionu. Anwaldt przechylił się i wypił pół filiżanki.

– Czy może mi pan dać papierosa? – zapytał dziwnie mocnym, dźwięcznym głosem.

– Mów mi „ty", synu – wyciągnął ku Anwaldtowi srebrną papierośnicę. – Za dużo razem przeszliśmy, aby spełniać oficjalne bruderszafty.

Anwaldt opadł na poduszkę i zaciągnął się głęboko. Nie patrząc na Mocka powiedział cicho:

– Dlaczego mnie okłamałeś? Napuściłeś mnie na barona, ale to wcale nie zatrzymało zemsty jezydów! Dlaczego poszczułeś mnie na własnego ojca?

– Nie powstrzymało to jezydów, powiadasz. I masz rację. Ale skąd ja miałem o tym wtedy wiedzieć? – Mock zapalił kolejnego papierosa, choć poprzedni jeszcze dymił w popielniczce. – Pamiętasz tę lipcową, duszną noc w burdelu madame le Goef? Szkoda, że nie postawiłem cię wtedy przed lustrem. Wiesz, kogo byś ujrzał? Edypa z wydartymi oczami. Sam nie wierzyłem, że ujdziesz jezydom. Mogłem cię uratować przed nimi na dwa sposoby: albo dać ci nadzieję i odizolować – przynajmniej na jakiś czas – albo samemu cię zabić i w ten sposób uchronić przed tureckimi skorpionami. Co byś wolał? Jesteś teraz w takim stanie ducha, że mi powiesz: wolałbym wtedy zginąć... Czy tak?

Anwaldt zamknął oczy i zaciśniętymi powiekami starał się zagrodzić drogę łzom.

– Ciekawe mam życie... Jeden oddaje mnie do sierocińca, drugi – do wariatkowa. I jeszcze twierdzi, że dla mojego dobra...

– Herbercie, prędzej czy później trafiłbyś do czubków. Tak stwierdził doktor Bennert. Ale do rzeczy... Podjudziłem cię do zabójstwa barona, aby cię odizolować – skłamał jeszcze raz Mock. – Nie wierzyłem, że ujdziesz jezydom. Ale wiedziałem, że dzięki temu będziesz względnie bezpieczny. Wiedziałem też, co zrobić, abyś nie dostał dużego wyroku. Myślałem sobie tak: Anwaldt będzie miał ochronę w postaci więziennych murów, a ja będę miał czas, aby złapać Erkina. Przecież zlikwidowanie Erkina było dla ciebie jedynym ratunkiem...

– I co? Zlikwidowałeś go?

– Tak. Bardzo skutecznie. Po prostu zaginął, a jego święty derwisz sądził, że wciąż ciebie tropi. Sądził tak do niedawna, aż znowu wysłał mściciela, który leży w twojej separatce w drezdeńskiej klinice Bennerta. I znów masz trochę czasu...

– Dobrze Mock, tymczasowo mnie ochroniłeś – Anwaldt podniósł się z kanapy i wypił resztę bulionu. – Ale przyjdzie kolejny jezyda... I dotrze do Forstnera lub Maassa...

– Do Forstnera już nie dotrze. Nasz drogi Max miał we Wrocławiu straszny wypadek – zmiażdżyła go winda... – nagle twarz Mocka stała się jeszcze bardziej czerwona, a bruzdy pobladły. – Co ty sobie, myślisz?! Ja ciebie chronię, jak mogę, a ty w kółko myślisz o klątwie. Jeżeli nie chcesz żyć, to masz pistolet i zastrzel się. Ale nie tutaj, bo zdekonspirujesz mieszkanie wywiadowcze Stasi... Jak sądzisz, dlaczego cię ochraniam?

Anwaldt nie znał odpowiedzi na to pytanie, Mock zaś chciał ją zagłuszyć krzykiem.

– A co się z tobą działo? – Anwaldt nigdy nie bał się krzyku. – Jak trafiłeś do Stasi?

– Ta instytucja chętnie przyjmowała do siebie wyższych oficerów Abwehry, gdzie przeszedłem pod koniec trzydziestego czwartego. Mówiłem ci o tym zresztą podczas odwiedzin w Dreźnie.

– Cholera, długo siedziałem w tym Dreźnie – Anwaldt uśmiechnął się gorzko.

– Bo przez te wszystkie lata nie było możliwości wyjazdu w bezpieczne miejsce... Wiedziałem od Bennerta, że wyszedłeś ze swojej choroby...

Anwaldt wstał gwałtownie, wylewając na podłogę resztki bulionu.

– Nie pomyślałem o Bennercie... On przecież wszystko o mnie wie...

– Opanuj się – z pokiereszowanej twarzy Mocka bił stoicki spokój. – Bennert nie piśnie nikomu ani słowa. Ma wobec mnie dług

204

wdzięczności. Wyciągnąłem jego córkę spod gruzów. To jest pamiąt-
ka – dotknął twarzy. – Eksplodował niewypał i płonąca papa z dachu
osmaliła mi trochę łeb.

Herbert przeciągnął się i wyjrzał przez okno: zobaczył milicjan-
tów ciągnących jakiegoś pijanego cywila. Zrobiło mu się słabo.

– Mock, przecież teraz ja będę ścigany przez milicję za zabójstwo
ego Turka, który leży martwy w mojej salce u Bennerta!

– Niezupełnie. Jutro wraz ze mną będziesz w Amsterdamie, a za tydzień w Stanach – Mock nie tracił panowania nad sobą. Wyjął z kieszeni małą karteczkę pokrytą mnóstwem cyferek. – To jest zaszyfrowa-
na depesza od generała Johna Fitzpatricka, wysokiego funcjonariusza
CIA. Abwehra była przepustką do Stasi, Stasi zaś – do CIA. Wiesz, jaka jest treść tej depeszy: „Wyrażam zgodę na przyjazd do USA pana
Eberharda Mocka wraz synem" – Mock wybuchnął śmiechem. – Ponieważ masz papiery na nazwisko Anwaldt, a nie mamy czasu na wy-
abianie nowych, umówmy się, że jesteś moim dzieckiem nieślubnym...

Ale „nieślubnemu dziecku" wcale nie było do śmiechu. Odczuwał
to prawda radość, ale mąciła mu ją ponura, smutna satysfakcja, jak
po zakatowaniu znienawidzoneno wroga.

– To już wiem, dlaczego pan mnie całe życie ochraniał. Chciał
an mieć syna...

– Gówno wiesz – Mock udawał oburzenie. – Psycholog-amator.
Sam byłem mocno zanurzony w tę sprawę i boję się przede wszystkim o siebie. Zbyt cenię swój brzuch, aby czynić z niego domek dla
korpionów.

Obaj w to nie wierzyli.

XVIII

NOWY JORK, SOBOTA 14 MARCA 1951 ROKU.
GODZINA CZWARTA NAD RANEM

Hotel „Chelsea" przy pięćdziesiątej piątej ulicy był o tej nadrannej
orze cichy i uśpiony. Mieszkali tutaj w większości stali rezydenci:
omiwojażerowie i agenci ubezpieczeniowi, którzy w dni powszednie

wcześnie chodzili spać, aby następnego ranka wyruszyć do pracy bez piasku w oczach i bez nieświeżego alkoholowego oddechu.

Z tej powszechnej zgody obyczajów wyłamywał się mieszkaniec szesnastego piętra, który wynajmował duży trzypokojowy apartament. Uważano go za pisarza. Pracował nocami przy dużym biurku, przedpołudnia odsypiał, popołudniami gdzieś wychodził, a wieczory często fetował w damskim towarzystwie. Dzisiejszy wieczór przedłużył się do trzeciej nad ranem. O tej właśnie godzinie z pokoju „literata" wyszła zmęczona dziewczyna w granatowej sukience z wielkim marynarskim kołnierzem. Zamykając drzwi, posłała całusa w głąb mieszkania i podeszła do windy. Kątem oka dostrzegła dwóch mężczyzn zbliżających się długim hotelowym korytarzem. Kiedy ją mijali zadrżała. Jeden z nich straszył pełną blizn twarzą Frankensteina, drugi – płonącymi oczami fanatyka. Dziewczyna odetchnęła z ulgą, kiedy znalazła się w towarzystwie sennego windziarza.

Mężczyźni podeszli do pokoju 16 F. Mock delikatnie zastukał Drzwi uchyliły się nieznacznie. W szparze ukazała się starcza twarz Anwaldt chwycił za klamkę i z całej siły przyciągnął je ku sobie. Głowa starca dostała się między drzwi a framugę, stalowa ościeżnica miażdżyła ucho. Otworzył usta do krzyku, lecz momentalnie został zakneblowany chustką do nosa. Anwaldt puścił drzwi. Starzec stał w przedpokoju i wyciągał z ust prowizoryczny knebel. Opuchlizna nabrzmiewała na małżowinach. Anwaldt wymierzył szybki cios. Pięść rozgniotła ciepłe ucho. Starzec upadł. Mock zamknął drzwi, pociągnął napadniętego do pokoju i posadził go w fotelu. Dwa tłumiki wpatrywały się w niego uważnie.

– Jeden ruch, trochę wyższy ton, a zginiesz – Anwaldt starał się zachować spokój. Mock tymczasem przeglądał książki stojące na biurku. Nagle odwrócił się i spojrzał drwiąco na bezbronnego człowieka.

– Powiedz, Maass, staje ci jeszcze? Ciągle, jak widzę, lubisz uczennice...

– Nie wiem, o czym pan mówi – Maass rozcierał piekące ucho. Panowie mylą mnie z kimś innym. Jestem George Mason, profesor języków semickich z Columbia University.

– Zmieniliśmy się, co Maass. Mnie, Mocka, oskalpowała płonąca papa z dachu, a Herberta Anwaldta utuczyły kluski, ulubione danie w szpitalu wariatów – powoli przerzucał kartki na stole. – Tobie zaś obwisły policzki i wypadły resztki pięknych niegdyś kędziorów. Ale temperament został ten sam, co Maass?

Zapytany milczał, ale jego oczy powoli robiły się coraz większe. Otworzył w przerażeniu usta, ale nie zdążył krzyknąć. Mock mocno przycisnął jego ręce do oparć fotela, a Anwaldt błyskawicznym ruchem wepchnął mu chustkę prawie do gardła. Po kilku minutach przerażone oczy Maassa zgasły. Anwaldt wyjął knebel i zapytał:

– Dlaczego wydałeś mnie Turkowi, Maass? Kiedy cię przekupili? Dlaczego nie byłeś lojalny wobec barona von der Maltena? Jego wdzięczność i jego pieniądze zwolniłyby cię na całe życie z trudu szukania korepetycji. Ale ty lubiłeś korepetycje... Zwłaszcza z wyuzdanymi uczennicami...

Maass sięgnął po stojącą na stole butelkę „Jacka Danielsa" i prosto z butelki pociągnął spory łyk. Łysina pokryła się drobnymi kropelkami.

– Co według ciebie, Anwaldt, jest najważniejsze na świecie? – przestał się kamuflować wymyślonym nazwiskiem. Nie czekając na odpowiedź, ciągnął: – Najważniejsza jest prawda. Ale cóż ci po prawdzie, kiedy przeklinasz po nocach swoją palącą męskość, kiedy ruch bioder przechodzącej samicy burzy misterne piramidy wynikających z siebie wniosków i niewzruszone piętra sylogizmów. Spokój osiągniesz dopiero wtedy, gdy najbardziej renomowane periodyki naukowe zatęsknią za twoimi artykułami, a rozkoszne nimfy za twoim falusem, który je co noc ujarzmia... Przeżyłeś to kiedyś, Anwaldt? Bo ja przeżyłem to przed szesnastoma laty we Wrocławiu, kiedy Kemal Erlin za pewną prostą ekspertyzę słał mi przed oczy nieodkryte rękopisy, a uległe hurysy pod nogi. Wiem, że one mnie nie kochały ani nie pożądały, ale cóż z tego? Wystarczy, że codziennie spełniały moje wszystkie zachcianki. Zapewniały mi spokój w pracy. Oto dzięki nim mogłem oderwać się od wściekłego i kapryśnego władcy ukrywającego się w moich lędźwiach. Nie myśląc o nim zająłem się nauką. Wydałem rękopis uważany za zaginiony i to odkrycie przyniosło mi światową sławę. Kiedy wyposażony przez Erkina w ogromną sumę i w fotokopię rękopisu, który uważano za zaginiony, uciekałem z Wrocławia, wiedziałem, że każda katedra orientalistyki otworzy się przede mną – znów pociągnął łyk whisky i skrzywił się lekko. – Wybrałem Nowy Jork, ale i tu mnie znaleźliście. Tylko powiedzcie mi: po co? Dla prymitywnej zemsty? Przecież jesteście Europejczykami, chrześcijanami... Gdzie wasze przykazanie o przebaczeniu?

– Mylisz się, Maass. I ja, i Anwaldt mamy wiele wspólnego z jezydami, a – ściślej mówiąc – po tym, co przeszliśmy, wierzymy w moc fatum – Mock otworzył okno i wpatrywał się w wielki neon reklamowy papierosów „Camel". – A ty, Maass, wierzysz w przeznaczenie?

– Nie... – Maass roześmiał się pokazując śnieżnobiałe zęby. – Ja wierzę w przypadek. To on sprawił, że moja uczennica zapoznała mnie z Erkinem, to dzięki przypadkowi odkryłem, Anwaldt, twoje prawdziwe pochodzenie...

– Znów się mylisz, Maass – Mock wygodnie rozsiadł się na fotelu i rozłożył elegancką aktówkę. – Zaraz udowodnię ci istnienie fatum. Pamiętasz dwa ostatnie proroctwa Friedländera? Pierwsze z nich w twoim tłumaczeniu brzmiało: *arar* „ruina", *chawura* „rana", *makal* „ropieć", *afar* „gruzy", *szamajim* „niebo". To proroctwo dotyczy mnie. *Makak* to nic innego, jak moje nazwisko – Mock. Proroctwo sprawdziło się. Zginął kapitan Abwehry Eberhard Mock, narodził się oficer tajnej policji komunistycznej Stasi – major Eberhard Mock. Inny na twarz, inny człowiek, to samo nazwisko. Przeznaczenie... A teraz spójrz Maass na to drugie proroctwo. Brzmi ono: *jeladim* „dzieci" *akrabbim* „skorpiony", *amoc* „biały" i *chol* „piasek" lub *chul* „kręci się, upadać". Przypuszczałem, że to proroctwo dotyczy Anwaldta (*jeladim* brzmi podobnie jak Anwaldt). I prawie że się spełniło. Oto w szpitalu psychiatrycznym pojawił się major Stasi, potężny Uzbek z kieszeniami pełnymi skorpionów, aby wypełnić tajemne posłanie. Anwaldt miał zginąć wśród białych ścian (*amoc* – biały), w pokoju, którego okna wyposażone były w kraty (*sewacha* – kraty), z brzuchem napełnionym kręcącymi się (*chul* – kręcić się) na wszystkie strony skorpionami. Ale ja inaczej zinterpretowałem to proroctwo i zmieniłem przeznaczenie. Ekspertyzy językowej dokonał Anwaldt, który w szpita u wykształcił się na niezłego znawcę języków semickich. A Uzbek pozostał wraz ze swoimi pustynnymi braćmi w drezdeńskim szpitalu...

Mock chodził powoli po pokoju i dumnie wypinał potężną pierś.

– I widzisz, Maass? Ja jestem przeznaczeniem. Także twoim... Chcesz poznać moją interpretację ostatniego proroctwa? Oto ona: *umoc* to „Maass", dalej – *jeladim* „dzieci", *akrabbim* „skorpiony", *chul* „upadać". „Dzieci", „skorpiony" i „upadać" to prognostyk twoej śmierci.

Mock stanął na środku pokoju i wzniósł ramiona ponad głowę. Zastygł w tej pozie pogańskiego kapłana i donośnym głosem powiedział:

– Ja, Eberhard Mock, nieubłagane fatum, ja, Eberhard Mock, nadchodząca śmierć, zapytuję ciebie, synu, czyli wolisz upaść z tego piętra na ulicę, czy umrzeć od jadu tych małych skorpionów, jeszcze dzieci, skorpionich dzieci, lecz już z morderczą trucizną w ogonie?

Mock wyraźnie zaakcentował wyraz „skorpionie dzieci" i „wypaść".

Maass nie rozumiał, o jakie skorpiony chodzi, dopóki Anwaldt nie otworzył małego lekarskiego kuferka. Maass spojrzał do wnętrza kuferka zbladł. Małe czarne pajęczaki kręciły szczypcami i wyginały odwłoki, usiłując wydostać się z kuferka. W uszach powtarzała się dawno niesłyszana niemczyzna. Syczał i wibrował czasownik *ausfallen* – „wypaść". Ruszył w stronę otwartego okna. W ciemnościach nocy neonowy palacz na reklamie rytmicznie puszczał serie kółek z papierosowego dymu.

SPIS ULIC I PLACÓW

Adalbertstrasse – Wyszyńskiego

Agnesstrasse – Łąkowa

Albrechtstrasse – Wita Stwosza

Bahnhofstrasse – Dworcowa

Blücherplatz – Plac Solny

Bohrauer Strasse – Borowska

Eichen-Alee – Aleja Dębowa

Freiburgestrasse – nieistniejący dziś odcinek między sądową a Piłsudskiego

Gabitzstrasse – Gajowicka

Gartenstrasse – Piłsudskiego

Graupnerstrasse – Krupnicza

Graupnerstrasse – Sądowa

Gräbschener Strasse – Grabiszyńska

Helmut-Brückner-Strasse – Biskupia (od 14 IV 1933–15 XII 1934)

Hohenzollernstrasse – Sudecka

Honsastrasse – Norwida

Junkerstrasse – Ofiar Oświęcimskich

Kaiser-Wilhelm-Strasse – Powstańców Śląskich

Karlstrasse – Kazimierza Wielkiego

Kastanien-Allee – Kasztanowa

Kletschkau Strasse – Kleczkowska

Klettendorfer Strasse – Karmelkowa

Königsplatz – plac 1 Maja

Krietener Weg – Krzycka

Kürassier Allee – Hallera

Leibichshähe – Wzgórze Partyzantów

Lessingplatz – plac Powstańców Warszawy

Menzelstrasse – Sztabowa

Neudorfstreasse – Komandorska

Neue Sandstrasse – Piaskowa

Opitzstrasse – Żelazna

Rehdigerplaz – plac Pereca

Reichpräsidentenplatz – plac Powstańców Śląskich

Reuschestrasse – Ruska
Sadowa – Swobodna
Schellwitzstrasse – Bukowskiego
Schlossplatz – plac Wolności
Schmiedebrücke – Kuźnicza
Schuhbrücke – Szewska
Schweidnitzer Stadtgraben – Podwale
Schweidnitzer Strasse – Świdnicka
Seydlitzstrasse – Pszenna
Sonnenplatz – plac Legionów
Sonnenstrasse – Piłsudskiego (odcinek między pl. Legionów a Podwalem)
Stehlener Chaussee – Tarnogajska
Tauentzienplatz – plac Kościuszki
Tauentzienstrasse – Kościuszki
Teichäckerstrasse – Sucha
Teichstrasse – Stawowa
Telegraphstrasse – przedłużenie Kościuszki od pl. Muzealnego do Grabiszyskiej
Theaterstrasse – Zapolskiej
Tiergartenstrasse – Curie-Skłodowskiej
Uferzeile – Wybrzeże Wyspiańskiego
Ursulinenstrasse – Uniwersytecka
Wallstrasse – Włodkowica
Waschteich Park – park Nowowiejski
Wietenstrasse – Żytnia
Zwingerplatz – plac Teatralny
Zwingerstrasse – Teatralna

Projekt okładki
Renata Pacyna-Kruszyńska

Redakcja
Janina Majerowa

Korekta
Janina Gerard-Gierut

Redakcja techniczna
Natalia Wielęgowska

© Publicat S.A. MMVII
ISBN 978-83-245-8562-5

Wydawnictwo Dolnośląskie
50-010 Wrocław, ul. Podwale 62
oddział Publicat S. A. w Poznaniu
tel. 071 785 90 40,
fax 071 785 90 66
e-mail: sekretariat@wd.wroc.pl
www.wd.wroc.pl